Uma Introdução à História do Design

Uma Introdução à

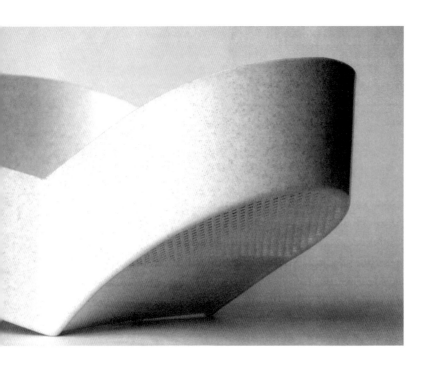

Blucher

Rafael Cardoso

História do Design

TERCEIRA EDIÇÃO, TOTALMENTE REVISTA E AMPLIADA

Uma introdução à história do design
© 2008 Rafael Cardoso
3ª edição – 2008
4ª reimpressão – 2016
Editora Edgard Blücher Ltda.

Capa e projeto gráfico: Angelo Allevato Bottino
                          João de Souza Leite

Fotografia: Gabriel do Patrocínio

Revisão: Frederico Hansen

Blucher

Rua Pedroso Alvarenga, 1245, 4º andar
04531-934 – São Paulo – SP – Brasil
Tel.: 55 11 3078-5366
contato@blucher.com.br
www.blucher.com.br

É proibida a reprodução total ou parcial por quaisquer meios sem autorização escrita da Editora.

Todos os direitos reservados pela Editora Edgard Blücher Ltda.

FICHA CATALOGRÁFICA

V378p   Cardoso, Rafael, 1964-
        Uma introdução à história do design /
        Rafael Cardoso – São Paulo: Blucher, 2008.

        276 p. ilust. Bibliografia. Índice.
        ISBN 978-85-212-0456-5

        1. Design. Título.

CCF/CBL/SP-73-0505   CDD-620.112
                            CDU-620.1

Índices para catálogo sistemático:
1. História do design   620.112

Conteúdo

VII   Prefácio à terceira edição
IX   Prefácio à segunda edição
XI   Prefácio

CAPÍTULO 1
Introdução
16   História e design
20   A natureza do design

CAPÍTULO 2
Industrialização e organização industrial, séculos 18 e 19
26   Revoluções industriais e industrialização
28   Primórdios da organização industrial
33   Expansão da organização industrial

CAPÍTULO 3
Design e comunicação no novo cenário urbano, século 19
46   Formação da comunicação visual moderna
58   A imagem e a fotografia
62   O design na intimidade
67   O design na multidão

CAPÍTULO 4
Design, indústria e o consumidor moderno, 1850-1930

- 76 Design e reformismo social
- 86 Consumo e espetáculo
- 94 O império dos estilos
- 109 O advento da produção em massa

CAPÍTULO 5
Design e teoria na primeira era modernista, 1900-1945

- 120 Design e nacionalismo
- 126 O vanguardismo europeu e a Bauhaus
- 136 A prática do design entre as guerras
- 151 Design, propaganda e guerra

CAPÍTULO 6
O design em um mundo multinacional, 1945-1989

- 160 Indústria e sociedade no pós-guerra
- 167 O designer e o mundo das empresas
- 186 A tradição modernista e o ensino do design
- 197 O design na era do marketing
- 213 Design na periferia

CAPÍTULO 7
Os desafios do design no mundo pós-moderno

- 234 Pós-modernidade e a perda das certezas
- 237 O design na era da informação
- 244 Design e meio ambiente
- 251 O designer no mercado global

- 255 Bibliografia
- 265 Índice

Prefácio à terceira edição

A primeira edição deste livro foi escrita em 1999. Nos últimos oito anos, muita coisa mudou no mundo e no design. Foi mais radical ainda a transformação do campo de história do design no Brasil. É um prazer inequívoco constatar que, desde o ano 2000, mais pesquisas foram realizadas e textos publicados nessa área do que em muitas décadas anteriores. Praticamente todas as informações das quais dispomos hoje sobre o exercício do design no Brasil, devidamente codificadas, resultaram de trabalhos relativamente recentes. No conjunto, isto representa nada menos do que uma revolução na forma com que enxergamos o design brasileiro. Ao redescobrirmos o passado, não resta dúvida de que estamos também a reinventar o presente. Se os campos de estudo se transformam, o que dizer, então, dos indivíduos que os compõem? Na vida do autor deste livro, mudou quase tudo, passando por um amadurecimento natural como pesquisador. Por todas essas razões, faz-se necessária a atualização de um trabalho que, embora tenha apenas oito anos de existência, já virou coisa do século passado!

Esta terceira edição é quase um livro novo, pela quantidade de acréscimos e pela qualidade das pesquisas que embasam as alterações feitas. Ao redimensionar o índice remissivo (para citar um indicador quantificável), foram introduzidos nada menos do que cem novos nomes e termos, antes inexistentes. A segunda edição deste livro, de 2004, apresentou relativamente poucas modificações, apenas agregando os resultados de pesquisas novas, corrigindo erros e acrescentando alguns fatos esquecidos na primeira. Tratou-se da resposta possível, naquele momento, mas não foi o suficiente para manter o livro atualizado por muito tempo. Esta terceira edição, agora, traz mudanças bem mais significativas, com vários novos trechos, tópicos, imagens e a correção, tardia, de alguns erros que permaneciam desde a primeira. Quem se der ao trabalho de compará-la com as edições anteriores, perceberá rapidamente o quanto ela cresceu. Para os leitores que já possuem uma ou ambas as edições anteriores, o autor pede desculpas por se ver obrigado a impingir-lhes mais esta. Sinto informar que, sim, esta não é uma simples atualização, mas uma edição que vem substituir as anteriores, tornando-as ultrapassadas.

Alguns leitores, ressabiados com essa notícia, podem estar ponderando a sabedoria de investir novamente em um livro, cujo autor, pelo visto, é afeito a revisões periódicas do seu trabalho. Para estes, a boa notícia é que, não, o autor não tem em mente a confecção de uma quarta edição, revista e atualizada. Se o volume de pesquisas nos próximos cinco anos for condizente com o dos últimos cinco – significando que deverá ser ainda maior –, o presente livro acabará por ceder seu posto a outros, inclusive de novos autores, encontrando no horizonte editorial não muito distante seu merecido lugar de aposentadoria. Um campo com o dinamismo do design não pára, e quem acha que a história do design é menos dinâmica do que a própria área que procura historiar conhece muito pouco do assunto. Para estes últimos, recomendo que não percam mais tempo com prefácios, e partam rapidamente para a leitura do resto do livro.

Rio de Janeiro, agosto de 2007

Prefácio à segunda edição

A ótima aceitação da primeira edição deste livro é uma fonte de grande alegria para o seu autor. De Porto Alegre, Florianópolis, Curitiba, São Paulo, Belo Horizonte, Vitória, Salvador, Recife e, até mesmo, do meu Rio de Janeiro querido e inconstante, tenho recebido inúmeras manifestações de entusiasmo e de carinho, que apontam para o fato inegável de que os designers brasileiros estão ávidos por conhecerem melhor sua própria história. A todos os leitores que têm ajudado a fazer deste livro um sucesso editorial, dedico aqui meus agradecimentos sinceros.

 A oportunidade de fazer uma segunda edição é grata, pois significa a chance de preencher algumas lacunas na versão original. Houve diversas omissões à época, é claro, devidas, de modo geral, ao esquecimento e à ignorância do autor e corretamente apontadas por alguns críticos que se deram ao trabalho de resenhar o livro. A presente edição tenta, na medida do possível, corrigir essas falhas, no que não faz mais do que sua obrigação. Para além da obrigação, esta edição também tira proveito de avanços logrados nos últimos anos em termos de pesquisas históricas sobre design. É muito gratificante constatar que este livro serviu como fonte e estímulo para outros pesquisadores engajados no amplo trabalho de construir a história do design brasileiro. Também são devidos agradecimentos, portanto, tanto aos críticos quanto aos colegas e colaboradores, já que o conhecimento só avança com muito debate e pesquisa.

 Gostaria de aproveitar a ocasião para reiterar a esperança de que venham a se avolumar trabalhos originais nessa área. Para que os relatos históricos sejam construídos com eficácia, é necessário que as fontes primárias sejam cada vez melhor conhecidas e divulgadas. A identificação e compilação de fontes ligadas à evolução do design brasileiro é tarefa premente. Há uma abundância insuspeita de acervos e documentos Brasil afora que, infelizmente, ainda são relegados ao esquecimento – em alguns casos, correndo risco de desagregação ou destruição. De modo geral, são pouco valorizados por seus detentores e proprietários por serem considerados 'de menor importância' com relação a artefatos de valor histórico e mercadológico reconhecidos, como livros e obras de arte.

 Uma decorrência feliz das pesquisas em história do design tem sido a revalorização e mesmo a reconceituação, dentro de acervos públicos, de coleções antes pouco consideradas ou compreendidas. Ao destacar-se a importância histórica de impressos comerciais e efêmeros ou de protótipos industriais e modelos de patentes, aprofunda-se a própria visão que lançamos sobre a cultura material, parte integrante tão essencial do mundo contemporâneo. Mais urgente ainda do que o trabalho de resgate dentro dos arquivos e museus constituídos, é a preservação de tantos acervos particulares que se dispersam a cada dia por não se encaixarem em nenhuma categoria tradicional de patrimônio histórico. Faz-se urgente a criação de mecanismos e organizações capazes de abrigar e preservar a memória coletiva no que diz respeito aos artefatos de origem industrial e ao seu contexto de produção e uso, aí incluída a arqueologia industrial. Com o papel preponderante assumido pelo design no mundo contemporâneo, é inaceitável que existam tão poucas instâncias de arquivamento, estudo e exposição dedicadas à área.

Antes de encerrar este prefácio, cabe ainda um pequeno esclarecimento pessoal no que tange à mudança na forma de empregar o nome do autor, ocorrida desde a edição passada. Por razões um tanto obscuras, acabou-se gerando uma situação em que os meus escritos ficaram divididos em duas partes, assinados de dois modos diferentes: por um lado, a produção científica nas áreas de artes e design; por outro, a produção literária e artística (também sou escritor de ficção, e letrista bissexto). Isto acabou gerando um incômodo desnecessário, que venho tentando remediar ao longo dos últimos quatro anos. Com a alteração do presente livro, faz-se completa a unificação do meu nome em torno da forma simplificada de assinar. Peço a compreensão e a indulgência de quem estiver inclinado a me citar, daqui para frente, no sentido de me ajudar a superar essa aborrecida divisão nominal.

Rio de Janeiro, dezembro de 2003

Prefácio

(para ser lido por quem já entende do assunto)

O livro que está em suas mãos tem tudo para desagradar a quem chega ao assunto com idéias formadas, e cabe dizer logo de cara que ele não pretende se esquivar da tarefa de incomodar, pois questionar, subverter e até contrariar as opiniões preconcebidas fazem parte do trabalho do historiador. Quero ressaltar, porém, que o presente livro não tem a menor intenção de ser contencioso. Embora exista certamente quem irá pensar o contrário, não se pretende aqui favorecer nenhum grupo de designers, defender nenhuma facção ou movimento, privilegiar nenhum tipo de prática acima de outras. O design já é um campo prolífico em rixas e sectarismos e este livro tem como propósito maior estimular os designers a tomar consciência do riquíssimo legado histórico que têm em comum. Acima de tudo, espero que as idéias contidas nestas páginas sirvam para agregar forças e não para dispersá-las.

O título do livro pode parecer um tanto genérico, e portanto normativo, mas tem como intenção enfatizar uma tomada de posição a favor da pluralidade de opiniões. Trata-se de *uma* introdução à história do design, dentre muitas possíveis. Não é nem de longe o único livro dessa natureza e o leitor curioso não terá dificuldades em encontrar indicações de várias outras opções na bibliografia ao final deste volume. Não se trata sequer da única introdução ao assunto disponível no Brasil. Existem pelo menos dois outros livros de nível introdutório em língua portuguesa: *Desenho Industrial* de John Heskett e *Pioneiros do Desenho Moderno* de Nikolaus Pevsner, mas, no caso do leitor se ver obrigado por questões de tempo ou dinheiro a optar por apenas um dos três, terei a ousadia de sugerir que escolha este aqui. O livro de Heskett, embora lançado recentemente entre nós, foi publicado originalmente em 1980 e, pelas muitas pesquisas importantes realizadas no campo nos últimos vinte anos, tenho certeza que seu autor seria o primeiro a admitir que não se trata de uma introdução das mais atuais. O segundo citado, embora talvez ainda seja a referência mais utilizada nas faculdades de design brasileiras, foi escrito em 1936 e atualizado pela última vez em 1960 e — sem querer desfazer das grandes qualidades do seu autor — apresentá-lo a alunos como uma introdução ao assunto equivale um pouco a oferecer *Os Sertões* como primeiro livro de estudo em um curso de antropologia. Por mais que seja um 'clássico', o livro de Pevsner apresenta uma visão da história do design inteiramente ultrapassada.

Pensando bem, não é justo dizer que o presente livro não privilegia nenhum grupo de designers, pois, na verdade, ele lança um olhar escancaradamente brasileiro sobre o tema. Pretende-se que esta seja uma introdução à história do design a partir de uma perspectiva brasileira, o que também a separa das referências citadas acima. Se neste livro Joaquim Tenreiro e Aloísio Magalhães recebem mais destaque do que Marcel Breuer e Milton Glaser, não serão oferecidas desculpas por essas tendências assumidamente etnocêntricas. Não é que eu considere o nacionalismo como um valor próprio, por si só louvável, ou que, como alguns, eu tenha o hábito de me ufanar do meu país. Apenas proponho como justificativa desse procedimento a velha opinião de que a falta de conhecimento da própria cultura figura alto na lista antológica de 'problemas do Brasil'. Por que não escrever, então, uma história do design brasileiro? Em primeiro lugar, a falta de pesquisas sobre o assunto dificulta em muito o trabalho de reconstituir de maneira isenta uma visão da evolução do campo no Brasil, até porque o corpo de saber como está constituído entre nós (a partir da narrativa pevsneriana) relega o país a uma posição marginal e tardia por definição. Em segundo lugar, a própria natureza do design, como fenômeno internacional e interdisciplinar, milita contra as versões exclusivamente nacionais da sua história. Não é à toa que, até hoje, praticamente todos os livros de introdução ao assunto têm adotado uma perspectiva múltipla. A meu ver, escrever uma história do design brasileiro é tarefa para muitos, e espero que o presente livro ajude a estabelecer alguns parâmetros para serem seguidos ou subvertidos por outros autores.

Antes de encerrar este prefácio, quero dedicar mais algumas palavras ao problema da escolha do que incluir ou excluir do presente livro. Com toda certeza, cada um irá identificar trechos em que teria sido desejável dizer mais sobre algum assunto. Não é possível, evidentemente, abranger em um único volume todas as ramificações de um campo tão vasto em aplicações e variações quanto o design. Vale lembrar mais uma vez que se trata de uma introdução à história de uma atividade profissional, no seu sentido mais amplo, e não de um tratado exaustivo sobre qualquer um dos seus aspectos; portanto, o livro toca em muitos tópicos que não puderam ser desenvolvidos a fundo. Diversos temas e personagens de grande relevância para a história do design aparecem nestas páginas de forma parcial ou passageira e não há muito como solucionar essa deficiência sem desdobrar o presente volume em dois ou três ou quatro. O livro tenta atingir uma visão equilibrada do design em toda a sua multiplicidade, ressaltando os momentos

Prefácio

de inovação e ruptura em cada uma das especialidades que compõem o campo mas sem se deter sobre os períodos de continuidade em nenhuma delas. Quanto aos designers individuais, optou-se por reduzir ao mínimo absoluto a menção de nomes que tenham se destacado após a década de 1970. Já é suficientemente difícil escrever um livro deste gênero sem assumir o encargo adicional de julgar o mérito do trabalho de profissionais ainda ativos, correndo o risco de excluir pessoas por ignorância ou de inclui-las por motivos puramente pessoais. Este não é um livro de crítica, no sentido de tentar fazer ou desfazer reputações, e portanto peço a compreensão de todos aqueles designers da atualidade cujo trabalho os habilita a uma vaga nos livros de história. Esse reconhecimento virá, sem dúvida alguma, e, bem provavelmente, em livros escritos por mãos mais capazes do que as minhas.

Ofereço o texto que segue como um primeiro guia para quem quer se iniciar na história do design e, mesmo para quem já conhece bem o assunto, creio que ele trará algumas novidades. Existem, sem dúvida, muitas falhas e lacunas nas páginas a seguir e um dos objetivos deste livro é de estimular novas pesquisas e publicações que venham a corrigir umas e preencher outras. Se, ao contrariar alguns dos seus leitores e despertar a curiosidade de outros, este livro conseguir instigar a feitura de mais trabalhos sobre o tema, então terá realizado a mais importante de suas funções.

Rio de Janeiro, setembro de 1999

CAPÍTULO 1

Introdução

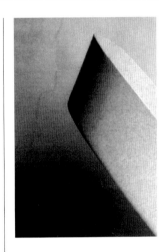

História e design

A natureza do design

História e design

Antes de iniciar qualquer investigação histórica do design, é fundamental que se entenda o que é história e como funciona. Os não-historiadores geralmente pensam a história como o conjunto dos fatos ocorridos no passado, mas esta definição, se for examinada com um mínimo de atenção, esbarra em uma série de problemas. Primeiramente, quais seriam os fatos do passado? Em qualquer dia, em qualquer lugar, ocorre um número incontável de incidentes e quem tentasse registrar todos logo perceberia que a tarefa é impossível. Se a vida de cada um acumula uma multidão de episódios e acontecimentos, a vida de toda uma sociedade se faz infinitamente complexa, tanto mais ao longo de várias gerações. A essa objeção seria possível retrucar: a história trata somente dos fatos importantes, aqueles que afetam a vida de muitas pessoas. Esbarra-se nesse caso em um segundo problema: quem decide quais fatos são importantes, e baseado em quais critérios? Todo leitor já teve a experiência de ver na banca dois ou três jornais do mesmo dia e de descobrir que cada um trazia uma manchete diferente, ou seja, cada jornal dava maior destaque a determinado incidente e não a outro. No caso de se comparar aqueles jornais considerados 'sérios' com os chamados jornais 'populares', percebe-se que varia não somente a ordem das notícias como até mesmo a sua inclusão ou não no jornal. A notícia de primeira página de um nem sequer figura no outro ou então aparece com destaque mínimo. Por mais que se vilipendiem as qualidades jornalísticas desse ou daquele órgão, não há como negar que diferentes leitores têm prioridades diferentes e que essas preferências decorrem de variações nos valores e na visão de mundo de cada um. É cômodo para alguns descontar essas diferenças com base em distinções sociais e educacionais (p.ex., 'jornal popular não é sério'), mas o quadro muda de figura quando os conflitos são de natureza ideológica como, por exemplo, no contraste entre a cobertura política de um jornal de situação e outro de oposição.

É sintomático que quanto mais um texto histórico se aproxima do presente, menos convincentes se tornam suas generalizações, pois a realidade atual é conhecida demais para se encaixar na visão estreita de uma única pessoa. Tratando-se dos acontecimentos mais próximos, aqueles de ontem ou de hoje, é fácil perceber que não se transmitem fatos mas apenas relatos. Se cada testemunha já tem a sua visão do incidente, matizada pelos seus conceitos e preconceitos individuais, os relatos tendem a se distorcer cada vez mais, à medida que o relator se encontra afastado do episódio original. Ao longo de muitos anos, décadas e séculos, então, os 'fatos' podem ter o seu sentido inteiramente desvirtuado de acordo com a versão contada, como em uma enorme brincadeira de telefone-sem-fio através do tempo. Com a retrospecção, acontecimentos inicialmente negligenciados podem assumir uma importância enorme; é o caso da famosa máquina de calcular de Charles Babbage, que ficou esquecida durante quase um século para ser redescoberta recentemente como precursora do computador (SPUFFORD & UGLOW, 1996: 266-290). Outros acontecimentos de grande impacto inicial têm a sua importância relativizada com o decorrer do tempo, como é o caso da maioria das conquistas de títulos esportivos, as quais ganham manchetes de primeira página no dia seguinte mas viram apenas estatísticas vinte ou trinta anos depois. Portanto, a ação de escrever a história envolve necessariamente um processo de seleção de fatos e de avaliação da sua importância. Existe freqüentemente uma superabundância de fontes e relatos sobre um acontecimento qualquer e cabe ao historiador a tarefa altamente delicada de interpretá-los e construir a sua versão.

Toda versão histórica é uma construção e, portanto, nenhuma delas é definitiva. A história não é tanto um conjunto de fatos, mas um processo contínuo de interpretar e repensar velhos e novos relatos, constatação esta que leva a uma indagação de fundamental importância para a história do design: repensar o passado para quê? Cabe questionar a velha máxima de que quem não conhece a história está condenado a repeti-la. Se a história não é um conjunto de fatos, mas um processo de construção, em que sentido seria possível repeti-la? A resposta reside na conclusão inescapável de que, embora tratando do passado, toda versão histórica é escrita no presente. Todo historiador escreve em um contexto específico, para um público atual, e, conseqüentemente, a interpretação do passado apresentada terá impacto no presente. Pode ser que o passado não mude, mas uma mudança na sua interpretação pode alterar completamente a visão, não somente do presente como também do futuro. Um bom exemplo está na velha interpretação, amplamente aceita até algumas décadas atrás, de que o Brasil seria um país fadado a dar errado por ter sua população constituída a partir de uma mistura de raças 'inferiores'. A rejeição subseqüente dessa versão racista acarretou grandes mudanças na sociedade, inclusive passando em alguns casos a uma valorização exagerada de elementos antes considerados negativos. Mesmo que a transformação nem sempre seja tão radical, toda nova interpretação do passado implica em uma necessidade de repensar também o presente.

A obrigatoriedade do historiador de olhar o passado do ponto de vista presente leva a outro problema da análise histórica: a consciência prévia do que veio depois. Todo historiador que escreve sobre a Segunda Guerra Mundial sabe que os americanos venceram os alemães e este dado norteará as suas conclusões sobre os acontecimentos. Ao analisar a política industrial de cada país durante a guerra, por exemplo, torna-se quase impossível fugir da tentação de avaliar os meios em função do resultado final, o que pode levar a enganos. O bom historiador sempre se esforça ao máximo para interpretar as informações a partir do contexto em que foram geradas, ou seja, para situar o material em termos históricos. Senão, corre-se o perigo de entender sempre o passado apenas pelo crivo dos resultados mais óbvios, atropelando não somente as conseqüências sutis como também aquelas alternativas que, por uma razão ou outra, não conseguiram vingar. Mesmo quando é possível, quase nunca é desejável impor um sentido fixo ao relato histórico – transformar a história em estória – porque a coerência narrativa que se ganha vem quase sempre ao custo de uma perda considerável da complexidade e da densidade que marcam a realidade vivida. O erro de explicar o passado apenas em termos do presente, chamado de historicismo, tem sido um dos grandes obstáculos para uma compreensão adequada da história do design.

O estudo da história do design é um fenômeno relativamente recente. Os primeiros ensaios datam da década de 1920, mas pode-se dizer que a área só começou a atingir a sua maturidade acadêmica nos últimos vinte anos (DENIS, 1998: 318-322). Como em toda profissão nova, a primeira geração de historiadores do design teve como prioridades a delimitação da abrangência do campo e a consagração das práticas e dos praticantes preferidos na época. Sempre que um grupo toma consciência da sua identidade profissional, passa a se diferenciar pela inclusão de uns e pela exclusão de outros, e uma maneira muito eficaz de justificar esta separação é através da construção de genealogias históricas que determinem os herdeiros legítimos de uma tradição, relegando quem fica de fora à ilegitimidade. As primeiras histórias do design, escritas durante o período modernista, tendem a impor uma série de normas e restrições ao leitor, do tipo 'isto é design e aquilo não', 'este é designer e aquele não', preocupações estas muito distantes das intenções do presente livro. A história do design deve ter como prioridade não a transmissão de dogmas que restrinjam a atuação do designer, mas a abertura de novas possibilidades que ampliem os seus horizontes, sugerindo a partir da riqueza de exemplos do passado formas criativas e conscientes de se proceder no presente. Se é verdade, como dizem alguns, que o passado é outro país, cumpre ao historiador o papel de guia amigo, indicando as atrações e chamando atenção para os perigos, e não de guardião sisudo, sempre repetindo que o horário de visita já está encerrado ou que é proibido pisar no gramado.

O presente livro oferece uma introdução à evolução histórica do design, no Brasil e no mundo. A tarefa é grande e cabe enfatizar que constitui uma abordagem apenas inicial, uma introdução a uma área de estudos vasta e ainda pouco explorada. Cada capítulo e cada tópico dariam (como já deram alguns) outros tantos livros e nenhum volume poderia dar conta de todos os aspectos de um tema tão rico, complexo e variado. Conforme se afirmou acima, toda história é uma construção e, ao construir, é necessário escolher os materiais a serem empregados e rejeitar outros. Optou-se aqui por privilegiar as grandes tendências sociais e culturais que condicionaram o desenvolvimento do design, e não as biografias dos designers mais famosos. Trata-se, nesse sentido, de uma história social do design. Seria um contra-senso, porém, falar de design sem mostrar os objetos que gera. Outro elemento importante na construção deste livro é a cultura material (ou seja, os próprios artefatos) gerada pelo design, principalmente no Brasil. O leitor pode constatar que existem pelo menos dois níveis de discurso que se desenrolam em paralelo ao longo deste estudo: o texto, que busca explicar causas gerais, e as imagens, que demonstram resultados concretos. Apesar da relativa escassez de imagens, seria um erro grave imaginar que o primeiro tipo de discurso se sobrepõe ao segundo: a fecundidade do diálogo entre verbal e visual é uma das características que distinguem o design como área de conhecimento. Ao contrário de outros tipos de história, em que as imagens podem servir apenas de ilustração ou ponto de apoio para o texto, o argumento iconográfico deve ser entendido aqui como tão significativo quanto o escrito. São nas imagens que o leitor encontrará janelas que abrem para outras narrativas bem como pistas em direção a uma compreensão mais apurada da história do design do que é possível oferecer dentro das limitações do presente volume.

A natureza do design

Não se pode fugir, em um livro como este, da tarefa pouco grata de delimitar parâmetros para o objeto de estudo. Até para evitar confusões, existe uma necessidade de esclarecer os termos da discussão. Não faltam no meio profissional definições para o design, e essa preocupação definidora tem suscitado debates infindáveis e geralmente maçantes. Eles se reportam, com certa freqüência, à etimologia da palavra, principalmente no Brasil, onde design é um vocábulo de importação relativamente recente e sujeito a confusões e desconfianças. A origem imediata da palavra está na língua inglesa, na qual o substantivo *design* se refere tanto à idéia de plano, desígnio, intenção, quanto à de configuração, arranjo, estrutura (e não apenas de objetos de fabricação humana, pois é perfeitamente aceitável, em inglês, falar do design do universo ou de uma molécula). A origem mais remota da palavra está no latim *designare*, verbo que abrange ambos os sentidos, o de designar e o de desenhar. Percebe-se que, do ponto de vista etimológico, o termo já contém nas suas origens uma ambigüidade, uma tensão dinâmica, entre um aspecto abstrato de conceber/ projetar/atribuir e outro concreto de registrar/configurar/formar.

A maioria das definições concorda em que o design opera a junção desses dois níveis, atribuindo forma material a conceitos intelectuais. Trata-se portanto de uma atividade que gera projetos, no sentido objetivo de planos, esboços ou modelos. Diferentemente de outras atividades ditas projetuais (termo que será empregado sem aspas ou itálico ao longo deste livro), como a arquitetura e a engenharia, o design costuma projetar determinados tipos de artefatos móveis, se bem que as três atividades sejam limítrofes e se misturem às vezes na prática.

Introdução

A distinção entre design e outras atividades que geram artefatos móveis, como artesanato, artes plásticas e artes gráficas, tem sido outra preocupação constante para os forjadores de definições, e o anseio de alguns designers de se distanciarem do fazer artesanal ou artístico tem engendrado prescrições extremamente rígidas e preconceituosas. Na verdade, a idéia que fazemos atualmente de artesanato, como um tipo de trabalho diferenciado e especial, é fruto da industrialização, pois essa distinção faria pouco ou nenhum sentido antes da Revolução Industrial. Design, arte e artesanato têm muito em comum e hoje, quando o design já atingiu uma certa maturidade institucional, muitos designers começam a perceber o valor de resgatar as antigas relações com o fazer manual. Historicamente, porém, a passagem de um tipo de fabricação, em que o mesmo indivíduo concebe e executa o artefato, para um outro, em que existe uma separação nítida entre projetar e fabricar, constitui um dos marcos fundamentais para a caracterização do design. Segundo a conceituação tradicional, a diferença entre design e artesanato reside justamente no fato de que o designer se limita a projetar o objeto para ser fabricado por outras mãos ou, de preferência, por meios mecânicos. Boa parte dos debates em torno da definição do design acaba se voltando, portanto, para a tarefa de precisar o momento histórico em que teria ocorrido essa transição.

A principal dificuldade para a aplicação do modelo tradicional que define o design, como 'a elaboração de projetos para a produção em série de objetos por meios mecânicos', reside no fato de que a transição para este tipo de fabricação não ocorreu de forma simples ou uniforme. Diferentes tipos de artefatos e diferentes regiões geográficas passaram por esse processo em momentos muito díspares. Já eram utilizadas na Antigüidade, por exemplo, técnicas básicas de produção em série como a moldagem de cerâmicas e a fundição de metais, as quais permitem a produção mais ou menos padronizada em larga escala (LUCIE-SMITH, 1984: 33-59). O momento exato de inserção de meios mecânicos no processo produtivo é discutível, mas certamente já fazem parte da equação ao tratar-se da imprensa com tipos móveis, inovação introduzida na Europa no século 15. Os impressos produzidos nessa época já cumprem todos os quesitos propostos pelo modelo citado acima: objetos fabricados em série por meios mecânicos com etapas distintas de projeto e execução, e ainda uma perfeita padronização do produto final. Os exemplos se multiplicam a partir da fabricação mecanizada de peças para relógios no final do século 17, e o século 18 testemunhou a introdução de um alto grau de divisão do trabalho (distribuição entre vários indivíduos das etapas envolvidas na fabricação de um único objeto) e de uma incipiente mecanização em diversas indústrias (LANDES, 1983: 135, 231). Não por acaso o primeiro emprego da palavra *designer* registrado pelo *Oxford English Dictionary* data do século 17.

Se é difícil precisar a data em que teve início a separação entre projeto e execução, é bem mais fácil determinar a época em que o termo designer passou a ser de uso corrente como apelação profissional. O emprego da palavra permaneceu infreqüente até o início do século 19, quando surge primeiramente na Inglaterra e logo depois em outros países europeus um número considerável de trabalhadores que já se intitulavam designers, ligados principalmente mas não exclusivamente à confecção de padrões ornamentais na indústria têxtil (DENIS, 1996: 62). Esse período corresponde à generalização da divisão intensiva de trabalho, que é uma das características mais importantes da primeira Revolução Industrial, sugerindo que a necessidade de estabelecer o design como uma etapa específica do processo produtivo e de encarregá-la a um trabalhador especializado faz parte da implantação de qualquer sistema industrial de fabricação. Tanto do ponto de vista lógico quanto do empírico, não resta dúvida de que a existência de atividades ligadas ao design antecede a aparição da figura do designer. Os primeiros designers, os quais têm permanecido geralmente anônimos, tenderam a emergir de dentro do processo produtivo e eram aqueles operários promovidos por quesitos de experiência ou habilidade a uma posição de controle e concepção, em relação às outras etapas da divisão de trabalho. A transformação dessa figura de origens operárias em um profissional liberal, divorciado da experiência produtiva de uma indústria específica e habilitado a gerar projetos de maneira genérica, corresponde a um longo processo evolutivo que teve seu início na organização das primeiras escolas de design no século 19 e que continuou com a institucionalização do campo ao longo do século 20. Para alguns intérpretes da história do design, só é digno da apelação designer o profissional formado em nível superior, mas tal interpretação se deve mais a questões de ideologia e de corporativismo do que a qualquer fundamento empírico. Sugerir que o design e o designer sejam produtos exclusivos de uma ou outra escola, do movimento modernista ou até mesmo do século 20, são posições que não suportam minimamente o confronto com as fontes históricas disponíveis.

O design é fruto de três grandes processos históricos que ocorreram de modo interligado e concomitante, em escala mundial, entre os séculos 19 e 20. O primeiro destes é a industrialização: a reorganização da fabricação e distribuição de bens para abranger um leque cada vez maior e mais diversificado de produtos e consumidores. O segundo é a urbanização moderna: a ampliação e adequação das concentrações de população em grandes metrópoles, acima de um milhão de habitantes. O terceiro pode ser chamado de globalização: a integração de redes de comércio, transportes e comunicação, assim como dos sistemas financeiro e jurídico que regulam o funcionamento das mesmas. Todos os três processos passam pelo desafio de organizar um grande número de elementos díspares — pessoas, veículos, máquinas, moradias, lojas, fábricas, malhas viárias, estados, legislações, códigos e tratados — em relações harmoniosas e dinâmicas. Conjuntamente, esse grande meta-processo histórico pode ser entendido como um movimento para integrar tudo com tudo. Na concepção mais ampla do termo "design", as várias ramificações do campo surgiram para preencher os intervalos e separações entre as partes, suprindo lacunas com projeto e interstícios com interfaces.

Um exemplo concreto pode ajudar a dimensionar a magnitude e a abrangência do design. Hoje, poucos param para pensar no desafio logístico que está por trás de uma ação tão corriqueira quanto a de preparar uma xícara de café, principalmente em países que não produzem esse insumo agrícola. Depois de plantado, colhido e ensacado, o café precisa ser transportado para um local onde será beneficiado: secado, torrado, moído e, possivelmente, submetido a congelamento rápido e secagem a vácuo (*freeze-drying*), processo pelo qual se fabrica o café instantâneo. Em seguida, recebe a embalagem final, e é distribuído para o comércio de varejo, só aí chegando às mãos do consumidor. Essa cadeia de produção e distribuição pode envolver grandes distâncias, uma ou mais unidades de beneficiamento e pelo menos três instâncias de transporte (do campo para o porto, do porto para a fábrica, da fábrica para o comércio). Cada um dos elos da cadeia requer alto grau de organização interna e coordenação com os outros, não somente em termos de engenharia de produção e de transportes, como também de sinalização, identidade visual e planejamento de interfaces. Para culminar o aspecto distributivo, acrescentam-se ainda as demandas ligadas à confecção de rótulos e embalagens, assim como ao dimensionamento de campanhas de publicidade e marketing. O resultado final é uma série longa e extremamente complexa de decisões de planejamento e projeto, sem as quais seria impossível para um cidadão europeu ou americano tomar sua canequinha de Nescafé pela manhã. Ao considerar que, duzentos anos atrás, nada disso existia — nem os trens, nem os rótulos, muito menos os anúncios comerciais —, tem-se uma justa dimensão de quanto o mundo mudou, e de quanto o design contribuiu para viabilizar essas mudanças.

CAPÍTULO 2

Industrialização e organização industrial, séculos 18 e 19

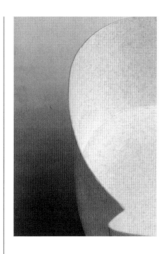

Revoluções industriais
e industrialização

Primórdios da organização
industrial

Expansão da organização
industrial

Revoluções industriais e industrialização

Aconteceu na Europa entre os séculos 18 e 19 uma série de transformações nos meios de fabricação, tão profundas e tão decisivas que costuma ser conceituada como o acontecimento econômico mais importante desde o desenvolvimento da agricultura. Essas mudanças acabaram ficando conhecidas como a Revolução Industrial, justamente como forma de chamar atenção para o impacto tremendo que exerceram sobre a sociedade, o qual só encontrava eco na ruptura radical com o passado efetuada pela Revolução Francesa. O termo se refere essencialmente à criação de um sistema de fabricação que produz em quantidades tão grandes e a um custo que vai diminuindo tão rapidamente que passa a não depender mais da demanda existente, mas gera o seu próprio mercado (HOBSBAWM, 1964: 50). Hoje em dia, praticamente todos vivem nesse sistema, em que quase tudo o que se consome é produzido por indústrias, e é justamente o longo processo de transição global do sistema anterior para o atual que se entende por industrialização.

A primeira Revolução Industrial ocorreu na Inglaterra, com início por volta de 1750. Por que a Inglaterra? É uma questão complexa, amplamente discutida nos meios históricos (ver LANDES, 1969: 42-55; BERG, 1986), e de difícil resposta. Tende-se a considerar que foi uma conjunção de fatores, demográficos e sociais, tecnológicos e geográficos, culturais e ideológicos, nenhum dos quais explica por si só a precedência inglesa. Sabe-se que foi na fabricação de tecidos de algodão que o grande surto industrial primeiro se verificou, com um aumento de cerca de 5.000% da produção entre as décadas de 1780 e 1850. Um crescimento tão impressionante pressupõe duas coisas: um mercado suficientemente grande para absorver todo esse volume e um retorno crescente que justifique a expansão rápida da oferta, ambos fatores que existiram na época. A Grã-Bretanha deteve um quase monopólio do comércio exterior europeu entre 1789 e 1815, em função do seu claro domínio naval e do bloqueio que impôs à Europa continental durante as guerras napoleônicas. Os seus comerciantes passaram, portanto, a intermediar praticamente sozinhos a compra e venda de produtos nos quatro cantos do planeta, comprando todas as mercadorias pelo menor preço e vendendo-as pelo maior. Gerou-se assim um ciclo, em que tecidos, chás e louças comprados na China e na Índia eram trocados por escravos na África, usados para plantar algodão barato nos Estados Unidos e no Brasil, o qual era utilizado pela indústria britânica para fabricar tecidos que, por sua vez, eram exportados de volta para todos estes lugares, gerando a cada etapa novos lucros para os intermediários. Não por acaso, o grande centro da indústria têxtil que despontou em torno da cidade de Manchester ficava a uma curta distância de Liverpool, o principal porto para o comércio de escravos.

O retorno desse monopólio pela força era imenso e propiciou a acumulação de capital necessária para financiar a transição de pequenas oficinas artesanais para grandes fábricas, no sentido moderno da palavra, equipadas com as últimas novidades mecânicas. A mecanização do trabalho é o outro grande fator que define a industrialização, e uma série de inovações tecnológicas entre o final do século 18 e o início do 19 foi permitindo o aumento constante da produtividade na indústria têxtil a custos cada vez menores em função da rapidez da produção e da diminuição da mão-de-obra. Os tecidos de algodão fabricados na Inglaterra atingiram um custo de produção tão baixo, que se tornaram acessíveis a toda uma classe de compradores que antes nem sonhavam em adquiri-los. Pela primeira vez na história, já não era mais paradoxal sugerir que quanto maior a produção, maior seria o consumo. É por isso que a definição avançada por Eric Hobsbawm descreve a industrialização como um sistema que passa a gerar demanda em vez de apenas suprir aquela existente. Sabe-se, porém, que essa demanda crescente data de antes da Revolução Industrial propriamente dita. Houve um grande crescimento no acúmulo de riqueza líquida ao longo dos cem anos anteriores e, portanto, um acréscimo correspondente no consumo. Pode-se dizer que no século 18 já existia em alguns países da Europa senão uma sociedade de consumo, pelo menos uma classe consumidora numerosa, que detinha um forte poder de compra e que já começava a exigir bens de consumo mais sofisticados. E é nesse mercado de artigos de luxo que se encontram os primórdios da organização industrial.

Primórdios da organização industrial

Nestes tempos privatizantes, afirma-se com certa freqüência que fabricar 'não é função do estado'. Por trás dessa afirmação está a premissa de que a produção industrial seria uma atribuição natural do setor privado, a qual teria sido usurpada pelo estado moderno em nome de um nacionalismo equivocado. Nada poderia ser mais distante dos fatos. Do ponto de vista histórico, a produção industrial vem sendo exercida continuamente por estados nacionais desde o início da industrialização. A bem da verdade, pode-se dizer que a indústria, na acepção moderna da palavra, é mesmo uma invenção do setor estatal.

Entre os séculos 16 e 17, o eixo central do comércio europeu transferiu-se do Mediterrâneo para o Atlântico. Um dos principais resultados dessa transformação foi a consolidação dos estados nacionais na Europa, organizados não mais de forma feudal mas a partir de uma política centralizada e voltada para a competição com outras nações, sobretudo no que diz respeito à colonização do resto do mundo. O sistema mercantilista ora implantado, em que cada nação procurava defender os seus interesses comerciais pelo domínio de mercados estrangeiros, acabou levando os estados a investirem diretamente na produção de bens de consumo, em escala inédita até então. Quase todos os países europeus fundaram nos séculos 17 e 18 manufaturas reais, ou da coroa, para a fabricação de determinados tipos de produtos, principalmente artigos considerados de luxo, como louças, têxteis e móveis. Porém, as primeiras manufaturas a serem assim monopolizadas foram as de fabricação de armas e de construção naval, indústrias estratégicas para garantir a própria sobrevivência do estado-nação.

O sistema mais completo de manufaturas reais foi iniciado na França sob Luís XIV e seu superintendente de construções Jean-Baptiste Colbert. Além das fábricas existentes que produziam vidros e tapeçarias para o rei, o sistema desenvolveu-se principalmente em torno da manufatura real de móveis da coroa – ou, fábrica de Gobelins – fundada em 1667. A idéia de Colbert era criar um pólo que centralizasse toda espécie de oficinas fabricando artigos para mobiliar os edifícios reais, a fim de racionalizar essa produção e fortalecer a hegemonia francesa na área. Sua estratégia foi bem sucedida, pois a fábrica de Gobelins atingiu um volume de produção prodigioso para os padrões da época, chegando a empregar centenas de artesãos. Especialmente interessante do ponto de vista do design foi a atuação do pintor Charles Le Brun, nomeado diretor da fábrica por Colbert. Entre suas tarefas, Le Brun exercia o papel de *inventeur*, ou criador das formas a serem fabricadas. Ele concebia o projeto (*l'idée*) para um objeto e gerava um desenho, o qual servia de base para a produção de peças em diversos materiais pelos mestres-artesãos em suas oficinas. Já existia, portanto, em Gobelins uma separação plena entre projeto e execução (BOWMAN, 1997: 137-181).

A idéia das manufaturas reais espalhou-se rapidamente para outros países. Um exemplo notável é a manufatura de cerâmica de Meissen na Alemanha, fundada em 1709, que foi a primeira a produzir porcelana na Europa. Criados inicialmente para atender à demanda da corte, os produtos de Meissen passaram a ser consumidos cada vez mais pela classe média emergente e acabaram atendendo também a novos mercados estrangeiros. A crescente popularidade de bebidas como chá e café, por exemplo, levou Meissen a exportar xícaras até para a Turquia. Seguindo o exemplo de Gobelins, a fábrica de Meissen também empregava artistas para projetar as peças que produzia (HESKETT, 1980: 12). O sucesso de Meissen foi tamanho que a França acabou fundando a sua própria manufatura real de louças, estabelecida inicialmente em 1738 e transferida após alguns anos para Sèvres, denominação sob qual atingiu um êxito comercial enorme. Também em Portugal o século 18 testemunhou a instalação de manufaturas reais, tais quais a de lanifícios da Covilhã e a de louças do Rato.

A partir do século 18 começaram a surgir na Europa também importantes indústrias de iniciativa privada. Estas tenderam a se organizar inicialmente em regiões em que havia uma forte tradição oficinal de produção com algum tipo de matéria-prima. A cidade de Lyon na França, por exemplo, tornou-se um centro internacional de fabricação de sedas. A Catalunha também desenvolveu uma importante indústria têxtil, chegando a contar mais de 3.000 pequenas fábricas na década de 1790 (PARRY, 1974: 381). Igualmente na região de Staffordshire na Inglaterra, a tradicional produção de cerâmicas acabou por gerar um dos casos mais interessantes de evolução industrial do século 18: a fábrica de Josiah Wedgwood. Quando Wedgwood iniciou as suas atividades manufatureiras na década de 1750, as oficinas de cerâmica da região eram numerosas mas pequenas, empregando em média cerca de vinte trabalhadores. Em menos de duas décadas, transformou sua fábrica em uma indústria de porte internacional, com representações em Londres e Dublin e exportando para toda a Europa e para as Américas (ver CRASKE, 1999).

A transformação da Wedgwood pautou-se em fatores tanto tecnológicos quanto comerciais, incluindo-se aí uma atenção redobrada ao papel do design no processo produtivo. Wedgwood estava atento ao crescente mercado de classe média, desejosa de possuir louças de qualidade mas sem condições de adquirir as porcelanas chinesas que invadiam então os mercados europeus, e muito menos os produtos mais caros de Meissen ou Sèvres. Para atender a esses consumidores, era preciso uma louça cujo aspecto se aproximasse da porcelana, mas de preço acessível. A primeira parte da solução encontrada foi tecnológica. Wedgwood conseguiu aperfeiçoar, a partir da década de 1760, um tipo de cerâmica esmaltada — conhecida como *creamware* — adequada à moldagem em grande escala, tornando portanto possível a produção de louça branca de boa qualidade a baixos custos. Foi um avanço técnico importante, pois a sua *creamware* era superior às louças similares produzidas por outras fábricas. Outra inovação técnica que também contribuiu muito para a aceitação de suas louças foi a aplicação por decalque de decorações pintadas, processo desenvolvido na década de 1750 (WILLS, 1988: 22-28). Contudo, a maior inovação de Wedgwood foi perceber que o sucesso da sua produção dependia ainda de outros fatores de ordem mercadológica. Ele inovou, por exemplo, com a venda de louças por encomenda a partir de livros contendo uma seleção de formas e de padrões. O comprador conseguia comprar o modelo exato de louça que desejava e, para a fábrica, havia a vantagem de não ficar com estoque encalhado (FORTY, 1986: 29-30).

Wedgwood havia aberto a sua primeira fábrica em 1759, produzindo essencialmente louças utilitárias que se conformavam ao gosto da época, sendo de modo geral moldadas em forma de frutas e legumes com esmaltes coloridos, ou brancas com cenas e motivos ornamentais pintados. Aos poucos, sua produção foi obtendo sucesso e, por volta de 1765, ele abriu uma loja em Londres, atendendo inclusive à aristocracia e à própria rainha. O acesso a essa faixa mais elevada do mercado motivou a abertura de nova fábrica em 1769, batizada de Etrúria, a qual se propunha inicialmente a produzir apenas vasos e outras peças decorativas. Apostando na moda neoclássica que então despontava entre as classes abastadas, Wedgwood passou a fabricar vasos inspirados na Antigüidade (aliás, o próprio nome de Etrúria fazia referência a recentes escavações etruscas na Itália). Com essa linha, Wedgwood atingiu o objetivo de diferenciar a sua produção do resto do mercado. As peças de luxo, algumas únicas, traziam prestígio para a sua fábrica e elevavam a cotação das peças utilitárias comuns (FORTY, 1986: 17-28; WILLS, 1988: 35-44; YOUNG, 1997).

A partir de mais uma inovação técnica em 1774 – o aperfeiçoamento de uma nova cerâmica leve, delicada e passível de ser produzida em diversas cores, que foi batizada de *jasper* – a Wedgwood se lançou plenamente na produção de formas simples e sóbrias, bem ao gosto neoclássico então vigente e adequadas à moldagem em grande escala. Percebendo que o maior fator de diferenciação dessas peças estava nos motivos ornamentais que ostentassem, Wedgwood iniciou, nessa época, a sua colaboração com o jovem desenhista John Flaxman, que mais tarde se tornaria célebre como escultor. Flaxman trabalhou como *free-lance* para Wedgwood durante quase duas décadas, produzindo em Londres e Roma desenhos para serem executados em Etrúria (WILLS, 1988: 68-73; YOUNG, 1997). Não era a primeira vez que Wedgwood empregava profissionais autônomos para gerar as formas das suas cerâmicas. Por volta de 1750 já era comum nas fábricas de cerâmica empregar modeladores, ou seja, indivíduos responsáveis apenas pela etapa de configuração formal de peças que seriam produzidas seguindo uma complexa divisão de tarefas. Esses modeladores recebiam o dobro do salário de um artesão comum e a Flaxman era paga uma soma quatro vezes maior ainda. Wedgwood percebeu rapidamente as vantagens dessa despesa adicional, visto que o emprego de um profissional qualificado para elaborar o projeto garantia não somente que as peças tivessem uma maior aceitação comercial como também centralizava o controle sobre os aspectos mais decisivos do processo produtivo (FORTY, 1986: 34).

Cópia de um vaso romano antigo (o célebre *Portland Vase*) produzido por Wedgwood em 1790, fabricado com a cerâmica conhecida como *jasper* e conjugando o gosto neoclássico contemporâneo com os métodos produtivos mais avançados. O protótipo desse vaso levou quatro anos para ser aperfeiçoado.

Fica claro, então, que tanto no setor estatal quanto na iniciativa privada ocorreram ao longo do século 18 pelo menos quatro transformações fundamentais na forma de organização industrial. Primeiramente, a escala da produção começava a aumentar de modo significativo, atendendo a mercados maiores e cada vez mais distantes do centro fabril. Em segundo lugar, aumentava também o tamanho das oficinas e das fábricas, as quais reuniam um número maior de trabalhadores e passavam a concentrar um investimento maciço de capital em instalações e equipamentos. Terceiro, a produção se tornava mais seriada através do uso de recursos técnicos como moldes, tornos e até uma incipiente mecanização de alguns processos, todos contribuindo para reduzir a variação individual entre produtos. Por último, crescia a divisão de tarefas com uma especialização cada vez maior de funções, inclusive na separação entre as fases de planejamento e execução. Cabe destacar que as transformações desse período dependeram muito menos de novas maquinarias do que se costuma imaginar. Deveram-se, antes de mais nada, a mudanças na organização do trabalho, da produção e da distribuição, ou seja, mudanças de ordem mais social do que tecnológica. O declínio do poder político das antigas guildas de artesãos (ou, corporações de ofícios) foi um fator imprescindível, pois a extrema divisão de tarefas característica do trabalho industrial só foi possível devido ao desmantelamento sistemático das tradicionais habilitações e privilégios que protegiam o artesão livre.

Expansão da organização industrial

A industrialização passou rapidamente para outros setores e menos rapidamente para outros lugares. Ao longo do século 19 industrializaram-se em maior ou menor grau França, Estados Unidos, Alemanha e algumas regiões e setores de vários outros países, incluindo o Brasil. Com base nas novas estratégias de organização do trabalho e no crescente ritmo de inovação tecnológica, grandes fábricas foram tomando aos poucos o lugar das pequenas oficinas. Estas últimas permaneceram numerosas, porém passaram a representar a minoria do volume produtivo nos países industrializados.

Um dos aspectos mais interessantes da transição da fabricação oficinal para a industrial está no uso crescente de projetos ou modelos como base para a produção em série. Quais seriam as vantagens, do ponto de vista do fabricante, de separar o planejamento das etapas de execução? Por que não aumentar o volume de produção — como ocorreu aliás em alguns setores — simplesmente através de uma intensificação da atividade integrada de cada artesão? Já existia uma convicção clara de que a divisão de tarefas permitia acelerar a produção através de uma economia do tempo gasto em cada etapa. O economista escocês Adam Smith criou o exemplo clássico desse princípio em 1776, na versão de uma fábrica de alfinetes imaginária que ele usou para ilustrar os méritos do trabalho dividido. A divisão de tarefas franqueava ainda ao fabricante um maior controle sobre a mão-de-obra. Separando os processos de concepção e execução, e desdobrando esta última em uma multidão de pequenas etapas de alcance extremamente restrito, eliminava-se a necessidade de empregar trabalhadores com um alto grau de capacitação técnica.

Em vez de contratar muitos artesãos habilitados, bastava um bom designer para gerar o projeto, um bom gerente para supervisionar a produção e um grande número de operários sem qualificação nenhuma para executar as etapas, de preferência como meros operadores de máquinas. A remuneração alta dos dois primeiros era mais do que compensada pelos salários aviltantes pagos aos últimos, com a vantagem adicional de que estes podiam ser demitidos sem risco em épocas de demanda baixa. Assim, a produção em série a partir de um projeto representava para o fabricante uma economia não somente de tempo, mas também de dinheiro.

O potencial técnico de repetir padrões em grande escala e de produzir peças mais ou menos uniformes foi revolucionado pela aplicação de máquinas a vapor a diversos processos de fabricação e pela introdução das primeiras máquinas-ferramentas de precisão, ambas efetuadas na Inglaterra entre o final do século 18 e o início do 19 (USHER, 1966: 353-381; SCHAEFER, 1970: 22-31; BUCHANAN, 1992: 48-60). A partir dessas conquistas efetivas, se bem que limitadas na sua aplicação, a busca da mecanização foi elevada a uma espécie de santo graal da evolução industrial e a automação tornou-se uma questão de honra para os ideólogos do progresso industrial. Na década de 1830, dois dos mais importantes desses pensadores vieram sofisticar a análise de Adam Smith sobre divisão de trabalho. Segundo Andrew Ure e Charles Babbage, a grande meta da produção industrial seria a de retirar todo o processo de execução das mãos do trabalhador e entregá-lo para as máquinas, eliminando de vez o erro humano. Ambos acreditavam piamente que a automação completa das fábricas estava prestes a chegar e a sua certeza acabou contagiando outros pensadores influentes como Karl Marx (ver BERG, 1986: 189-197).

Ilustração de 1841 demonstrando as vantagens do mecanismo chamado de 'espera corrediça' na automação do torno. Segundo o texto que acompanha, a máquina passa a executar o trabalho, transformando o trabalhador em simples operador e eliminando a necessidade de qualquer habilidade especial.

Na realidade, a mecanização dos processos de fabricação demorou muito mais para acontecer do que eles imaginavam, ocorrendo em ritmo desigual nas diversas indústrias e de forma incompleta até nas mais avançadas tecnologicamente. De tão alardeada, porém, a automação acabou se transformando em quimera para os capitalistas que a perseguiam e em fantasma para os operários que a temiam. Tanto uns quanto outros tinham como certo que a introdução de máquinas no processo produtivo acarretaria o aumento da produção e a diminuição da mão-de-obra, o sonho dos primeiros e o pesadelo dos últimos.

Quem lucrava de fato com a mecanização era a categoria incipiente dos designers. À medida que a produção se mecanizava em alguns setores, o valor monetário do projeto ia-se tornando ainda mais explícito. Na indústria têxtil, por exemplo, a impressão mecânica de tecidos significava que um padrão decorativo bem-sucedido podia gerar lucros imensos para o fabricante, sem nenhum investimento adicional de mão-de-obra. O custo de gerar ou adquirir o padrão era único e as possibilidades de reprodução ilimitadas; não por acaso, este foi um dos primeiros setores em que se fez notável o emprego de designers. Porém, a facilidade de reprodução mecânica logo gerou um novo problema para o fabricante: a pirataria. Se o padrão/projeto não fosse exclusivo, a própria falta de intervenção do elemento artesanal possibilitava a qualquer outro fabricante produzir imitações perfeitas, tirando partido do design alheio. Esse problema, cedo reconhecido, levou a um esforço concentrado de reformulação das leis de patentes e de copyright na Grã-Bretanha entre 1830 e 1860 (ver FORTY, 1986: 58), esforço este que teria repercussões em todo o mundo e continuaria a marcar a evolução industrial ao longo dos séculos 19 e 20. Se é verdade que o design passava então a valer muito dinheiro, esse valor se achava atrelado a uma preocupação fundamental com o segredo e a exclusividade como instrumentos de vantagem comercial.

Por diversas razões, a mecanização foi invocada em alguns países como política consciente e sustentada, ora

Máquina para a impressão contínua de padrões sobre papel ou tecido, de um tipo patenteado na década de 1830. Essas máquinas também serviam para imprimir decalques para serem aplicados na decoração de louças e outras cerâmicas.

como medida anti-sindicalista, ora como questão de segurança nacional. Nos
Estados Unidos, por exemplo, o governo estimulou ativamente, durante o século 19,
o desenvolvimento de um sistema mecanizado de fabricação de armas de fogo,
não somente através de pedidos e aquisições, mas também investindo diretamente
na produção. Seguindo os passos de diversas experiências européias, o inventor
americano Eli Whitney propôs, no final do século 18, fabricar mosquetes com
peças inteiramente uniformes e portanto trocáveis. A vantagem em termos de
abastecimento militar era evidente, pois seria possível utilizar as peças de uma arma
para consertar outra, sem necessidade de substituir a arma inteira a cada revés. Seu
sucesso foi apenas parcial, mas estimulou outros fabricantes a realizar pesquisas na
mesma área (HESKETT, 1980: 50-52; HOUNSHELL, 1984: 32-46). Em meados do século 19, esse
tipo de fabricação já havia sido aperfeiçoada e o seu maior expoente era o americano
Samuel Colt, cujos famosos revólveres contribuíram decisivamente para a
bem-sucedida expansão territorial dos Estados Unidos na guerra contra o México e
às expensas da sua própria população indígena. Com o crescimento descomunal dos
exércitos nacionais no período napoleônico e ao longo do século 19, e a necessidade
concomitante de equipar esse contingente enorme de soldados, a indústria de
armamentos evoluiu com extraordinária rapidez, resultando em um ritmo acelerado
de desenvolvimento tecnológico (THAYER, 1970: 24-27; REID, 1984: 178; HOUNSHELL, 1984:
46-50). A contribuição dos armamentos para a industrialização incipiente é notável
em quase todos os países, inclusive no Brasil, onde o Arsenal de Guerra e o Arsenal
de Marinha da Corte (Rio de Janeiro) exerceram papel de acentuada liderança
na introdução de métodos industriais de fabricação. Junto com a indústria de

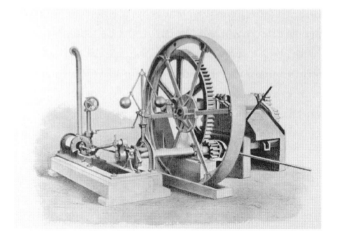

Moenda de cana a vapor fabricada no Arsenal de Marinha da Corte e exposta na Exposição Nacional de 1861. A máquina a vapor era o grande símbolo de avanço tecnológico da época.

mineração, a indústria da guerra deve ser considerada uma das matrizes históricas do longo movimento em direção à mecanização de tarefas e desintegração da individualidade como princípio organizador do trabalho (MUMFORD, 1952: 46-65).

A idéia de produzir equipamentos a partir de peças padronizadas e trocáveis foi ganhando força e, graças à melhoria contínua das máquinas-ferramentas, espalhou-se para outras indústrias, principalmente nos Estados Unidos. Quando da época da Grande Exposição de 1851 em Londres, esse tipo de produção era percebida como suficientemente diferente da norma européia para merecer o epíteto de 'sistema americano' de manufaturas e para suscitar inquéritos oficiais do governo britânico para estudar as suas vantagens (ROSENBERG, 1969; HOUNSHELL, 1984: 1, 64). Ao longo do meio século seguinte, os Estados Unidos assumiram a liderança mundial na produção industrial de equipamentos mecânicos, que variavam desde cadeados e relógios até máquinas agrícolas e de escrever (GIEDION, 1948: 47-71; SCHAEFER, 1970: 75-95; HESKETT, 1980: 50-67). As razões da precocidade americana nessa área não são inteiramente claras, mas a maioria dos comentaristas, tanto na época quanto posteriormente, atribuem-na em parte à relativa escassez e, por conseguinte, alto custo de mão-de-obra especializada nas Américas. O fabricante europeu, contando com uma grande reserva de trabalhadores qualificados, tinha menos incentivo para investir na mecanização de processos oficinais (HOUNSHELL, 1984: 62-65; PURSELL, 1995). Certamente, a expansão contínua da população americana nessa época forneceu um importante estímulo à produção de determinados tipos de bens de consumo, mas não há uma resposta simples que explique por que os Estados Unidos passaram tão rapidamente para um sistema industrial mecanizado, logo ultrapassando os seus concorrentes europeus nesse quesito, enquanto o Brasil, enfrentando pressões demográficas e geográficas similares, permaneceu na dependência de importações européias.

Ainda há quem cite a inventividade e a evolução tecnológica como os fatores fundamentais que diferenciaram a Grã-Bretanha e os Estados Unidos do resto do mundo em matéria de produção industrial. É um argumento plausível, mas que tende a ser desabonado pela riqueza de exemplos de inovação tecnológica em diversos outros países, entre os quais o Brasil (ver RODRIGUES, 1973). Cada cultura tem reivindicado historicamente a autoria desse ou daquele invento, e o exemplo pátrio da máquina de escrever do padre paraibano Francisco João de Azevedo é apenas um graveto na fogueira das vaidades nacionalistas tão característica da crença moderna no progresso através da tecnologia (ver NOGUEIRA, 1934: 181-206).

Estampa existente no livro *Recordações da Exposição Nacional de 1861*, mostrando a máquina taquigráfica do padre Francisco João de Azevedo. Durante muitos anos, esta foi considerada pelos nacionalistas mais ardentes, como precursora da máquina de escrever Remington.

Muito mais do que qualquer monopólio da inventividade, a grande característica que marca a evolução industrial desses dois países no século 19 – como da Alemanha e do Japão posteriormente – consiste do apoio contínuo e sistemático dos seus governos à indústria nacional através de políticas explícitas de subvenção da produção e proteção do mercado interno. No Brasil imperial, apesar dos esforços de organizações como a Sociedade Auxiliadora da Indústria Nacional e de industriais como o Visconde de Mauá, as classes dominantes e portanto o governo continuaram atrelados a uma noção de 'vocação agrária' do país e fizeram pouco ou nada para criar condições favoráveis para o desenvolvimento da indústria (ver CARONE, 1977: 19-41; HARDMAN & LEONARDI, 1982: 39-45). Mesmo assim, data das décadas de 1870 e 1880 o primeiro surto industrial brasileiro, limitado geralmente a fábricas de pequena escala, mas com resultados importantes em termos da formação do mercado consumidor interno e, por conseguinte, de uma tradição brasileira no design (SUZIGAN, 1986: 74-83).

Apesar das origens armamentistas do conceito, o exemplo mais elucidativo da padronização como elemento organizador da produção está na indústria de máquinas de costura. Esta indústria iniciou um período de rápida expansão nos Estados Unidos após 1856, graças a um acordo sobre patentes que habilitou um pool de empresas a fazer uso comum de várias inovações técnicas independentes. A primeira empresa a assumir a liderança do mercado foi a Wheeler and Wilson, cujo sucesso se deve diretamente à apropriação de métodos de produção oriundos das fábricas de armas de fogo. Afinal, os processos e aparatos utilizados para perfurar e tornear peças metálicas são bastante próximos, em se tratando de diversos tipos de aparelhos mecânicos. Iniciando a sua produção com métodos tradicionais de fabricação manual, a Wheeler and Wilson conseguiu aumentar gradativamente a sua produção anual, atingindo a cifra de

2.210 unidades em 1856. No ano seguinte, a empresa passou a produzir máquinas em uma nova fábrica sob a supervisão de um ex-maquinista do arsenal de Colt. Empregando os mesmos métodos da Colt, a produção saltou para 38.055 máquinas em 1867 (HOUNSHELL, 1984: 68-71). A empresa também investiu desde o início no potencial da máquina de costura como um item de uso doméstico, produzindo máquinas leves e aplicando a elas decorações pintadas, o que as tornava mais palatáveis para o público consumidor feminino (FORTY, 1986: 95-98).

Embora a Wheeler and Wilson se gabasse de produzir peças inteiramente padronizadas por meios mecânicos, a realidade ficava aquém dessa intenção. Na verdade, praticamente todas as peças precisavam de acabamento manual e, mesmo na década de 1880, partes importantes do processo de fabricação continuavam a ser executadas à mão (HOUNSHELL, 1984: 71-75). É questionável, portanto, até que ponto a mecanização teria sido responsável pelo sucesso dos seus produtos. Essa dúvida é exacerbada ainda mais ao se comparar a evolução da empresa com a da sua maior concorrente, a Singer Manufacturing Company. Fundada em 1851, a Singer custou para alcançar a liderança do mercado, ultrapassando as vendas da Wheeler and Wilson pela primeira vez em 1867. Contrariando o senso comum de que o sucesso é determinado pela liderança tecnológica, é curioso constatar que a Singer demorou muito para adotar plenamente o chamado 'sistema americano'. Pelo menos até a década de 1880, a empresa limitou a mecanização de processos e a padronização de peças, deixando preponderar os métodos 'europeus' de fabricação, com um alto índice de acabamento manual. Contudo, abriu larga vantagem sobre suas principais concorrentes nessa mesma época, alcançando o marco histórico de 500 mil máquinas por ano em 1880 (HOUNSHELL, 1984: 91-99).

Como explicar esse êxito comercial na contramão da mecanização? Os próprios diretores da Singer na época atribuíam o sucesso a dois fatores: a qualidade de suas máquinas e uma estratégia mercadológica agressiva e perspicaz, a qual incluía um sistema de vendas à prestação, expansão internacional e muita publicidade.

Rótulo de vinagre de 1889, trazendo uma imagem da unidade onde era fabricado o produto, situada em uma paisagem idealizada do Rio de Janeiro. A representação da própria fábrica sobre rótulos e em anúncios era uma estratégia comum, demonstrando o apelo da indústria como símbolo de progresso e modernidade.

Máquina de costura Wheeler and Wilson de em torno de 1854. Esse modelo pertence à primeira geração de máquinas produzidas para uso doméstico, e já mostra a aplicação de elementos decorativos pintados, para integrar a máquina ao ambiente caseiro.

Do ponto de vista da organização da produção, é interessante ressaltar que a Singer conseguia manter o seu alto padrão de qualidade e um preço competitivo sem recorrer a novos métodos fabris. Ao contrário, quando realizou na década de 1870 uma parceria com um fabricante de armas de fogo para produzir máquinas pelo 'sistema americano', o resultado ficou abaixo dos padrões reconhecidos pela empresa e a experiência foi logo abandonada (HOUNSHELL, 1984: 85, 96-99). Na verdade, a mecanização dos processos industriais geralmente não acarretava uma melhoria da qualidade, mas apenas a capacidade de produzir mais quantidade com menos operários. Na Singer, a mecanização foi sendo implantada paulatinamente ao longo da segunda metade do século 19 e só passou a dominar relativamente tarde, quando o aumento do volume de produção começava a ultrapassar os antigos limites e quando os processos já haviam sido aperfeiçoados por muitos anos de erros e acertos. A experiência da indústria de máquinas de costura é muito mais característica da norma da produção industrial do século 19 do que se costuma imaginar. Ao contrário da noção de ruptura sugerida pelo termo 'revolução industrial', a transformação dos processos produtivos foi lenta e gradativa na grande maioria das indústrias. Longe de ser a regra, o modelo econômico clássico da indústria têxtil britânica – em que a mecanização transformou abruptamente toda a produção – apresenta-se como uma anomalia na paisagem industrial da época. Existe uma tendência a reduzir a história da indústria a um relato linear da evolução tecnológica de ponta, o que acaba gerando uma visão homogênea e atropelando detalhes e exceções fundamentais. Há até quem argumente que os aspectos mais importantes da história industrial se evidenciam não na evolução da produção de grande porte, mas na produção especializada e mista, característica das pequenas indústrias regionais (SCRANTON, 1999: 59-60).

Em algumas indústrias como, por exemplo, a construção naval ou a fabricação de móveis, a mecanização só foi assumir um papel preponderante em pleno século 20. Cita-se com certa freqüência, para afirmar o contrário, o caso da indústria de mobiliário dos irmãos Thonet, em Viena. O marceneiro alemão

Michael Thonet desenvolveu, durante as décadas de 1830 e 1840, uma série de técnicas mecanizadas para moldar e curvar varas de madeira usando vapor e pressão. Essas peças curvadas eram aparafusadas para formar cadeiras e outros móveis de construção extremamente simples e eficiente, passíveis de serem produzidas em grandes quantidades e a preços relativamente baixos. A partir da década de 1850, não somente Thonet mas também outros fabricantes austríacos e alemães logo conquistaram um mercado mundial. Contudo, tais processos não eram típicos da indústria como um todo e mesmo os móveis da Thonet continuavam a ser montados manualmente, muitos recebendo um alto grau de acabamento decorativo posterior. Na maioria das marcenarias a mecanização de processos foi ocorrendo aos poucos e de forma complementar à persistência do trabalho manual. À medida que novas tecnologias iam surgindo, estas eram integradas ao processo produtivo, geralmente para eliminar o trabalho mais pesado ou para permitir a substituição de materiais ou mão-de-obra dispendiosos (HESKETT, 1980: 42-43;

Reclame de 1919 para cadeiras 'tipo Viena', inspiradas nos móveis de madeira vergada fabricados pela célebre firma dos irmãos Thonet desde a década de 1850.

EDWARDS, 1993: 19-32). As chamadas camas patentes também costumam ser citadas como um exemplo da padronização e modernização do mobiliário em pleno século 19, inclusive no Brasil (ver GIEDION, 1948: 393-394; SANTOS, 1995: 31-33). Trata-se porém de um tipo de móvel de uso extremamente restrito, o qual se constitui em caso de exceção antes do que de regra. De modo geral, a indústria mobiliária conseguiu realizar aumentos significativos da sua produção sem recorrer a transformações drásticas em termos de mecanização. Mesmo no Brasil, onde a fabricação de móveis era mais limitada, tem-se notícia na década de 1880 de pelo menos uma fábrica produzindo em grande escala – a Moreira Carvalho e Cia., no Rio de Janeiro (PIRES DE ALMEIDA, 1889: 74) – e novas pesquisas revelarão outros exemplos, com toda certeza.

Rótulo de 1888 utilizado pela Fábrica Progresso a Vapor, fabricante de móveis do Rio de Janeiro e provável concorrente da Moreira Carvalho e Cia.

Os aumentos obtidos no volume produzido durante o século 19 devem-se tanto
— senão mais — à reorganização e racionalização dos métodos de fabricação e de
distribuição quanto à introdução de novas tecnologias. Crescentemente após
a década de 1860, foram realizadas na indústria americana de alimentos diversas
experiências com linhas de produção mecanizadas, particularmente na área de
abate de animais (GIEDION, 1948: 213-227). A idéia de racionalizar os movimentos do
produto e do operário era inerente à concepção de divisão de tarefas preconizada
por Smith, Ure e Babbage e foi sendo destacada aos poucos até culminar nas décadas
de 1880 e 1890 nas pesquisas do engenheiro americano Frederick W. Taylor sobre
'gerenciamento científico' dos métodos de trabalho. Ela visava atingir a eficiência
máxima da produção através do planejamento do tempo e dos movimentos
envolvidos na execução de tarefas específicas. Nessas suas manifestações primitivas,
a ergonomia surgia não para melhorar a vida do trabalhador, mas para espremer
dele uma maior produtividade. Taylor estudou, para citar um exemplo clássico,
o trabalho de carregamento de um veículo e se dedicou a eliminar sistematicamente
todos os movimentos supérfluos, reduzindo a operação às suas etapas mínimas.
As idéias de Taylor só ficaram conhecidas no século 20, principalmente após a
publicação em 1911 do seu livro *Principles of Scientific Management*. Mais imediato ainda
do que a racionalização do trabalho foi o impacto da reorganização da distribuição.
O século 19 foi palco de uma revolução nos meios de transportes e de comunicação,
que só parece menos fantástica em comparação com a sua aceleração contínua
posterior. A introdução das estradas de ferro, da navegação a vapor, do telégrafo,
da fotografia e de outras inovações que serão discutidas adiante, alterou
inteiramente as perspectivas para a distribuição de mercadorias e de informações,
estabelecendo os alicerces do processo de globalização que gera tanta discussão
nos dias de hoje. Pela primeira vez na história, qualquer produtor podia sonhar
com um mercado mundial para os seus artigos e as conseqüências dessa
possibilidade alteraram permanentemente a relação das pessoas com o mundo
material que as cercava.

CAPÍTULO 3

Design e comunicação no novo cenário urbano, século 19

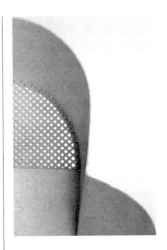

Formação da comunicação visual moderna

A imagem e a fotografia

O design na intimidade

O design na multidão

Formação da comunicação visual moderna

O processo de industrialização acarretou mudanças muito mais amplas que a simples transformação dos métodos produtivos. Ocorreu no século 19 um crescimento urbano até então inédito na história da humanidade, com números cada vez maiores de pessoas fazendo uso de novos meios de transporte para irem às cidades em busca de empregos: nas fábricas que então surgiam ou no setor de serviços que se expandia para atender às grandes concentrações de população. Nos oitenta anos que separam a chegada de D. João VI ao Brasil e a abolição da escravidão, a população do Rio de Janeiro aumentou cerca de seis vezes, chegando a 300 mil e ecoando as taxas de crescimento não menos dramáticas de capitais mundiais como Londres e Paris, as quais ultrapassaram o marco de um milhão de habitantes por volta de 1800 e 1850 respectivamente. As novas metrópoles tornaram-se muito maiores que as cidades antigas, aumentando dramaticamente a área geográfica sobre a qual se espalhavam. De modo análogo à organização industrial das fábricas, as cidades também passaram a possuir um grau inédito de divisão de tarefas, ou funções. Foram surgindo bairros novos, residenciais e industriais, proletários e abastados, conectados a um ou mais centros por redes viárias, de transportes e de comunicação visual. O operário londrino, da segunda metade do século 19, que apanhasse corriqueiramente um ônibus de sua casa no leste da cidade para seu trabalho numa fábrica ao sul do rio Tâmisa, passando no trajeto pelas lojas de Oxford Street ou pelas belas residências de Chelsea, realizava um percurso moral inédito na história da humanidade.

Esse aumento da quantidade de indivíduos vivendo em um pequeno espaço ocasionou transformações profundas na natureza das relações entre eles. As pessoas começavam a se deslocar de casa para o trabalho, viajando na companhia de estranhos em transportes, como o ônibus e o bonde, característicos da nova experiência urbana. O trabalho assalariado também colocava ao alcance de um público maior possibilidades até então restritas a pequenas elites. Com as economias de eventuais sobras de salário, aumentava o número absoluto de pessoas capazes de consumir mais do que apenas os gêneros de primeira necessidade e, concomitantemente, ampliavam-se as opções de consumo nas faixas média e baixa do mercado. Entre as mercadorias, cujo consumo mais se expandiu no século 19, estão os impressos de todas as espécies, pois a difusão da alfabetização nos centros urbanos propiciou um verdadeiro boom do público leitor. O anseio de ocupar os momentos de folga deu origem a outra invenção da era moderna: o conceito do lazer popular, que se desenvolveu em estreita aliança com a abertura de uma infra-estrutura cívica composta por museus, teatros, locais de exposição, parques e jardins. Não por acaso, consumo e lazer acabaram por se fundir durante o século 19, culminando no animado espetáculo das grandes lojas de departamentos.

Todas essas mudanças de comportamento geraram desafios em termos de organização e apresentação das informações. Como sinalizar a geografia da cidade, com seus novos bairros e ruas, para uma população que chegava de fora sem nenhum conhecimento prévio dos lugares em questão? Como ordenar a convivência e o fluxo de transeuntes para minimizar a insegurança atávica provocada pelo confronto com estranhos e com diferenças de cultura e de classe social? Como comunicar para um público anônimo os préstimos de um produto desconhecido, convencendo-o da conveniência de adquirir uma mercadoria muitas vezes supérflua ou sem serventia imediata? Estes e outros dilemas comunicacionais estão presentes no desembarque do migrante na estação central de estrada-de-ferro ou no simples embarque de uma família de classe média para um passeio de domingo nos arrabaldes da grande cidade. O fervilhamento no meio do grande fluxo de pessoas e paisagens, o delicioso mas deprimente anonimato no seio da multidão, a impossibilidade de assimilar todas as imagens e todas as informações, a afetação de tédio diante do desconhecido ou inesperado: são sensações como estas que caracterizam a 'modernidade', assim identificada pelo poeta e crítico francês Charles Baudelaire ainda na década de 1860.

Coincidentemente, a crescente importância e rápida evolução dos meios impressos de comunicação é outro fator que distingue o século 19 como momento inicial dessa modernidade que se estende, em muitos sentidos, até os dias de hoje. Diversos avanços de ordem tecnológica vieram juntar-se nessa época à ampliação do público leitor, possibilitando não somente a expansão de meios tradicionais, como livros e jornais, mas também a criação de veículos impressos novos ou pouco explorados anteriormente, como o cartaz, a embalagem, o catálogo e a revista ilustrada. A primeira dessas inovações técnicas está no uso da polpa de madeira para fabricar papel, procedimento já empregado no século 18, mas que só se generalizou após a década de 1840. Com a introdução de máquinas no processo de fabricação, o papel foi se tornando aos poucos uma mercadoria abundante e barata, possibilitando a produção de impressos por um preço até então impensável em função do alto custo do próprio suporte. Outros avanços dizem respeito aos tipos utilizados para impressão de letras e aos processos empregados para a sua composição em linhas e páginas inteiras. O aperfeiçoamento da fundição mecânica de tipos metálicos facilitou a produção de letras de maiores dimensões e variedade, além de propiciar a criação de fontes novas, como o Clarendon e os primeiros tipos sem serifa. Também foram introduzidas durante o século 19 a estereotipia e as máquinas de composição, estas culminando no linotipo de Mergenthaler. Talvez a mais significativa dentre as novas tecnologias tenha sido a introdução da prensa cilíndrica a vapor de König por volta de 1812, o grande marco nas pesquisas intensivas para mecanizar o processo de impressão. A transformação extraordinária efetuada na capacidade de gerar impressos pode ser avaliada mais nitidamente ao se comparar a cifra de 250 folhas/hora geradas pela prensa de ferro de Stanhope por volta de 1800 com o número de 4.200 folhas/hora que podiam ser impressas na prensa de quatro cilindros construída para o jornal londrino *The Times* por Applegarth e Cowper em 1827 (CLAIR, 1976: 360-380; MEGGS, 1992: 132-137; CARDOSO, 2005: 160-164).

Na Europa, o resultado dessas inovações foi uma expansão dramática da oferta de impressos mais baratos após 1830, com subseqüentes reduções de custos ao longo das décadas seguintes. Ecoando as outras instâncias citadas no capítulo anterior, a mecanização da impressão contribuía sob duas formas para multiplicar os lucros da firma impressora: primeiramente, aumentava a produtividade e, em segundo lugar, diminuía a despesa com mão-de-obra especializada. Apesar do aumento no número absoluto de trabalhadores empregados na indústria gráfica, os avanços tecnológicos ocorridos nessa época esbarraram constantemente na resistência de tipógrafos, compositores, impressores e outros artesãos especializados, cujas atividades eram tornadas obsoletas pelo emprego de máquinas. Novamente nesse contexto o papel do designer adquiria um valor redobrado, pois o critério principal que distinguia a qualidade dos impressos passava a ser não mais a habilidade da

COLLECÇÃO

DE

FABULAS

IMITADAS DE ESOPO E DE LAFONTAINE

DEDICADA

A SUA MAGESTADE O IMPERADOR

O SENHOR D. PEDRO II

POR

Instiniano José da Rocha

TERCEIRA EDIÇÃO

ADOPTADA PARA LEITURA DAS ESCOLAS PRIMARIAS
DO MUNICIPIO NEUTRO.

RIO DE JANEIRO,
TYPOGRAPHIA NACIONAL,
Rua da Guarda Velha,
1863.

Folha de rosto de livro publicado pela Tipografia Nacional em 1863, demonstrando claramente as possibilidades franqueadas pela proliferação de tipos no século 19.

execução gráfica, mas a originalidade do projeto e, principalmente, das ilustrações. Não por acaso, a segunda metade do século 19 foi marcada pelo surgimento de uma nova preocupação com a qualidade do projeto tanto da parte das editoras quanto dos artistas gráficos empregados por elas. Alguns poucos desenhistas e gravadores conseguiram se notabilizar através do seu trabalho editorial, como foi o caso de George Cruikshank e dos irmãos Dalziel na Grã-Bretanha ou de caricaturistas, como Daumier e Gavarni na França. De modo geral, porém, persistia a velha divisão entre o artista que criava uma imagem e o artífice que a executava para a impressão, permanecendo este último mal pago e quase anônimo (JOBLING & CROWLEY, 1996: 13-17).

Guardadas as devidas proporções entre os seus mercados editoriais, percebe-se uma preocupação análoga com a qualidade do projeto gráfico nas publicações de

Litografia retirada da *Semana Ilustrada*, revista dirigida por Henrique Fleuiss e publicada no seu Imperial Instituto Artístico.

Francisco de Paula Brito, o principal editor brasileiro da época, e de Henrique Fleiuss, desenhista, litógrafo e também editor. Começando como aprendiz de tipógrafo na Tipografia Nacional e depois compositor e redator de jornais, Paula Brito dirigiu entre 1831 e 1861 uma série de 'tipografias' (como se chamavam então as editoras) no Rio de Janeiro, responsáveis pela publicação de importantes jornais e revistas e também de boa parte da literatura nacional da época (GONDIM, 1965: 78-114; HALLEWELL, 1985: 79-92). Já Fleiuss iniciou em 1860 a publicação da *Semana Ilustrada*, a mais duradoura e influente da primeira leva de revistas ilustradas brasileiras, as quais passaram a circular entre nós desde 1844 com *A Lanterna Mágica*, publicação dirigida pelo poeta e pintor Manuel de Araújo Porto-Alegre e ilustrada pelo também pintor Rafael Mendes de Carvalho (LIMA, 1963: II, 723-730, 743-758; SODRÉ, 1966: 233; FERREIRA, 1976: 98, 214-215). Embora acanhados em termos de design e limitados tecnologicamente em comparação com os seus contemporâneos europeus, os impressos brasileiros de meados do século 19 já demonstram uma qualidade notável, considerando-se que a proibição colonial da imprensa só fora revogada em 1808, data do estabelecimento da Impressão Régia no Rio de Janeiro. A evolução dos impressos brasileiros ao longo das décadas seguintes é ainda mais impressionante. A atuação do desenhista, jornalista e editor Ângelo Agostini na *Vida Fluminense*, publicada entre 1868 e 1876, e na *Revista Ilustrada*, publicada entre 1876 e 1896, constitui-se em marco fundamental da história gráfica nacional. Exímio chargista, Agostini elevou a um alto padrão técnico e artístico o design de revistas entre nós, abrindo espaço para a atuação na imprensa de talentos, como Pedro Américo, Aurélio de Figueiredo e o caricaturista português Rafael Bordalo Pinheiro (LIMA, 1963: II, 780-804; SODRÉ, 1966: 22-49, 234-252; COTRIM, 1983: 13-37; CAGNIN, 1996: 57-75).

Em todo o mundo ocidental, a segunda metade do século 19 foi um período de crescimento das elites urbanas e, portanto, de ampliação de atividades culturais de toda espécie, incluindo a produção e veiculação de imagens. Além das novas tecnologias para a impressão de texto, outro fator decisivo para a expansão do mercado para produtos gráficos foram as evoluções importantíssimas no campo

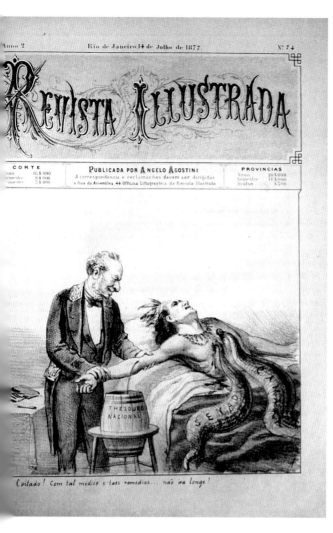

Página de abertura da *Revista Ilustrada*, no seu segundo ano (1877). Dirigida por Ângelo Agostini, foi a mais importante revista ilustrada da sua época. A charge satiriza o Barão de Cotegipe, então ministro da fazenda, e também o legislativo, por sugarem as forças do Brasil moribundo, representado por um índio, como de costume.

da reprodução de imagens. Ao uso secular da xilogravura — que havia ganho uma nova popularidade no final do século 18 — vieram juntar-se a litografia (sobre pedra e sobre zinco) e a gravura em metal sobre chapas de aço, técnicas aperfeiçoadas para uso comercial e industrial durante o século 19. Pela primeira vez na história, tornava-se possível imprimir imagens em larga escala e a baixíssimo custo, e a difusão de gravuras e outros impressos ilustrados a preços populares foi considerada por alguns contemporâneos pelo menos tão revolucionária no seu impacto social, senão mais, do que a própria invenção da imprensa. A expansão desse mercado foi fenomenal: na França, por exemplo, o número de semanários ilustrados em circulação aumentou dezessete vezes entre 1830 e 1880 (JOBLING & CROWLEY, 1996: 11). Surgiram nesse período alguns dos mais importantes periódicos do século 19, como

Rótulo litográfico da Imperial Fábrica de Chocolate a Vapor (RJ), projetado por Rafael Bordalo Pinheiro e impresso em Paris. Os rótulos dessa época raramente traziam a assinatura do seu criador, mas o renome de Bordalo justificava essa extravagância.

Le Charivari e *L'Illustration* na França ou o *Illustrated London News* na Inglaterra. A proliferação de jornais e revistas ilustrados deu início a um rápido processo de avanços nas tecnologias disponíveis para a impressão de imagens, culminando na fotogravura na década de 1880. Cada etapa dessa evolução exigiu muita criatividade da parte de tipógrafos, compositores, desenhistas e gravadores para gerarem uma linguagem gráfica adequada às novas possibilidades de reprodução. Entre as tentativas toscas de justapor textos e imagens características do início do século 19 e as sofisticadas programações do final do mesmo, existe um mundo de diferenças não somente de ordem tecnológica, mas também em termos de cultura visual (CARDOSO, 2005: 60-93).

Uma das linguagens visuais que viriam a se tornar característica do século 20 teve também o seu início nesse período fértil de inovações. Algumas revistas ilustradas passaram a veicular diversos tipos de histórias em imagens, geralmente constituídas de uma seqüência de quadros com algum encadeamento visual, encimando um pequeno texto narrativo. (Essas histórias geralmente não fazem uso do balão para conter a fala, apesar desta já ser uma prática comum na caricatura desde o século 18, pelo menos.) Um dos primeiros exemplos de que se tem notícia são os trabalhos do artista, escritor e professor universitário Rodolphe Töpffer, de Genebra, o qual publicou entre 1846 e 1847 as aventuras de personagens, como o 'Monsieur Cryptogame'. Outros exemplos se seguiram no mundo inteiro ao longo da segunda metade do século 19, incluindo "As aventuras de Nhô Quim", história em imagens criada por Ângelo Agostini em 1869 na revista *Vida Fluminense* (COUPERIE et alii, 1967: 11; CIRNE, 1990: 16). A verdadeira história em quadrinhos, tal como é conhecida hoje – com o texto inserido dentro do quadro desenhado, geralmente por intermédio de balão, personagens recorrentes e um alto grau de figuração narrativa – só iria aparecer na década de 1890 nos Estados Unidos, como parte da guerra de circulação entre os dois magnatas da imprensa nova-iorquina Joseph Pulitzer e William Randolph Hearst. Na busca constante de novidades que aumentassem as vendas, o jornal *New York World*, de propriedade de Pulitzer, passou em 1893 a publicar uma página a cores no seu suplemento dominical e, nesta página, estavam incluídas as histórias ilustradas de Richard Outcault, futuro criador do quadrinho *Buster Brown* (a partir de 1902). A popularidade das peripécias do *Yellow Kid*, principal personagem de Outcault na época, acabou levando o seu autor para o jornal concorrente, o *New York Journal*, de propriedade de Hearst. Foi neste jornal que surgiu em 1897 a tira que marcaria o início dos *comics* modernos – os *Katzenjammer Kids* (publicada no Brasil com o título *Os Sobrinhos do Capitão*), de Rudolph Dirks (COUPERIE et alii, 1967: 19-21). Com o estrondoso sucesso das deliciosas e maliciosas aventuras dos 'Katzies', a história em quadrinhos encontrava um formato e uma linguagem definidores, os quais iriam se propagar e se ampliar ao longo das décadas seguintes.

Talvez o aspecto mais surpreendente no estudo dos veículos e das linguagens visuais desenvolvidos nessa

Rótulo de rapé da marca Areia Preta, de propriedade da Meuron e Cia. Esta é a primeira marca registrada de que se tem conhecimento no Brasil, tendo sido depositada na Junta Comercial da Corte por volta de 1875. É notável o uso de diversos elementos que buscam caracterizar a identidade brasileira do produto.

época seja a existência de importantes variações nacionais e regionais. Afinal, em função da simultaneidade e da rapidez com que se difundiram as novas tecnologias, não seria surpreendente encontrar uma relativa homogeneidade de produtos e estilos, o que não é o caso. No Brasil, por exemplo, apesar do atraso secular na introdução da imprensa, o uso da litografia teve início com apenas alguns anos de defasagem em relação à França ou à Grã-Bretanha e anteriormente às suas primeiras aplicações em países, como Portugal, Espanha e mesmo os Estados Unidos. Porém, enquanto neste último país o número de oficinas litográficas em operação expandiu-se de cerca de 60 em 1860 para cerca de 700 em 1890, o número de oficinas no Brasil subiu no mesmo período de 115 para apenas 128, após atingir um ápice de 248 na década de 1870 (FERREIRA, 1976: 179-200, 232; MARZIO, 1979: 3). Como explicar que, após um início tão promissor, a litografia no Brasil tenha passado tão rapidamente para uma fase de estagnação e mesmo declínio, justamente em momento de grande aplicação comercial dessa técnica? Existem, sem dúvida alguma, dados econômicos e políticos que ajudam a explicar esse contraste. O governo dos Estados Unidos protegeu a indústria litográfica nacional durante todo o século 19, impondo altas tarifas sobre a importação de litografias estrangeiras, ao mesmo tempo que liberava de qualquer imposto a importação de pedras litográficas, a mais importante matéria-prima (MARZIO, 1979: 90-91). A política alfandegária brasileira nesse mesmo período foi tudo menos sistemática, vacilando entre tarifas mais protecionistas, como as de 1844 e 1879 e outras mais liberais como as de 1857 e 1869. Fator mais decisivo ainda foi, sem dúvida, a expansão industrial generalizada dos Estados Unidos, a qual correspondeu a um crescimento contínuo da prosperidade que beneficiou, por tabela, cada indústria individual. Que riqueza gera riqueza é evidente; porém, parece insuficiente explicar o sucesso da indústria litográfica americana apenas como um reflexo do sucesso da indústria em geral.

O caso da indústria litográfica é esclarecedor, justamente porque toca em outros fatores que são essenciais para entender a inserção histórica do design. Examinando-se apenas os dados citados acima, é possível atribuir um fracasso à indústria litográfica brasileira; porém, tal conclusão seria errônea e historicista ao extremo. Pelos padrões da sociedade da época, a expansão da litografia no Brasil é um caso de retumbante sucesso e a qualidade das produções de firmas, como Ludwig & Briggs, Heaton & Rensburg, S.A. Sisson, Casa Leuzinger ou Lombaerts & Cia., atesta a importância assumida por essa indústria no Segundo Reinado e na República Velha (LIMA, 1963: II, 731-738; FERREIRA, 1976: 200-236). Contudo, o horizonte de expansão da litografia e de toda a indústria gráfica na época era limitado pela natureza da própria sociedade brasileira. A evolução impressionante desse campo na era moderna é um fenômeno que depende caracteristicamente da existência de um público leitor urbano, com níveis de renda e de instrução condizentes com o consumo regular de impressos. Enquanto na Europa e nos Estados Unidos esse público esteve em plena ascensão durante todo o século 19, no Brasil ele permaneceu restrito a uma pequena elite mais ou menos estável como parcela da população total. Um país de pobres e analfabetos tem poucas condições de desenvolver um consumo de grande quantidade ou diversidade de impressos, problema este que aflige até hoje o meio editorial brasileiro. Invertendo a equação, a explosão da cromolitografia nos Estados Unidos reflete um processo de popularização e democratização da cultura

típico das iniciativas políticas, educacionais e comerciais daquele país durante todo o período em questão (MARZIO, 1979: 2-5). Tratando-se, por outro lado, de impressos voltados não para uma leitura verbal complexa, mas para a identificação sistemática de uma identidade visual — como é o caso dos rótulos comerciais e das marcas registradas — obteve-se no Brasil um desenvolvimento bem mais sólido e equilibrado. Pode-se afirmar até que a litografia brasileira chegou a desenvolver nesse âmbito uma linguagem própria, tanto em termos de iconografia quanto de design, assunto este que vem sendo alvo de pesquisas mais aprofundadas (ver REZENDE, 2003; CARDOSO, 2005: 20-59).

Rótulo de cigarros datando do último quartel do século 19 e impresso na Litografia Pereira Braga (RJ). A conjugação sucinta da imagem da locomotiva com as palavras 'progresso' e 'exposição', com diagramação e recursos tipográficos típicos da época, já indica a consolidação de um nível de discurso visual bastante sofisticado.

Cartaz de 1896 impresso em Paris na casa *Affiches Faria*, reputadamente de propriedade de um desenhista brasileiro. Essa peça demonstra bem a propagação internacional de uma linguagem gráfica que tira proveito das possibilidades técnicas da litografia, abusando das fontes desenhadas e da superposição de texto e imagem.

O cruzamento de dados de ordem econômica e cultural com outras informações de natureza tecnológica e artística faz-se essencial para dar sentido à diversidade de manifestações do design em diferentes contextos. O florescimento de um mercado editorial, conforme discutido acima, se explica não somente pelos custos de produção, mas também em termos do tamanho do público leitor. Igualmente, o uso de impressos de formato muito especializado está condicionado diretamente a necessidades que variam de acordo com o lugar e a época. O cartaz publicitário serve como um bom exemplo da especificidade da comunicação visual a um determinado contexto social e cultural. O ritmo de popularização do cartaz foi determinado por uma série de fatores tecnológicos, dentre os quais cabe destacar as já citadas mudanças na fabricação do papel e no processo de impressão, bem como a criação de novas técnicas na década de 1830 para produzir tipos em madeira de todos os tamanhos e de quase qualquer estilo (MEGGS, 1992: 136-138). Essas tecnologias viabilizaram a partir de meados do século 19 a produção em larga escala de cartazes, impressos inicialmente por processo xilográfico e posteriormente por litografia. Porém, em alguns países o cartaz deslanchou, passando por uma rápida evolução e sofisticação da sua linguagem durante as décadas de 1870 e 1880, enquanto em outros não. Como tantos meios discutidos neste capítulo, o cartaz – bem como o seu sucedâneo, o outdoor – teve uma aplicação principalmente urbana, fator que retardou a sua difusão fora das áreas de população concentrada. Igualmente, como peça de divulgação, o uso do cartaz só faz sentido em contextos em que há o que divulgar, o que tanto explica a existência de reclames e avisos afixados a muros desde muito antes da popularização do cartaz, como também justifica a sua relativa escassez em contextos de pouca atividade comercial muitos anos depois da vulgarização das tecnologias citadas acima. O surgimento de pioneiros no design de cartazes, como Jules Chéret, na França, ou J.H. Bufford e Louis Prang, nos Estados Unidos, se deve tanto às particularidades do meio em que viviam quanto à criatividade desses indivíduos. Quando uma nova tecnologia surge em um contexto que não está preparado para assimilá-la, ela tende a ser desprezada ou ignorada, como é o caso da curiosa descoberta do processo fotográfico por Hercules Florence no interior de São Paulo, seis anos antes de Daguerre anunciar em Paris a invenção que iria revolucionar a comunicação visual moderna como nenhuma outra (ver KOSSOY, 1980).

A imagem e a fotografia

Datam do final do século 18 e do início do 19 as primeiras experiências com o registro de imagens através da exposição à luz de chapas preparadas quimicamente. Vários inventores no mundo inteiro buscavam independentemente um processo de fixar sobre o papel ou outra superfície as imagens obtidas pelo uso da câmera obscura e da câmera lúcida, aparelhos óticos então bastante populares, que auxiliavam no desenho topográfico através da projeção de vistas por lentes, prismas e espelhos. Esses experimentos atingiram o seu ápice durante a década de 1830, culminando em janeiro de 1839, quando ambos Louis Daguerre, na França, e Fox Talbot, na Inglaterra, divulgaram suas descobertas, com um intervalo de apenas 24 dias. Daguerre havia desenvolvido um processo de exposição positiva de uma chapa fotossensível que produzia uma imagem bastante detalhada, porém única. O método de Fox Talbot, por sua vez, baseava-se no princípio do uso do negativo, o qual poderia ser utilizado para gerar inúmeras imagens positivas. Embora este último processo se aproximasse mais da evolução posterior da fotografia, foi o invento de Daguerre – denominado de daguerreótipo – o primeiro a ser explorado comercialmente. Ainda em 1839, Daguerre patenteou o seu processo e colocou à venda aparelhos e manuais de instruções (FORD, 1989: 10-17; ROSENBLUM, 1997). O furor mundial subseqüente para obter e utilizar o aparelho marca o início da era fotográfica, talvez o momento de mais profunda transformação do olhar humano de todos os tempos. Já em 1840 a novidade chegava ao Brasil, iniciando uma trajetória de ascensão lenta mas contínua até as décadas de 1860 e 1870, quando começa a se popularizar (FABRIS, 1991; MAUAD, 1997: 188-199).

O impacto da fotografia sobre o design gráfico não foi imediato. Ao contrário do que muito se repete com base em suposições no mínimo duvidosas, a nova invenção não representou nenhuma ameaça direta aos processos então empregados para a produção e veiculação comercial de imagens impressas e nem, diga-se de passagem, às técnicas convencionais de representação gráfica pelo desenho, pela gravura e pela pintura. Na verdade, a fotografia permaneceu durante muitos anos uma curiosidade tecnológica e um privilégio exclusivo de poucos usuários. Além de ser relativamente demorada, difícil e cara, a daguerreotipia produzia imagens únicas, não passíveis de reprodução. Somente na década de 1860, após a difusão do processo de colódio para gerar negativos sobre vidro, a fotografia começou a ficar mais acessível em termos de custos, propiciando a grande voga dos retratos em formato de *carte de visite*, bem como

Carte de visite datando de 1895. Na segunda metade do século 19, tornou-se comum ofertar o próprio retrato aos amigos, como lembrança.

das imagens estereoscópicas; e somente no final da década de 1880, com a introdução pela Kodak de câmeras baratas utilizando filme em rolo é que a fotografia atingiria a ubiqüidade (FORD, 1989: 46-63). A aplicação da fotografia aos impressos também enfrentou uma série de obstáculos tecnológicos. As primeiras tentativas comerciais de impressão fotomecânica datam do início da década de 1870, mas a fotogravura propriamente dita, em clichê a meio-tom reticulado, só passou a ser utilizada na imprensa na década de 1880, mesmo assim de modo excepcional. A fotografia começou a suplantar a gravura como método de reprodução de imagens em jornais e revistas na década de 1890, mas só se tornou normativa em pleno século 20 (MEGGS, 1992: 148-149; JOBLING & CROWLEY, 1996: 27-28, 172-173; CARDOSO, 2005: 60-93). Ainda assim, vale a pena ressaltar que se tratava geralmente da impressão de fotografias em preto e branco. Até cerca de três décadas atrás, constituía-se em exceção o livro que exibisse fotos em cores, e o uso da fotografia colorida em jornais só se tornou corriqueira nos últimos dez a quinze anos.

O impacto inicial da fotografia sobre a comunicação visual deu-se mais no plano conceitual do que no tecnológico. A partir da década de 1850, aparecem na produção de imagens por meios tradicionais indícios da influência fotográfica, especialmente no que diz respeito a questões de enquadramento, composição, acabamento e sombreado. Tanto na esfera mais rarefeita da pintura de cavalete quanto nas oficinas gráficas e nos ateliês de gravura, as normas e mesmo as limitações da fotografia começavam sutilmente a alterar o tratamento dado às imagens, impondo mais do que uma nova estética, um novo modo de ver o mundo. Percebe-se, por exemplo, em movimentos artísticos, como o Pré-Rafaelismo britânico ou o Realismo francês, uma preocupação renovada com os pequenos detalhes da natureza e com a documentação do cotidiano, até mesmo de coisas antes consideradas indignas de representação artística. Evidencia-se igualmente nas produções gráficas das décadas de 1860 e 1870 a influência de valores fotográficos de tonalidade e luz, o que se deve em alguns casos à aplicação direta do negativo fotográfico sobre o bloco de madeira a ser gravado. Tornou-se comum no meio jornalístico, além do mais, a prática de mandar fazer uma gravura, em metal ou madeira, tendo como modelo uma imagem fotográfica, ecoando o procedimento análogo tradicionalmente realizado a partir do desenho ou da pintura (MEGGS, 1992: 149-150; JOBLING & CROWLEY, 1996: 26-27). Nestes e em diversos outros sentidos, pode-se dizer que a segunda metade do século 19 marcou o início de uma nova etapa na valorização cultural, social e econômica das imagens. Nunca dantes existira ou circulara tamanha quantidade de imagens: qualquer pessoa merecia ser retratada; qualquer paisagem precisava ser vista; qualquer incidente acabava sendo registrado. A fotografia completou o processo de transformar a imagem em mercadoria abundante e barata, mas, ironicamente, essa abundância toda acabou por esvaziar as imagens de uma parte do seu poder simbólico tradicional. Quanto maior o valor atribuído ao universo total de imagens, menor o valor que se imputa a qualquer uma delas individualmente. Nesse paradoxo apenas aparente reside uma característica fundamental da lógica da circulação de informações e signos na modernidade e, mais ainda, na pós-modernidade: o esvaziamento do sentido não pela sua supressão, mas pela sua propagação ilimitada. Diante daquilo que o filósofo Vilém Flusser batizou de 'nova idolatria' — característica da era atual, de predomínio da imagem técnica —, boa parte da humanidade encontra-se subjugada por uma incapacidade de decifrar os significados profundos dos códigos visuais (ver FLUSSER, 2002; FLUSSER, 2007).

O design na intimidade

A expansão notável da circulação de imagens e impressos ao longo da segunda metade do século 19 corresponde, conforme assinalado acima, à ampliação de um público consumidor majoritariamente urbano, geralmente assalariado, cada vez mais alfabetizado e crescentemente fragmentado em termos de classe social, gênero e idade. Com o barateamento dos custos de produzir livros, revistas, jornais, gravuras e fotografias, tornava-se possível gerar uma diversidade maior de títulos, de imagens e de outras mercadorias voltadas para segmentos específicos da sociedade. Jornais socialistas, revistas femininas, livros infantis e reproduções de obras de arte são todos produtos que dificilmente teriam existido antes de 1850, mas que já se tornavam comuns algumas décadas depois. O surgimento das classes médias na Europa e nos Estados Unidos, e também de uma certa elite urbana no Brasil, trouxe uma relativa democratização da noção de individualidade, ou seja, uma nova disposição de diferenciar e expressar a identidade de cada um ou do grupo através de opções de leitura, de vestuário, de decoração, enfim, de consumo. Segundo Richard Sennett, no seu já clássico *O Declínio do Homem Público*, o século 19 foi marcado por uma transformação profunda nas relações sociais em que as mercadorias e os hábitos de consumo passaram a ser vistos como verdadeiros 'hieróglifos sociais', simbolizando a personalidade e demarcando identidades (SENNETT, 1974: 143-146, 161-168).

A tese de Sennett ajuda a explicar por que o design e os designers tornam-se mais conspícuos nessa época, ao ponto de ser possível identificar e estudar — pelo menos nos países mais industrializados — o trabalho de designers individuais, como Godfrey Sykes, Christopher Dresser, William Morris ou Lewis F. Day, todos ativos na Grã-Bretanha ao longo da segunda metade do século 19 (ver RUDOE, 1990; HALÉN, 1993; DENIS, 1995: 266-267; PARRY, 1996: 32-42; BAKER & RICHARDSON, 1997). Esses designers notabilizaram-se, em maior ou menor grau, criando projetos para a produção industrial de objetos utilitários em metal, vidro e cerâmica; para móveis, tapetes e papéis de parede; para tecidos e roupas; para livros e outros impressos; e para as demais mercadorias de uso essencialmente doméstico ou pessoal. É na moradia de classe média; na intimidade do lar; nas mesas, estantes, gavetas e armários da burguesia grande e pequena que se encontra um dos primeiros focos históricos importantes para a personalização do design. A preocupação com a aparência – primeiramente, da própria pessoa e, por extensão, da moradia – como indicador do status individual, serviu de estímulo para a formação de códigos complexos de significação em termos de riqueza, estilo e acabamento de materiais e objetos. Para atingir os padrões convencionados, fazia-se cada vez mais necessária a intervenção de um profissional voltado para esses aspectos do projeto. Egresso do seu anonimato na fábrica ou na oficina, surge nessa época uma nova figura do designer como profissional liberal: um homem (quase sempre) que compartilhava das mesmas origens e dos mesmos gostos de consumidores que buscavam nessas produções, mais do que uma simples qualidade construtiva, uma afirmação da sua identidade social.

A preocupação generalizada com diferenciar e tornar especial a casa de moradia é um fenômeno característico do século 19. Desde muito, reis e nobres investiam grandes fortunas em construir e ornar seus palácios, fazendo uso da arquitetura e da arte como formas de ostentar o seu poder e de manifestar a sua glória. Com a contínua ascensão da classe média, esse gosto pela ostentação e pelo luxo foi aos poucos se difundindo para esta camada social. Os grandes burgueses, enriquecidos pelo comércio e pela indústria, construíam também os seus palacetes e suas mansões, afirmando sua pretensão de igualar-se à antiga nobreza. O desejo de ostentação às vezes exagerado da nova elite e os conflitos gerados como conseqüência deram início a uma vigilância redobrada sobre as distinções sociais através de conceitos como o de *nouveau riche*, termo cunhado para descrever o novo rico que possuía dinheiro, mas não necessariamente bom gosto. No tempo em que as divisões hierárquicas haviam sido claras, não existia tanta necessidade de policiar os limites entre uma classe e outra, mas a relativização dessa separação acarretava a possibilidade de cometer enganos e de deparar-se com surpresas desagradáveis. Os romances de Jane Austen, como *Orgulho e Preconceito*, oferecem uma finíssima perspectiva literária sobre a instabilidade das relações sociais de elite na passagem do século 18 para o 19: o jogo de gato e rato entre quem queria garantir a ascensão social através do casamento e quem negociava a troca do prestígio por dinheiro é a expressão não de uma sociedade rigidamente estratificada, mas de uma situação em que as identidades de classe passam por um processo de redefinição. Com o tempo, tais preocupações foram se difundindo por outras camadas sociais, iniciando uma proporção cada vez maior de indivíduos nas artimanhas necessárias para manter as aparências ou para enganar os outros pelo seu cultivo estratégico.

A ansiedade com as aparências atingiu naturalmente o seu auge nas grandes concentrações urbanas que então se estabeleciam. O anonimato da metrópole trazia a ameaça de não se saber quem era o vizinho de rua ou o passageiro ao lado no bonde. Nesse contexto, o aspecto dos móveis do vizinho ou da roupa do companheiro de viagem adquiria nova importância em termos de identificação. O exterior da casa e da pessoa passa a ser visto cada vez mais no século 19 como uma expressão do seu sentido interior, passível de apreciação e de interpretação. Gera-se um jogo duplo de ostentar e ocultar, em que cada indivíduo tenta atingir um equilíbrio ideal entre o que quer mostrar e o que quer esconder dos olhares atentos da multidão. Conforme analisa Sennett, essa relação dialética entre interior e exterior se reflete nas distinções estabelecidas entre espaço público e espaço privado. À medida que vão sendo minadas a estabilidade e a segurança dos espaços públicos da rua e do trabalho, as pessoas se voltam para a busca de uma expressão privada da personalidade pelo cultivo de hábitos de consumo pessoais e domésticos. A manifestação antológica dessa dualidade entre severidade externa e brandura interna encontra-se no descompasso, muitas vezes desconcertante, entre as fachadas sóbrias das casas burguesas de meados do século 19 e a opulência dos seus interiores, fenômeno perceptível principalmente na Grã-Bretanha e nos Estados Unidos, já que a arquitetura dos países latinos tendeu em direção a uma pomposidade maior também nas fachadas. De modo quase global, porém, o interior doméstico passa a ser visto no século 19 como uma expressão da personalidade dos donos da casa, e especialmente da dona, visto que o acesso das mulheres ao espaço público continuava a ser muito restrito. Para a dona de casa de classe média, proibida de trabalhar fora, a vida doméstica tornava-se ao mesmo tempo prisão e refúgio, único canal além da igreja e das obras de caridade para dar vazão às suas energias criativas, comumente através da decoração.

O aspecto do interior burguês da era vitoriana foi perpetuado através das inúmeras pinturas de gênero que o retratam no seu acúmulo de móveis estofados, tapetes, almofadas, papéis de parede, quadros, decorações e bibelôs. Ele suscita diversas considerações relevantes para a história do design. Primeiramente, a impressão de conforto, de luxo e às vezes de elegância revela uma preocupação extrema com o bem-estar, a estabilidade e a solidez (GLOAG, 1961: 60-98). Em contraposição ao que era percebido como o perigo e instabilidade das ruas, o interior doméstico do século 19 se configura como lar, como local de refúgio e de certezas. Em segundo lugar, a abundância relativa de objetos que compõem esse lar revela muito sobre os efeitos do avanço industrial em termos da distribuição de bens de consumo. Novas indústrias e tecnologias tornavam acessíveis a qualquer um, e em grande quantidade, produtos antes considerados supérfluos ou proibitivos, como tapetes e louças por exemplo. O uso exagerado de tecidos de todos os tipos na decoração e no vestuário da época seria impensável sem o barateamento dos mesmos, efetuado pela mecanização da indústria têxtil. Através do consumo de mercadorias industriais, a sociedade burguesa atingia uma vulgarização do luxo inédita na história humana.

    Outro aspecto fundamental desse mesmo grande fenômeno está na crescente importância atribuída a questões de vestuário e moda ao longo do século 19. Desde muito, as roupas são usadas para codificar posições sociais, no sentido de demarcar o pertencimento a um grupo. Os mantos dos reis, os uniformes dos militares, as batinas dos sacerdotes, os aventais dos trabalhadores manuais: todos denotavam quem era quem para os outros membros da sociedade. Porém, inexistia praticamente a possibilidade de trocar de identidade – e, portanto, de figurino – ao longo da vida. Um príncipe era um príncipe, e só se trajaria de pobre na hipótese de querer se disfarçar, como nos contos e lendas. Por essa razão, as transformações de vestuário costumavam ser lentas, com a exceção dos círculos cortesãos, onde a moda é um fenômeno mais antigo. Com a crescente instabilidade da nova era industrial, o vestuário passou a desempenhar uma função mais fluida, denotando mudanças de posição social e até anseios de expressão pessoal. Ligou-se, em especial, à afirmação da atualidade, ou modernidade, do usuário, aprofundando a noção de mudança rápida que rege os ciclos de moda (ver BREWARD, 1995: 145-179).

    Partindo-se do conceito de 'hieróglifo social', já citado, é possível compreender melhor a lógica da moda na sociedade industrial. Numa situação de trânsito de estranhos pelo território relativamente livre da metrópole, o vestuário torna-se mais um código para ser lido; e a aparência de alguém é capaz de informar, com rapidez e eficiência, quem é (ou quem pretende ser) essa pessoa. Uns vestem-se para parecer o que não são; outros manipulam códigos sutis para demonstrar que pertencem mesmo a determinado grupo. Nesse contexto, detalhes, como a largura de uma lapela, a altura de uma bainha ou a qualidade de um tecido, podem confirmar ou trair uma identificação pretendida. Não é à toa que um autor como Honoré de Balzac, o grande cronista de Paris do século 19, era capaz de dedicar parágrafos inteiros à descrição do figurino de um personagem. Com a progressão desse jogo de emulação e disfarce, a maioria passa a copiar a aparência do vestuário de quem admira: os que ditam a moda. Estes, por sua vez, passam a viver numa busca constante de novidade e transformação, para se manterem sempre um passo adiante do rebanho. Durante a segunda metade do século 19, os ciclos de moda atingiram um grau de complexidade muito alto, em capitais como Londres e Paris. Um dos fenômenos mais interessantes do período é a moda que levou os homens a se trajarem predominantemente de preto, em quase todas as ocasiões, durante décadas (ver HARVEY, 1994). Um dos motivos por trás dessa homogeneização cromática era, provavelmente, o de tornar ainda mais difícil a leitura das aparências no primeiro momento, jogando o complexo exercício da decodificação para detalhes mais sutis. Como os homens de negócios de hoje, com seus ternos e gravatas, os 'homens de preto' do passado compunham uma ordem à parte, regida por códigos complexos, indecifráveis para quem não pertencesse a ela.

Embora não existisse ainda uma indústria de moda no século 19, no sentido que hoje atribuímos ao termo, o setor de vestuário foi um dos pioneiros em organizar a fabricação e comercialização de seus produtos em moldes modernos. A prova irônica desta afirmação reside no fato de que o primeiro boicote de consumidores de que se tem notícia foi realizado pela *Working Tailors' Guild* (associação de alfaiates), de Londres, contra o uso de mão-de-obra desqualificada para confeccionar roupas baratas. Esse boicote, que ajudou a dar partida ao movimento cooperativista na Inglaterra, teve sua origem no incendiário panfleto *Cheap clothes and nasty*, escrito em 1850 por Charles Kingsley (sob o pseudônimo "Parson Lot"), o qual denunciava a exploração de trabalhadores em regime semi-escravo nas pequenas confecções clandestinas que vieram a ser conhecidas como *sweatshops*. A deprimente continuidade desse tipo de prática no submundo da indústria de vestuário suscita considerações sérias sobre a relação entre moda e injustiça social, ao longo da história moderna. Ouvem-se até hoje os ecos do argumento central de Kingsley: de que as belas roupas, compradas prontas a preços módicos, seriam fruto de relações humanas perversas e insustentáveis a longo prazo.

O design na multidão

O novo luxo dos interiores burgueses contrastava com o lixo, a miséria e a doença em evidência crescente nas ruas das cidades. Com aglomerações urbanas de milhões de habitantes, novas dificuldades se apresentavam na organização do espaço público e estas foram se avultando com a intensificação do ritmo de expansão populacional durante a segunda metade do século 19. Nos cinqüenta anos entre 1870 e 1920, a população do Rio de Janeiro aumentou cerca de quatro vezes, atingindo mais de um milhão e desafiando a capacidade das autoridades de prover condições mínimas de habitação, transporte e serviços públicos (tal fenômeno não demorou a se repetir em outras capitais, como São Paulo, Porto Alegre e Belo Horizonte em décadas subseqüentes). Com as primeiras grandes epidemias de febre amarela e de cólera na Corte, respectivamente em 1850 e 1855, apressou-se a instalação de uma rede domiciliar de esgoto e de distribuição de água. Inaugurou-se na mesma época a iluminação a gás no centro da cidade. As primeiras ferrovias e linhas de bonde surgiram na capital brasileira também na década de 1850, expandindo-se rapidamente nas décadas seguintes e possibilitando inclusive a abertura de novos bairros ao longo das linhas carris e de trem. Apesar de todos esses melhoramentos, foi-se agravando a crise habitacional da cidade, com números crescentes de pessoas pobres obrigadas a se adensar em cortiços e outras habitações coletivas, dando surgimento inclusive à primeira favela no finalzinho do século 19 (BENCHIMOL, 1990: 65-73, 96-108, 124-134; CHALHOUB, 1996). A ordenação do espaço público tornou-se a preocupação central das autoridades municipais em todo o mundo. Em nome da higiene, da segurança e do progresso, foram empreendidas

Colocação do primeiro rolo de cabo telefônico na avenida Rio Branco, no Rio de Janeiro, 14 de dezembro de 1925.

em diversas capitais reformas urbanas de grande porte, cujo símbolo maior ficou sendo a reurbanização de Paris executada pelo Barão Haussmann na época do Segundo Império francês. No Brasil, a reforma urbana da capital federal realizada entre 1902 e 1906 sob o prefeito Pereira Passos alterou significativamente o aspecto e a vivência da cidade através do aterro de grandes trechos do litoral carioca, do desmonte de morros, da demolição de casario antigo e da abertura de largas avenidas (ver DEL BRENNA, 1985).

Tantos serviços e reformas exigiam um investimento maciço de dinheiro e o emprego de materiais e mão-de-obra especiais. A maioria das melhorias introduzidas no Brasil ao longo da segunda metade do século 19 foi contratada com empresas privadas estrangeiras através de concessões públicas do serviço, o que significava que também a tecnologia e os projetos vinham todos de fora, envolvendo pouca ou nenhuma transferência de capacidade produtiva para o solo brasileiro. Todavia, essas oportunidades foram abraçadas por alguns empresários locais como um estímulo para a implantação de indústrias nacionais, sendo o caso mais notório o do Visconde de Mauá. A pequena Fundição e Estaleiro da Ponta de Areia, na cidade de Niterói, foi comprada por Mauá em 1846 e transformada na primeira indústria siderúrgica brasileira de

Esta fotografia (tirada por Mortimer), da rua da Carioca em 1911, mostra o impacto de bondes elétricos, postes, bicicletas e outras inovações na paisagem urbana.

porte, fabricando máquinas, navios e outros produtos de ferro. Obtendo do governo imperial os devidos privilégios, a empresa de Mauá participou entre 1849 e 1855 da fabricação e colocação dos tubos para o abastecimento de água e para a rede de esgoto. Paralelamente, a Companhia de Iluminação a Gás do Rio de Janeiro, também de sua propriedade, implantou e manteve por anos a concessão da iluminação pública da cidade (FARIA, 1958: 117-149; BESOUCHET, 1978: 92-95). Não por acaso, é em relação à empresa da Ponta de Areia que se encontra um dos primeiros registros brasileiros do emprego de 'desenhadores' em uma capacidade industrial: Mauá havia importado dois profissionais, um inglês e o outro português, para exercer essa importante função técnica, intermediando as relações entre os engenheiros que geravam projetos e os mestres que os faziam executar (DENIS, 1996: 68-69). Alguns anos adiante, na época da primeira Exposição Nacional em 1861, aparece ainda a menção de Carlos Petersen como 'artista' empregado na Ponta de Areia, o qual era responsável pela construção de modelos técnicos de maquinismos (CONFRARIA DOS AMIGOS DO LIVRO, 1977: 112). Percebe-se que as atividades ligadas ao design tendem a surgir como decorrência da implantação do processo industrial.

A preocupação com a higiene não se limitou ao saneamento urbano. Com as descobertas do biólogo francês Pasteur e do cirurgião britânico Lister sobre bactérias e assepsia, a limpeza parou de ser apenas uma questão de ordem pessoal e virou assunto de governo, passível de policiamento por órgãos competentes de saúde pública. As últimas décadas do século 19 e as primeiras do século 20 testemunharam uma preocupação generalizada, e às vezes histérica, com a higiene. Foram fundados nessa época importantes centros de

Colunas de ferro fundido fabricadas na fábrica da Ponta de Areia na década de 1850. Uma produção de tal porte e complexidade representava um alto grau de desenvolvimento industrial para a época e era percebida, com muita razão, como uma afirmação de autonomia nacional perante as grandes potências estrangeiras.

pesquisa médica e lançados para o primeiro plano da vida social e política médicos sanitaristas como Oswaldo Cruz (ver STEPAN, 1976; COSTA, 1979). Além dos esforços essenciais empreendidos para conter a propagação de epidemias nas grandes cidades, as campanhas sanitaristas acabaram se empenhando também no redimensionamento das condições de higiene doméstica, com conseqüências importantes para a área do design. Às virtudes já conhecidas do lar – conforto, domesticidade, bem-estar – vieram juntar-se novos critérios de limpeza e eficiência. Foi introduzida entre as décadas de 1860 e 1890 a maioria das instalações hidráulicas, de louças e de aparelhos domésticos que iriam dar forma à cozinha e ao banheiro modernos. Com a introdução da eletrificação doméstica no final do século 19, surgiram os primeiros eletrodomésticos e iniciou-se a evolução de aparelhos que iriam se tornar focos do

Cartaz de saúde pública datando do final da década de 1910 ou início da década de 1920, produzido pela Inspetoria de Profilaxia da Lepra e das Doenças Venéreas (RJ).

Anúncio de Dynamogenol de 1919: era grande a preocupação com doenças, especialmente a tuberculose, grande ameaça da época.

design no século 20 (WRIGHT, 1960: 187-216; FORTY, 1986: 182-200; PURSELL, 1995: 140-145). Acompanhando a evolução de tais produtos, inúmeras propagandas de sabão, de desinfetantes e de utilidades domésticas vieram reforçar a mensagem sanitarista, trazendo definitivamente para dentro do lar e da própria consciência da dona de casa as ameaças que até então haviam ficado restritas às ruas.

Em paralelo ao redesenho das casas de moradia, surgia uma nova ordenação dos locais de trabalho. As investigações tayloristas sobre 'gerenciamento científico', já referidas, coincidiram com a revisão sanitarista de condições e instalações, dando ímpeto adicional à reorganização tanto de fábricas quanto de escritórios. A evolução do design de móveis de escritório oferece uma ótica fascinante para entender mudanças na conceituação e na natureza do trabalho. Para citar apenas um exemplo, o tradicional bureau — escrivaninha alta com muitas gavetinhas e tampo de rolo, característica do escrevente do século 19 — deu lugar logo no início do século 20 à mesa de trabalho baixa, vazada e com poucas gavetas. O antigo escrevente perdia a sua autonomia espacial, o seu domínio de uma pequena ilha independente contendo materiais e processos sob sua guarda exclusiva, e passava a se inserir em um arranjo de mesas interligadas — um módulo entre muitos — mais baixas e sem espaço para armazenar nada além dos instrumentos básicos de trabalho. Todo o serviço permanecia à vista sobre a superfície da mesa, ou então tinha que ser logo despachado para outras mesas. A função de arquivar era desmembrada para um novo móvel — o arquivo — e, em muitas empresas, passava a ser responsabilidade de um novo departamento. Essa perda de autonomia espacial coincide, não por acaso, com o ingresso da mulher nos escritórios, ocupando a nova posição de secretária. Com o advento da máquina de escrever na década de 1880, as mulheres começaram a exercer esse tipo de trabalho pela primeira vez e, ganhando salários menores, rapidamente passaram a ocupar uma grande proporção dos empregos de escritório antes reservados para homens. O declínio do escrevente e a ascensão da secretária é um fenômeno sociológico que se reflete claramente na configuração física e espacial do escritório moderno (FORTY, 1986: 120-139). No caso brasileiro, tanto bureau quanto escrevente perduraram ainda por longos anos, resistindo ao ingresso da mão-de-obra feminina nesse âmbito de trabalho.

Dentre as novidades presentes no escritório brasileiro moderno da década de 1920, estavam máquinas de escrever ...

...mesas de trabalho baixas e mulheres, como se vê nesta imagem da Companhia Telefônica Brasileira.

Foi-se moldando, portanto, ao longo do século 19 uma nova ordem social. Contrapondo-se ao senso nítido de desordem e desagregação que marcou o início da industrialização nos países europeus, o século chegava ao seu fim munido de instituições e de serviços encarregados de impor e manter a ordem, desde polícia e bombeiro até escolas e hospitais. No Brasil, como no resto do mundo, a nova sociedade urbana organizou-se em torno de ideais, como ordem e progresso, indústria e civilização, fossem estes importados ou não. O design teve o seu papel nessa reconfiguração da vida social, contribuindo para projetar a cultura material e visual da época. No entanto, se é verdade que as atividades projetuais já eram exercidas plenamente na primeira era industrial, não se pode dizer o mesmo sobre a existência de uma consciência do papel do design como campo profissional. O trabalho do designer pode ter surgido organicamente do processo produtivo e da divisão de tarefas, mas a sua consagração como profissional viria não do lado da produção, mas do consumo. Foi o reconhecimento proporcionado pelo consumidor moderno que projetou o designer para a linha de frente das considerações industriais.

CAPÍTULO 4

Design, indústria e o consumidor moderno, 1850-1930

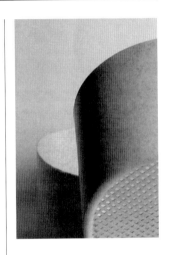

Design e reformismo social

Consumo e espetáculo

O império dos estilos

O advento da produção em massa

Design e reformismo social

Até aqui, tem-se falado quase que exclusivamente no design como reação às grandes mudanças provocadas pela industrialização; porém, é evidente que o campo possui um potencial bem além da dimensão reativa. O industrialismo trouxe no seu bojo uma série de problemas e desafios que foram se avultando desde cedo. Pode-se dizer que a resistência ao capitalismo industrial nasceu praticamente junta com o próprio sistema, e o design logo passou a ser visto como uma área fértil para a aplicação de medidas reformistas. O consenso da oposição antiindustrial voltou-se inicialmente contra a ruptura com relação a hábitos estabelecidos de vida e de trabalho, imposta pelas novas fábricas e pela mecanização da produção. É comum encontrar nos escritos de pensadores do Romantismo, como William Blake, Samuel Taylor Coleridge e Thomas Carlyle, denúncias da brutalidade do industrialismo por explorar o trabalhador, destruir a paisagem natural e reduzir a vida social ao mínimo múltiplo comum da troca econômica. A essa oposição intelectual, juntou-se uma importante oposição política, que agregava desde parcelas da aristocracia rural e da igreja, que viam no novo sistema uma ameaça às tradições, até as antigas guildas e as novas organizações trabalhistas que combatiam a desqualificação e exploração do trabalhador. Não há como duvidar que a industrialização era percebida por muitos como uma ameaça ao bem-estar comum e aos valores mais elevados da sociedade, e foi justamente no entrecruzamento das críticas sociais e morais ao industrialismo que nasceram as primeiras propostas de fazer uso do design como agente de transformação.

A mesma abundância de mercadorias baratas que era percebida pela maioria como sinônimo de conforto, de luxo e de progresso logo passou a ser condenada por alguns como indicativa do excesso e da decadência dos padrões de bom gosto e mesmo dos padrões morais. Ao mesmo tempo que a nova fartura industrial ampliava as possibilidades de consumo para a multidão, para alguns ela gerava preocupações inéditas sobre a natureza do que era consumido. Já na década de 1830 surgem na Inglaterra as primeiras manifestações daquilo que viria a ser um fenômeno constante na história do design: os movimentos para a reforma do gosto alheio. O primeiro grande nome entre esses reformistas foi o arquiteto A.W.N. Pugin, precursor do movimento internacional de recuperação dos princípios e das formas da arquitetura gótica que ficou conhecido posteriormente como *Gothic Revival*, o qual defendia a recuperação de uma série de preceitos construtivos conforme revelados nas formas do passado medieval. Recém-convertido ao catolicismo, Pugin lançou entre 1835 e 1841 vários escritos advogando o retorno aos 'princípios verdadeiros' de pureza e honestidade na arquitetura e no design, dentre os quais ele destacava duas regras básicas: a primeira, que a construção se limitasse aos elementos estritamente necessários para a comodidade e a estrutura; e, a segunda, que o ornamento se ativesse ao enriquecimento dos elementos construtivos. Movido pelo zelo e fervor do convertido, ele produziu uma quantidade imensa de projetos arquitetônicos e de design de mobiliário, cerâmica, livros, jóias, prataria, vitrais, têxteis e outros objetos, até a sua morte aos quarenta anos de idade (ATTERBURY & WAINWRIGHT, 1994: 1-22, 272-282).

Sob inspiração direta das idéias de Pugin, organizou-se em Londres, por volta do final da década de 1840, um outro grupo de reformistas, que contava entre os seus adeptos o arquiteto Owen Jones, o pintor Richard Redgrave e o burocrata Henry Cole. Preocupados com o que consideravam o mau gosto vigente, o grupo empreendeu uma série de iniciativas para educar o público consumidor, dentre as quais a publicação de uma das primeiras revistas de design, o *Journal of Design and Manufactures*, e do livro de Jones intitulado *The Grammar of Ornament*, de 1856, talvez um dos mais influentes tratados sobre teoria do design de todos os tempos. O livro estabelece 37 proposições que visam definir princípios gerais para o arranjo da forma e da cor no design e tenta demonstrar a sua aplicação histórica através da análise do ornamento de diversos povos, desde a Antigüidade até o Renascimento. Simplificando bastante as suas idéias, Jones sugere que as melhores manifestações do ornamento em todas as épocas reproduzem princípios geométricos básicos

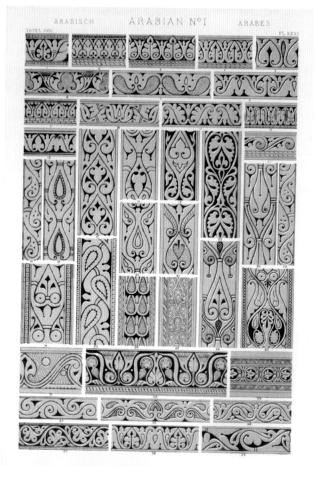

Página do livro *The Grammar of Ornament* (1856), cuja magnífica realização constituiu um marco na evolução da cromolitografia. O livro de Owen Jones também exerceu enorme influência no sentido de estabelecer um repertório ornamental e gráfico comum para o crescente ecletismo da segunda metade do século 19.

oriundos das formas da natureza, raciocínio que ele extraiu em grande parte das considerações análogas desenvolvidas pelo pintor escocês William Dyce, quando este último era diretor da rede de escolas públicas de design estabelecida pelo governo britânico em 1837. Após uma série de intrigas políticas (outro fenômeno constante na história do design), Cole e Redgrave assumiram o controle dessas escolas no ano de 1852 e passaram a construir e ampliar o poderoso sistema de ensino que ficou conhecido pelo nome de *South Kensington*, em homenagem ao bairro de Londres onde funcionavam a sede e escola principal, hoje o *Victoria and Albert Museum*.

As *Schools of Design* da década de 1840 e seu desdobramento posterior nas escolas de *South Kensington* constituem a maior e mais significativa experiência na área do ensino do design durante o século 19, exercendo uma influência inegável em termos da consolidação profissional do campo e também da percepção pelo grande público dos propósitos do design (DENIS, 1995: 172-275; FRAYLING & CATTERALL, 1996: 14-28).

Nem todos os reformadores concordavam com a idéia de ditar preceitos de design como solução para as mazelas da sociedade industrial. Embora compartilhasse com Pugin o gosto pelo estilo gótico e também um certo fervor religioso, o crítico e educador inglês John Ruskin apontava o modo de organização do trabalho como o principal fator responsável pelas deficiências projetuais e estilísticas que, também na sua opinião, marcavam a arte, a arquitetura e o design modernos. Durante as décadas de 1850 e 1860 Ruskin aproximou-se de correntes de pensamento cooperativistas e sindicalistas, as quais argumentavam que a grande falha do capitalismo industrial residia justamente na tão alardeada divisão de tarefas. Não era o mau gosto do público consumidor que gerava a má qualidade, argumentava Ruskin, mas antes a desqualificação sistemática e conseqüente exploração do trabalhador que produzia a mercadoria. Enquanto existiram as corporações de ofícios para garantir um padrão constante de habilitação do artesão, o nível da produção se manteve estável em todas as áreas; porém, com o anseio do sistema industrial de produzir cada vez mais barato, tinham-se generalizado processos de fabricação que empregavam, além das máquinas, apenas operários sem habilitação alguma. Segundo Ruskin, não adiantava aperfeiçoar os projetos a serem executados sem recompor todo o sistema de ensino e de fabricação, para que todos atingissem um padrão aceitável de satisfação e prazer no trabalho; ou seja, para ele, o problema do design residia não no estilo dos objetos, mas no bem-estar do trabalhador (ANTHONY, 1983: 72-74, 148-159; RUSKIN, 2004: 7-22). Pode-se dizer que Ruskin foi um dos primeiros defensores da chamada 'qualidade total' na indústria; porém, durante muitos anos, as suas idéias foram rechaçadas como utópicas, românticas e situadas na contramão da evolução industrial, principalmente pela sua atitude de desconfiança em relação à mecanização. Não por acaso, Ruskin também foi um dos primeiros a se dar conta dos limites do crescimento industrial em termos ambientais, e hoje seus escritos voltam a ser estudados com renovada atenção.

Derivando de Ruskin a idéia de que a qualidade do objeto fabricado deveria refletir tanto a unidade de projeto e execução quanto o bem-estar do trabalhador, o designer e escritor inglês William Morris deu início a uma série de empreendimentos comerciais que iriam divulgar a importância do design de forma inédita. A partir da abertura da sua primeira firma em 1861, Morris e seus sócios começaram a produzir objetos decorativos e utilitários, tais quais móveis, tecidos, tapetes, azulejos, vitrais e papéis de parede. Ao longo das décadas de 1860 e 1870, a empresa conseguiu se estabelecer com sucesso na área de aparelhamento e decoração de igrejas, de interiores domésticos e de edifícios públicos, principalmente através de uma estratégia mercadológica que enfatizava a alta qualidade e o bom gosto dos seus produtos. Além do próprio Morris, a firma contava com a colaboração de diversos artistas renomados da época, os quais contribuíam com projetos para todos os tipos de artefatos produzidos. Em 1875, Morris dissolveu a parceria com os antigos sócios e montou uma nova firma, a Morris & Company, sob sua direção exclusiva. Sempre preocupado com a qualidade dos materiais e da fabricação dos seus produtos, Morris passou a dedicar ainda mais atenção a estes aspectos, buscando uma autonomia cada vez maior na

Cadeira da linha Sussex fabricada pela Morris & Co. a partir da década de 1860: valores artesanais de acabamento conjugados com um conceito eminentemente moderno de simplicidade elegante.

sua produção e comercialização. Em 1877, a firma abriu uma loja própria na então elegante Oxford Street de Londres e, em 1881, estabeleceu uma pequena fábrica em Merton Abbey, para expandir as condições de produção daqueles objetos que requeriam um controle mais direto do processo de fabrico. A Morris & Co. mantinha uma relação flexível entre design e produção: alguns tipos de objetos eram fabricados artesanalmente sob a supervisão direta de Morris; outros eram fabricados com limitada mecanização nas oficinas de Merton Abbey; e outros ainda eram apenas projetados por Morris e seus colaboradores e fabricados por terceiros, incluindo aí grandes indústrias da época (HARVEY & PRESS, 1991: 130-135, 152-156; PARRY, 1996: 49-54). Essa flexibilidade permitia à firma produzir artigos com diversos preços e não apenas artigos de luxo. A unidade da produção advinha essencialmente do design, e o estilo Morris foi aos poucos ficando conhecido do público, projetando o designer para uma posição de destaque na valorização da mercadoria.

A Morris & Co. sobreviveu em muito à morte do seu fundador em 1896, permanecendo ativa até 1940. Foi talvez o primeiro exemplo, e ainda um dos mais instrutivos, de uma empresa alicerçada sobre o design como princípio organizador da sua existência comercial. Curiosamente, a sua trajetória foge um pouco dos padrões geralmente reconhecidos como normativos para a atuação profissional dos designers no século 20. A firma de Morris nunca foi apenas um escritório de design, gerando projetos para outras empresas ou pessoas jurídicas; antes envolvia-se em todas as etapas desde o projeto até a venda para o cliente individual, passando pelos processos de fabricação, e ainda de distribuição e publicidade. Essa centralização só era possível porque a firma trabalhava em uma escala relativamente modesta, concentrando-se na qualidade e não na quantidade da sua produção. Os lucros resultavam da possibilidade de fixar preços mais elevados em relação aos concorrentes, compensando o investimento adicional em materiais e mão-de-obra. A disposição dos consumidores de pagar o maior preço deve ser atribuída, por sua vez, à identificação estabelecida entre o nome de Morris e uma noção de bom gosto e qualidade superior. Morris foi o primeiro designer a apostar a sua sobrevivência comercial na idéia de que o consumidor pagaria mais para ter o melhor, confirmando uma filosofia empresarial que, embora ainda comum no século 19, foi perdendo muito da sua força com a expansão da produção em massa no século 20.

No final da sua vida, Morris resolveu aplicar a mesma filosofia de trabalho a uma nova área — a impressão de livros — com resultados importantes para o campo do design gráfico. Nos últimos anos da década de 1880, ele deu início a uma série de experiências com o design de novas fontes tipográficas e, em 1891, foi lançado o primeiro livro projetado, composto e impresso pela *Kelmscott Press*, editora que se constitui em um dos marcos fundamentais na história da editoração moderna. Durante a sua breve existência, a *Kelmscott* publicou 53 títulos com uma tiragem total de mais de 18 mil volumes, todos projetados por Morris, com a exceção evidente das edições produzidas entre a sua morte e o fechamento da editora em 1898. Em decorrência das mudanças tecnológicas do início do século 19 e da massificação subseqüente dos impressos, a qualidade média dos projetos gráficos vinha sofrendo uma deterioração contínua ao longo de décadas. Excetuando-se algumas poucas edições e editoras, o livro de meados para final do século revelava um descuido geral que era nitidamente o resultado da desqualificação da mão-de-obra e da deficiência dos materiais empregados para produzi-lo. Empenhado em recuperar os padrões mais elevados em todos os aspectos da produção, Morris entregou-se ao trabalho de projetar fontes, páginas e volumes e de pesquisar papéis, tintas e tipos. Os livros da *Kelmscott* eram produzidos artesanalmente utilizando os melhores materiais, e não é surpreendente que já tenham nascido como peças de coleção. Nesse sentido, a produção da editora não difere da tradição secular de edições de luxo para bibliófilos; contudo, Morris introduziu inovações importantes no design de fontes e na própria diagramação da página, e suas experiências inspiraram uma renovação nos padrões de design de livros. Apesar da escala modesta da sua produção, a *Kelmscott* exerceu uma influência duradoura sobre o design gráfico, estimulando a criação de pequenas editoras de qualidade no mundo inteiro, principalmente na Grã-Bretanha, nos Estados Unidos e na Alemanha (MEGGS, 1992: 178-189; PARRY, 1996: 310-316).

 O trabalho de Morris acabou por atingir uma enorme repercussão mundial entre o final do século 19 e o início do século 20, inserindo-se no contexto do que veio a ser chamado de movimento *Arts and Crafts* (Artes e Ofícios). A partir da década de 1880, surgiram na Grã-Bretanha diversas organizações e oficinas dedicadas a projetar e produzir artefatos de vários tipos em escala artesanal ou semi-industrial. Entre as mais famosas estão a *Century Guild*, a *Art Worker's Guild*, a *Guild and School of Handicraft* e a *Arts and Crafts Exhibition Society*, todas inspiradas diretamente no exemplo de Morris e dirigidas por designers, como A.H. Mackmurdo, W.R. Lethaby, C.R. Ashbee e Walter Crane (NAYLOR, 1990: 113-177). A filosofia do movimento *Arts and Crafts* girava em torno da recuperação dos valores produtivos tradicionais defendidos por Ruskin, o que explica a opção de algumas das entidades citadas acima pela apelidação um tanto antiquada de 'guilda'. Os integrantes do movimento buscavam promover maior integração entre projeto e execução, relação mais igualitária e democrática entre os trabalhadores envolvidos na produção, e manutenção de padrões elevados em termos da qualidade de materiais e de acabamento, ideais estes que podem ser resumidos pela palavra inglesa *craftsmanship*, a qual expressa simultaneamente as idéias de um alto grau de acabamento artesanal e de um profundo conhecimento do ofício. Embora não se opusesse ao uso de máquinas, era uma visão que tendia a restringir a escala e o ritmo de fabricação aos limites máximos do que a máquina podia executar com perfeição e não aos seus limites máximos em termos de quantidade ou velocidade. Nesse sentido, seria impossível dissociar a filosofia industrial e empresarial do movimento *Arts and Crafts* das convicções socialistas de muitos dos seus integrantes. Morris, por exemplo, dedicou grande parte da sua atividade intelectual e profissional à militância política, tornando-se um dos fundadores e vultos principais da Liga Socialista britânica e autor de textos clássicos da esquerda, como o romance declaradamente 'utópico' *News from Nowhere*.

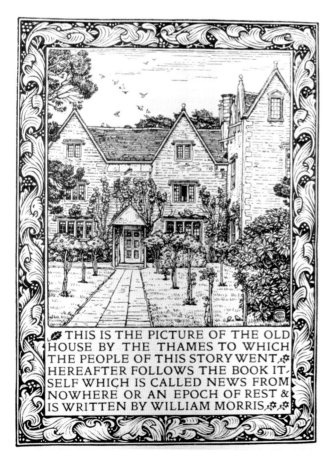

Frontispício da edição de *News From Nowhere* publicada pela Kelmscott Press. Um raro exemplo de Morris atuando como autor, designer e editor de uma só vez.

As idéias e os modelos de produção do *Arts and Crafts* logo se espalharam para outros países europeus e para os Estados Unidos, exercendo uma influência significativa sobre o surgimento dos primeiros movimentos modernistas voltados para o design e para a arquitetura. Os diversos grupos de *Vereinigte Werkstätten* (oficinas associadas) montados por designers e artistas nos países de língua alemã entre 1897 e 1914 para produzir objetos utilitários seguindo novos princípios de design e de organização coletiva do trabalho inspiraram-se, em maior ou menor grau, no exemplo das associações britânicas. O caso mais notório são as *Wiener Werkstätten*, montadas em Viena pelos designers Josef Hoffmann e Koloman Moser em 1903, tendo como modelo a *Guild of Handicraft* dirigida por Ashbee (HESKETT, 1986: 93-105; KALLIR, 1986: 28-29; NAYLOR, 1990: 184-185). Do outro lado do Atlântico, desenvolveram-se diversas ramificações norte-americanas do movimento *Arts and Crafts*, suscitando não somente cópias do estilo britânico, mas também interpretações inovadoras dos princípios de Ruskin e Morris nos trabalhos de Frank Lloyd Wright, um dos principais responsáveis pela implantação da arquitetura moderna nos Estados Unidos, e também nos do designer de livros Bruce Rogers (HANKS, 1979: 60-67; MEGGS, 1992: 187-189).

No Brasil, país ainda distante na época das preocupações que ocasionaram as críticas ao industrialismo aqui citadas, as idéias do *Arts and Crafts* tiveram pouco ou nenhum impacto. Nem por isso, porém, faltaram iniciativas para repensar a relação entre arte e indústria como forma de remediar as deficiências reais ou imaginadas da sociedade imperial. A partir da supressão do tráfico negreiro, avultaram-se no Brasil manifestações de desassossego com relação ao que era percebido como o problema da 'falta de braços', ou seja, a carência de mão-de-obra qualificada para suprir as necessidades produtivas do País. Em meio a diversos planos de imigração e outras soluções aventadas, surgiram a partir da década de 1850 iniciativas para promover a formação técnica e artística do trabalhador brasileiro. Através da reforma promovida em 1855 pelo seu diretor, o pintor e poeta Araújo Porto-Alegre, a Academia Imperial de Belas Artes passou a ministrar um curso noturno para alunos artífices, o qual abrangia, entre outras coisas, o ensino do 'desenho industrial' (como era chamado o desenho técnico aplicado a fins práticos), perdurando este curso por mais de três décadas. Ao mesmo tempo, foi fundado no Rio de Janeiro, por iniciativa do arquiteto Bethencourt da Silva, o Liceu de Artes e Ofícios, tornando-se rapidamente modelo de ensino industrial no Brasil e inspirando a criação de liceus similares em São Paulo e outras cidades (DENIS, 1997: 182-192). De modo análogo aos reformistas de *South Kensington* ou da sua equivalente francesa, a *Union Centrale des Arts Décoratifs*, a união entre arte e indústria era percebida no Brasil como um elemento fomentador do progresso e da modernidade.

Talvez a contribuição mais duradoura desses movimentos reformistas tenha sido a idéia de que o design possui o poder de transformar a sociedade e, por conseguinte, que a reforma dos padrões de gosto e de consumo poderia acarretar mudanças sociais mais profundas. A atribuição de um valor moral a uma determinada estética virou, conforme será visto adiante, um dos traços característicos da arte, da arquitetura e do design no século 20, e não é surpreendente que várias autoridades modernistas tenham buscado nos enunciados de Pugin, Jones ou Cole uma justificativa histórica para os seus próprios anseios sobre os dilemas da sociedade industrial (ver PEVSNER, 1960: 40-48; DENIS, 1998: 317-326). É bastante questionável a noção, introduzida no debate popular por Pugin e seus sucessores, de que uma estética possa ser moral ou imoral. Por exemplo, o suposto princípio da 'honestidade' dos materiais — que argumenta que um material imitando outro (p.ex., plástico tratado para parecer madeira) constituiria uma instância de engano ou mentira — além de representar um caso clássico de antropomorfismo, pressupõe um grau de ingenuidade do usuário/consumidor que beira a burrice. Da mesma forma, a prescrição do ornamento como, em primeira instância, supérfluo e, em segunda instância, imoral e criminoso (seguindo o ditame do arquiteto austríaco Adolf Loos: 'ornamento é crime'), não tem nenhuma base em argumentos racionais, resumindo-se no fundo à mesma espécie de censura das preferências e opiniões alheias praticada por regimes totalitários. Esses enunciados de uma moralidade estética diferem profundamente da idéia de que existem limites éticos que regem a produção e o consumo de mercadorias. Conforme argumentaram Ruskin e Morris, o grande poder do designer de alterar a sociedade reside muito mais na forma das suas relações de trabalho do que nas formas que ele atribui a um determinado artefato. Existe uma tendência histórica no design a reduzir as questões éticas a questões estéticas, o que é fruto geralmente de uma análise insuficiente dos problemas a serem resolvidos. Contudo, certa ou errada, é importante registrar a longevidade do fascínio exercido pela ideologia do design como panacéia moral e social. Somente assim é possível entender a veemência que tem marcado os debates históricos em torno de opções de estilo e de estética. Na sociedade industrial tardia, mais do que nunca, as pessoas parecem creditar às formas exteriores geradas pelo design e pela moda o poder de transmitir verdades profundas sobre a identidade e a natureza de cada um. O hábito faz o monge é uma expressão com a qual teriam concordado, muito provavelmente, tanto Henry Cole quanto Gianni Versace.

Consumo e espetáculo

O processo de relativa democratização do consumo de artigos de luxo pode ser entendido como um indicador útil do grau de inserção de uma determinada sociedade na modernidade industrial e urbana. Na Grã-Bretanha e na França, a presença de uma elite consumidora de razoável porte já se faz marcante a partir de meados do século 19, conforme evidenciado pelo predomínio desses dois países nas grandes exposições internacionais da época (ver RICHARDS, 1990: 17–72; WALTON, 1992: 23–48). Embora tenham realizado importantes avanços em termos industriais, países como os Estados Unidos e a Alemanha só atingiram padrões de consumo equivalentes no final do século 19 e no início do século 20, respectivamente. O crescimento da produção industrial nem sempre traz, portanto, uma distribuição correspondente da prosperidade e do consumo médios. De certa forma, o reconhecimento obtido por designers ligados à produção de supérfluos e efêmeros é um indicador mais rico, em termos qualitativos, do real grau de desenvolvimento econômico e humano atingido. Por exemplo, uma comparação instrutiva pode ser feita entre o grande êxito comercial obtido pelo fabricante britânico de cerâmicas Minton ao longo da segunda metade do século 19 – período em que Léon Arnoux trabalhou como diretor artístico da fábrica – e as dificuldades enfrentadas por Rafael Bordalo Pinheiro na condução da sua Fábrica de Faianças das Caldas da Rainha, em Portugal. Mesmo investindo no que havia de mais avançado em termos de tecnologia para a época, a fábrica de Bordalo não obteve sucesso na produção de louça utilitária comum empreendida na década de 1880, e ficou reduzida posteriormente à fabricação de louça artística e decorativa, para a qual sempre existira um mercado doméstico

Rafael Bordalo Pinheiro esculpindo o busto de Eça de Queiroz na fábrica de Caldas da Rainha. Conjugando ilustração e criação de impressos com cerâmica e escultura, e jornalismo com gestão de fábrica, Bordalo foi um dos grandes pioneiros das atividades ligadas ao design no Brasil e em Portugal.

(ASLIN & ATTERBURY, 1976: 7-8; SERRA, 1996: 22-23). Nas condições de consumo ainda mais restritivas do Brasil, a iniciativa isolada do pintor Eliseu Visconti de criar, por volta de 1901, cerâmicas artísticas para uma pretensa produção industrial redundou no mais completo fracasso. Em uma sociedade ainda amplamente dominada por uma rígida hierarquia patriarcal, a promessa libertadora do consumo como atividade de lazer permanecia muito remota para a imensa maioria da população.

Nas grandes capitais da Europa, a segunda metade do século 19 foi marcada por uma verdadeira explosão do consumo, principalmente com o surgimento das primeiras lojas de departamento na década de 1860. Inspiradas diretamente nas grandes exposições universais da época, com sua abundância de mercadorias novas e exóticas, lojas de departamentos, como a *Bon Marché* em Paris ou a *Macy's* em Nova York, transformaram as compras em uma atividade de lazer, e não mais apenas em uma rotina a ser cumprida. Para as mulheres em especial, às quais era vedada uma maior participação em outras atividades como o trabalho ou o estudo, o consumo acabou se transformando em palco para a realização dos desejos e a loja de departamentos em um mundo encantado dos sonhos, com infinitas possibilidades de interação social e de expressão pessoal, longe tanto da solidão doméstica quanto do perigo das ruas. Não é à toa que o escritor Emile Zola batizou de *Au Bonheur des Dames*

Datando de 1922, este anúncio de uma grande magazine carioca demonstra a persistência do culto à moda francesa no Brasil, conclamando as consumidoras a adquirirem modelos recebidos "diretamente de Paris".

('À Felicidade das Senhoras') a loja de departamentos imaginária que criou no romance homônimo (MILLER, 1981: 165–189; WILLIAMS, 1982: 58–106). O fenômeno das lojas de departamento espalhou-se por todo o mundo durante a segunda metade do século 19, gerando outros nomes famosos do comércio, como a *Liberty* em Londres, a *Printemps* e a *Samaritaine* em Paris ou a *Notre Dame de Paris* na carioquíssima rua do Ouvidor. Além do seu impacto imenso sobre o imaginário e os hábitos do consumidor, as lojas de departamento também contribuíram para uma transformação fundamental nos métodos de distribuição e vendas de mercadorias, pois garantiram a transição do consumo para o ritmo e a escala da era industrial.

Anteriormente ao século 19, ir às compras sequer constituía-se em atividade digna de muita atenção da parte do consumidor, muito menos em forma de lazer. Com algumas exceções, as lojas e vendas ofereciam uma gama muito limitada de opções: havia ou não o artigo ou, na melhor das hipóteses, havia o artigo comum e aquele de qualidade superior. Para muitos tipos de artigos, nem existia uma loja especial: o comércio era exercido diretamente pelo fabricante, como no caso das marcenarias ou das alfaiatarias. Com a ampliação do consumo de supérfluos e de artigos de luxo a partir do século 18, as relações comerciais tradicionais começaram a mudar. Aos poucos, industriais como Wedgwood e tantos outros foram introduzindo inovações como o salão de exposição de objetos ou o livro de amostras, os quais ampliavam as possibilidades de escolha e variação de acordo com o gosto individual. Com o barateamento de uma gama considerável de bens de consumo através da mecanização e outros avanços industriais, o consumo de supérfluos colocava-se ao alcance de um número cada vez maior de pessoas e as instâncias de compra foram se multiplicando para atender às novas classes compradoras. O consumo tornava-se um fenômeno, senão de massa, pelo menos de larga e variada escala (ver FRASER, 1981; MCKENDRICK, BREWER & PLUMB, 1982).

Paralelamente a essa evolução, as grandes cidades do século 19 ingressavam na era do espetáculo. Entretenimentos públicos, como circos, teatros, festas populares, dioramas, panoramas e exposições de todos os tipos, multiplicaram-se em Londres e Paris a partir do final do século 18 e subseqüentemente em outros centros urbanos menores, tirando proveito da grande concentração de espectadores dispostos a pagar uma pequena quantia para se divertir (ver ALTICK, 1978; BOOTH, 1981). Tais diversões, tradicionalmente restritas e de ocorrência ocasional, passaram a ser numerosas e constantes. Surgiu primeiramente na França a idéia de se realizar exposições de artigos industriais e manufaturados. Em 1797, poucos anos após a Revolução e o auge do Terror, foi promovida uma exposição dos produtos das manufaturas nacionais (antigas manufaturas reais) com a finalidade de demonstrar que a indústria francesa continuava ativa e de promover as vendas. Os organizadores se surpreenderam ao descobrir que multidões de pessoas se interessaram em freqüentar a exposição como um entretenimento, mesmo que não tivessem a menor intenção de comprar os artigos expostos. O sucesso do evento levou à realização de outras exposições do mesmo gênero, cada uma maior e mais organizada do que a anterior, atingindo um total de dez exposições nacionais até 1849. Outros países seguiram rapidamente o exemplo francês, realizando também exposições dos produtos das suas indústrias (GREENHALGH, 1988: 3-10). Essas exposições cumpriam uma série de funções de interesse para os governos que as organizavam. Primeiramente, divulgavam o que havia de bom e de melhor na produção de cada país, reforçando a identidade nacional e a noção de vantagem competitiva sobre outras nações, função importante em uma época de expansão comercial e de grandes guerras internacionais. Em segundo lugar, serviam de estímulo para os próprios industriais aperfeiçoarem a sua produção, pois o confronto direto com os concorrentes expunha as forças e fraquezas de cada produtor. Por último, criavam uma instância ímpar de transmitir aos visitantes noções quase didáticas sobre indústria, trabalho, prosperidade, ordem cívica, poder nacional e outros temas de apreço do Estado. Diante da rápida evolução e expansão dessas exposições nacionais, era quase uma questão de tempo até que alguém tivesse a idéia de partir para uma exposição internacional, que colocasse em confronto a produção de diversos países, e coube esta iniciativa à maior potência mundial da época, a Grã-Bretanha, que tinha todas as chances de se sobressair.

Foi inaugurada em Londres em maio de 1851 a 'Grande Exposição dos Trabalhos de Indústria de Todas as Nações', o nome oficial do evento possivelmente de maior repercussão de todo o século 19. Primeiro grande espetáculo da era moderna, ela pretendia ser nada menos do que uma mostra de tudo que existia no mundo: abrangendo desde matérias-primas — animais, vegetais e minerais — até máquinas e manufaturas de todos os tipos, sem deixar de lado produções artísticas, instrumentos científicos e outras minúcias da materialidade mundial. Embora fosse a culminação de um longo processo, a Grande Exposição de 1851 representa uma ruptura com toda uma tradição mercantilista de isolamento comercial e constitui-se em um dos grandes marcos na formação de um sistema econômico global. O evento em si foi visitado por cerca de seis milhões de pessoas (mais do dobro da população de Londres na época) e o seu impacto em termos jornalísticos foi ainda maior, alcançando praticamente o mundo inteiro. O modelo da Grande Exposição foi rapidamente copiado, por sua vez, dando início a uma série de 'exposições universais' realizadas durante o século 19 em Paris (1855, 1867, 1878, 1889, 1900), Londres (1862), Viena (1873), Filadélfia (1876) e Chicago (1893), bem como a um novo ciclo de exposições nacionais preparatórias em países participantes como o Brasil (ver PLUM, 1977; GREENHALGH, 1988; HARDMAN, 1988; TURAZZI, 1995). Essas exposições são de enorme interesse para a história do design, pois os numerosos relatórios, relatos e imagens gerados por elas revelam muito sobre a percepção tanto popular quanto oficial da indústria e dos artefatos industriais. Por exemplo, para muitos visitantes nas décadas de 1850 e 1860, elas franqueavam uma primeira oportunidade de ver de perto máquinas e mecanismos. Diversos escritos da época retratam o fascínio das pessoas diante desses aparelhos mágicos e monstruosos, que eram freqüentemente colocados para funcionar dentro da sala ou do palácio de exposições, tornando-se familiares ao mesmo tempo que a natureza exata da sua operação permanecia acima da compreensão comum. Os próprios edifícios construídos para as exposições — como o Palácio de Cristal (Londres, 1851) ou a Torre Eiffel (Paris, 1889) — transmitiam um senso da enormidade e da escala monumental do industrialismo e acabaram virando símbolos não somente das proezas de engenharia da época, como também do próprio progresso. Visto e exposto, o mecanismo virava modelo de funcionamento e funcionalidade, dando forma concreta a metáforas, como 'as engrenagens da sociedade' ou 'a máquina humana' (ver PURBRICK, 2001).

Junto com a conscientização da existência de uma era industrial e moderna, as exposições universais também exerceram um papel importante em termos da codificação das normas e características da nova sociedade. Pela primeira vez nas exposições nacionais e mais ainda nas internacionais, os diversos fabricantes sujeitavam à inspeção do público e também dos concorrentes não somente os seus produtos, mas também os seus processos e técnicas de fabricação. Era comum as indústrias produzirem peças especiais, às vezes únicas, para as exposições, de modo a demonstrar os limites máximos da sua capacidade técnica. A pirataria tornou-se uma das maiores preocupações dos expositores e, não por acaso, suscitou discussões extensas durante os preparativos para a Grande Exposição de 1851. A legislação de patentes e de propriedade intelectual foi revista, ampliada e definida em nível internacional, através de convenções e tratados ratificados durante toda a segunda metade do século 19. O confronto entre produtos similares também serviu de ímpeto para outra iniciativa fundamental para a formação de uma economia realmente internacional: a padronização de pesos, medidas e especificações técnicas. Costuma-se pensar na promulgação do sistema métrico como tendo resolvido a maioria dos problemas dessa ordem, mas, na verdade, a introdução do metro foi apenas um dos primeiros passos em um lento processo de unificação de padrões que permanece incompleto até os dias de hoje. Para citar um exemplo dos mais básicos, as medidas de filete de rosca para parafusos só começaram a ser padronizadas no final do século 19 e continuam a existir opções de fenda que tornam incompatíveis chaves e parafusos de diferentes tipos. Além de incentivar a unificação de leis e normas, as exposições também ajudaram a suscitar um padrão de comportamento típico do consumidor moderno. Talvez pela primeira vez nessas exposições, produtos de todas as variedades e de todas as procedências encontravam-se reunidos em um só local, dispostos e classificados para serem vistos e usufruídos com um máximo de facilidade. O arranjo e a configuração das exposições universais prefiguraram as lojas de departamento que dali a pouco passariam a atrair o comprador para um universo igualmente fantástico em que todos os seus desejos se encontravam materializados sob forma de mercadorias. Tanto as exposições universais quanto as lojas de departamentos viraram cenário e palco de uma vivência à parte da existência comum, aproximando-se assim do espetáculo e do hábito moderno de olhar como forma de consumir (ver CRARY, 1990: 17-19).

 Consumir com os olhos era também a proposta do terceiro grande elemento que, juntamente com as exposições e as lojas de departamentos, caracteriza o regime do consumo como lazer e espetáculo. Desde pequenos anúncios nos jornais até grandes reclames afixados às paredes, a publicidade começa a se definir na passagem do século 19 para o 20 como o veículo principal para a expressão dos sonhos

Cena de rua fotografada no Rio de Janeiro em 1914, em frente ao bar e restaurante München. Em plena era do automóvel, a comunicação visual através de cartazes e reclames ainda era bastante incipiente no Brasil.

em comum e como a arena predileta para a cristalização dos mesmos em uma nova linguagem inteligível por todos. Até meados do século 19, mal existia qualquer tipo de divulgação sistemática digna da alcunha publicidade. As primeiras agências especializadas nesse tipo de atividade começaram a surgir a partir da década de 1840, mas sua atuação permaneceu extremamente restrita, envolvendo principalmente a venda de espaço para anúncios. Somente na década de 1890, as agências começaram gradativamente a se envolver na concepção e confecção de campanhas publicitárias e, ao longo das próximas décadas, surgiram os primeiros departamentos internos de redação, de arte e de pesquisa de mercado. Na virada do século, já existiam dezenas de agências em grandes capitais como Londres ou Nova York, mas o seu impacto maior só se fez sentir a partir da década de 1920. Nota-se ao longo da segunda metade do século 19 uma busca de novos espaços e formatos para a propagação de mensagens comerciais. Ampliando o tradicional recurso a cartazes afixados a paredes, as linhas de bondes e de trens e as estradas de rodagem foram logo aproveitadas para a colocação de grandes

painéis publicitários. A indústria de outdoors já se organizava nos Estados Unidos
na década de 1890 e, em 1912, o tamanho dos mesmos já se encontrava devidamente
padronizado (MARGOLIN, BRICHTA & BRICHTA, 1979: 44, 62-64; FRASER, 1981: 130-146;
RICHARDS, 1990: 10,86). Embora bem mais restrita do que nos países citados acima,
a propaganda brasileira também ensaiou seus primeiros passos no século 19.
Com a liberação da imprensa em 1808, logo surgiram os primeiros anúncios
de jornais e, já na década de 1820, consagrava-se definitivamente o uso
dos classificados, principalmente em função do crescimento do *Jornal do Comércio*.
O primeiro cartaz de que se tem notícia apareceu em 1860, justamente para
anunciar o lançamento da *Revista Ilustrada* de Henrique Fleiuss, e, nessa mesma
época, começam a aparecer no Rio de Janeiro painéis pintados e panfletos, além
dos importantíssimos almanaques, alguns dos quais veiculavam anúncios. A partir
da década de 1870, pelo menos, já aparecem também anúncios ilustrados em
jornais e revistas (RAMOS & MARCONDES, 1995: 15-19). Contudo, cabe enfatizar que
tais recursos possuíam uma importância limitada em uma sociedade ainda pautada
em bases econômicas rurais e, em muitos sentidos, pré-capitalistas. Uma grande
proporção dos classificados brasileiros da época tratava de recompensas pagas pela
recuperação de escravos fugidos, ou da compra e venda dos mesmos, o que revela
que a mais importante mercadoria ainda era o ser humano. A propaganda,
no sentido moderno da palavra, só viria a assumir maior importância no Brasil
a partir das décadas de 1920 e 1930.

O império dos estilos

Uma das mais curiosas obsessões no meio cultural e artístico do século 19 diz respeito à busca de um estilo que traduzisse de modo adequado o senso de fervilhamento e modernidade da época. Diversos críticos e pensadores dedicaram argumentos apaixonados a esse assunto, principalmente com respeito à arquitetura, advogando a adoção desse ou daquele estilo como uma questão fundamental para o bem-estar político, social e moral de suas respectivas nações. Alguns defendiam o retorno a estilos do passado, sugerindo que se tentasse recuperar as maiores glórias de outras épocas ou de outros povos: o equilíbrio da Grécia antiga; a grandeza do Renascimento italiano; a espiritualidade do gótico medieval; o exotismo de um pagode chinês. Todas essas tendências chamadas historicistas tinham em comum uma convicção de que a ruptura com a tradição imposta pela modernidade industrial havia suscitado uma crise, minando valores importantes ou, no mínimo, conduzindo a uma carência de propostas originais. Outros argumentavam que era preciso saber abraçar e até mesmo celebrar essa carência, combinando os melhores aspectos dos diversos estilos disponíveis em um Ecletismo que tirasse partido da justaposição e do equilíbrio das partes como indícios da suprema superioridade do presente. Para esses, a modernidade consistia justamente em não se prender a uma única visão de mundo, mas em se posicionar como culminação de todas, tirando sábio proveito apenas das vantagens de cada uma. Havia ainda outros que sofriam com a constatação de que a modernidade não havia gerado um estilo próprio e que buscavam ativamente uma ruptura com as formas do passado. Esse argumento, que foi ganhando força

Construído no final da década de 1880, o palacete da Ilha Fiscal, no Rio de Janeiro, mistura estilos históricos com técnicas construtivas modernas, refletindo a amalgamação de valores típica do século 19.

com a aproximação do século 20, afirmava que a sociedade industrial precisava de um estilo novo, condizente com o progresso tecnológico da época e à altura dos grandes feitos de uma engenharia que produzia locomotivas, navios a vapor e poderosas estruturas de ferro e aço. Por vezes, todas essas tendências se combinavam na visão de indivíduos extraordinários, como o arquiteto francês Viollet-le-Duc, o qual não hesitava em juntar técnicas construtivas as mais modernas com uma predileção pelo estilo neogótico e ainda uma liberdade eclética em combinar materiais e alterar escalas e proporções. Muitos edifícios do século 19 transmitem ainda a estranha e fascinante complexidade de uma época que ousava criar o novo a partir do velho, do emprestado e do fora do lugar.

Na última década do século 19 e na primeira do século 20, esse profundo ecletismo de fontes, de inspirações, de propósitos e de formas acabou se cristalizando, quase que por paradoxo, no primeiro estilo verdadeiramente moderno e internacional: o qual acabou ficando conhecido, com justiça poética, como *Art Nouveau* (arte nova). O surgimento e a popularização do *Art Nouveau* refletem todas as deliciosas contradições que caracterizam a era moderna. Embora reconhecido e reconhecível como um estilo definido, possuindo características claramente identificáveis e uma nítida unidade formal, trata-se não do produto de um determinado grupo ou de um movimento unificado, mas antes do ajuntamento por críticos e pela opinião pública de uma série de designers, artistas e arquitetos em muitos países produzindo obras variadíssimas que incluem desde cartazes e revistas, pintura de cavalete, jóias e vasos, até mobiliário, edifícios e obras urbanísticas (ver MASINI, 1984). Embora manifestando-se claramente como novo e atual por volta de 1900, a formação do *Art Nouveau* pode ser atribuída a inúmeras fontes no século 19, incluindo toda uma gama de historicismos e ecletismos, além da influência imediata do *Arts and Crafts* e de movimentos artísticos, como o Simbolismo e o Esteticismo (ver MADSEN, 1975). Embora posicionando-se deliberadamente como um estilo internacional e moderno, as diversas manifestações do *Art Nouveau* possuíam diferenças fundamentais de um lugar para outro, atuando inclusive como forças nacionalistas e antiprogressistas em alguns contextos, como na França onde o novo estilo foi claramente invocado como reação à mecanização (SILVERMAN, 1989; TISE, 1991: 51-52). Embora imortalizado pelo virtuosismo artesanal e artístico de alguns dos seus maiores expoentes — tais quais Aubrey Beardsley e Charles Rennie Mackintosh na Grã-Bretanha; Victor Horta e Henry van de Velde na Bélgica; Eugène Grasset, Paul Berthon, René Lalique, Emile Gallé e Louis Majorelle na França; Josef Maria Olbrich, Otto Wagner e Gustav Klimt na Áustria; Alphonse Maria Mucha na República Tcheca; Antoní Gaudí na Espanha; Louis Comfort Tiffany e William Bradley nos Estados Unidos — o *Art Nouveau* acabou por se tornar o primeiro estilo divulgado em escala maciça, suscitando uma reprodução industrial intensiva das suas formas em artigos de todas as espécies. Porém, a própria validade do nome para descrever manifestações tão variadas vem sendo questionada na literatura recente, em prol de uma avaliação mais híbrida (ver HOWARD, 1996).

Quais seriam as características formais do *Art Nouveau*? Geralmente, o estilo está associado na imaginação popular com a sinuosidade de formas botânicas estilizadas, com uma profusão de motivos florais e femininos em curvas assimétricas e cores vivas, com a exuberância vegetal de formas que brotam de uma base tênue, se impulsionam verticalmente, se entrelaçam e irrompem em uma plenitude redonda e orgânica: culminando, tipicamente, em flores douradas, asas de libélula ou penas de pavão. Porém, o *Art Nouveau* também abrange a austeridade de formas geométricas e angulares, a contenção de linhas de contorno pronunciadas, a severidade de planos retos e delgados. Em muitas das suas manifestações, o *Art Nouveau* acaba se confundindo com os motivos e as formas do *Art Déco*, seu sucessor como estilo decorativo. Embora se estabeleça geralmente um contraste entre um e outro estilo — com o *Art Déco* caracterizado como menos ornamentado e mais construtivo, menos floral e mais geométrico, menos orgânico e mais mecânico, menos um entrelaçamento de linhas e mais uma sobreposição de planos — na verdade, existe uma continuidade muito grande em termos formais,

Motivo utilizado repetidamente na revista *A Maçã* no início da década de 1920. A influência *Art Nouveau* ainda vigorava com força total no Brasil, principalmente no campo gráfico.

um diálogo mais do que uma disputa. Na verdade, o termo *Art Déco* nem era de uso corrente no período em que o estilo floresceu, sendo popularizado posteriormente. Essas tendências estilísticas eram vistas, à época, simplesmente como expressões de modernidade; e termos como *modern* e *moderne* foram aplicados indiscriminadamente para descrever tanto uma quanto a outra. Ambos manifestaram-se essencialmente como estilos decorativos e ornamentais, descrevendo uma trajetória que tem início com a produção restrita de artigos de luxo para a grande burguesia e termina com a produção em massa de artigos de todos os tipos, estes últimos ecoando as características formais dos primeiros, mas esvaziados do seu teor autoral primeiro. Mesmo assim, existem diferenças importantes que separam o impacto histórico dos dois estilos. Em retrospecto, o *Art Nouveau* permanece associado ao luxo e à prosperidade da chamada *Belle Époque* que antecedeu a Primeira Guerra Mundial, enquanto o *Art Déco* está ligado intimamente ao surgimento de um espírito assumidamente modernista nas décadas de 1920 e 1930. Ao comparar o *Art Nouveau* europeu por volta de 1900 com o *Art Déco* americano por volta de 1930, o observador se depara com dois extremos inconfundíveis: de um lado, um estilo de elite produzido por renomados artistas e, do outro, um estilo de massa produzido e consumido quase que anonimamente nas grandes metrópoles da *jazz age* americana e amplamente divulgado pelo cinema hollywoodiano. Todavia, quem considera somente os extremos deixa de perceber a profusão de elos de continuidade que ligam os dois movimentos, especialmente ao analisar cada contexto nacional segundo a sua própria dinâmica e não apenas em comparação com outros (ver BENTON, BENTON & WOOD, 2003).

Com a popularização do *Art Nouveau* e do *Art Déco*, afirma-se de maneira inequívoca a lógica dos ciclos de moda tão característica do século 20. Não resta dúvida de que conceitos como 'estilo' e 'moda' são bastante antigos e que, em muitos séculos, pelo menos, vêm se desenvolvendo em estreita convivência com questões de distinção social e relações de classe ou casta (ver BREWARD, 1995). A moda ganhou nova importância, contudo, na passagem para o século 20, em especial no contexto da busca de um estilo moderno sob discussão nesta seção. Nota-se durante todo o século 19, conforme indicado acima, uma preocupação exacerbada com questões de aparência e de gosto como indicadores da personalidade individual, da identidade de grupo e do status social de cada um. Em tal contexto, o corte da roupa ou a decoração da casa vão sendo codificados de forma cada vez mais complexa e mutante. Ao contrário das codificações ritualísticas das sociedades pré-modernas (p.ex., a batina preta dos padres ou o tom amarelo de uso exclusivo da família imperial chinesa), passa a existir o desafio de manter claras as distinções dentro de uma cultura urbana em que as identidades são fluidas e o acesso aos meios para forjar as aparências é condicionado apenas pelo poder aquisitivo. Vai-se instaurando gradativamente um processo de atração e repulsão, no qual cada indivíduo ou grupo emula e busca imitar a aparência e o comportamento de outros, percebidos como estando 'acima' ou 'adiante' dos primeiros na escala social ou cultural. Os poucos que conseguem realizar essa aproximação com rapidez e habilidade suficientes, podem passar a ser percebidos como integrantes do grupo superior. O resto, ao adquirir de forma tardia ou apenas parcial os atributos desejados, descobre que o outro grupo já alterou os critérios de avaliação

Capas da revista *O Malho* datando de 1919. A de cima foi criada por Di Cavalcanti, então bastante ativo na área de projeto gráfico. Nota-se que, em pleno auge do estilo *Art Nouveau*, já se anunciam formas e temas normalmente associados ao *Art Déco*, demonstrando como os dois estilos se confundem na prática. Na de baixo, projetada por J. Carlos, o pequeno jornaleiro tem na mão a capa anterior, em uma brincadeira que prenuncia em muito o gesto caracteristicamente pós-moderno de citação e montagem de fragmentos visuais.

Anúncio da revista *Leitura Para Todos*, realizado por J. Carlos. Cabe notar que, dentre os atrativos da revista, está anunciada "a impressão mais nítida", um importante fator para alavancar as vendas na época.

e vê os seus esforços de emulação reduzidos a uma macaqueação ineficaz. Com o advento do consumo em massa, os ciclos de moda passam a abranger um universo cada vez maior de pessoas e a incidir com uma rapidez crescente, com o resultado paradoxal de exacerbarem a rigidez das distinções impostas ao mesmo tempo que aumentam as oportunidades aparentes de superá-las.

Em um país francamente periférico como ainda era o Brasil da República Velha, essas categorias operavam de maneira um tanto diversa. Com uma produção industrial limitadíssima e o consumo de supérfluos restrito a uma parcela mínima da população, a oposição entre estilo popular e estilo de elite torna-se bastante relativa. Entre nós, o impacto do *Art Nouveau* e do *Art Déco* resumiu-se muito mais a questões de afirmação da modernidade do que a um tipo de distinção social, cujas formas exteriores passavam por outros critérios bem diferentes na Bela Época tropical (ver NEEDELL, 1987). Ambos os estilos chegaram por aqui com alguma defasagem em relação às suas manifestações européias e ambos foram apropriados com avidez pelas elites locais. Desgarradas dos significados precisos da sua origem tanto cultural quanto temporal, as formas externas desses estilos foram propagadas com uma promiscuidade surpreendente. Especialmente na arquitetura, mas também em outras áreas, os motivos e ornamentos do *Art Nouveau* e do *Art Déco* foram largamente aplicados no Brasil como simples indicadores do novo e do moderno, praticamente sem outros critérios de significação. Esse tipo de apropriação ao mesmo tempo intensa e superficial parece ser característico da importação de modelos estilísticos na sociedade moderna: cria-se um modismo pegando emprestada uma determinada estética geralmente de cunho regional e vulgarizando-a em nome de noções vagas como o 'moderno' ou o 'exótico', sem atenção à sua especificidade cultural. Mesmo na Europa, a proliferação do *Art Nouveau* pode ser interpretada como um exemplo desse processo, pois é possível traçar as origens de boa parte do repertório gráfico difundido na França e na Áustria na década de 1890 à influência decisiva do artista e designer Alphonse Mucha e às suas tentativas de forjar uma identidade pan-eslava através de pesquisas com a arte e o folclore da Boêmia e da Morávia (ARWAS, 1993: 18).

Cabe ressaltar a importância fundamental do repertório gráfico, pois foi por seu intermédio que o *Art Nouveau* conseguiu ser divulgado de modo tão amplo e tão imediato e se tornar um estilo realmente internacional. Em decorrência da Exposição Universal de 1900, em Paris, o *Art Nouveau* ultrapassou finalmente a fragmentação em uma série de movimentos regionais ou nacionais, sob várias denominações (p.ex., *Jugendstil*, *Modern Style*), e atingiu a sua consagração definitiva. A rápida popularização posterior de uma estética reconhecidamente *Art Nouveau* deve-se em grande parte à circulação cada vez maior de periódicos de arte e de arquitetura, muitos ilustrados com fotografias (o que era possível graças aos avanços citados no capítulo anterior com relação à fotogravura), de cartões postais fotográficos e até mesmo de imagens e títulos cinemáticos. A divulgação do *Art Nouveau* coincidiu com uma época de rápida expansão da produção gráfica de todos os tipos e isto se reflete na grande penetração deste estilo em termos do design de livros, revistas, cartazes e outros impressos.

No Brasil, o aparecimento do *Art Nouveau* como estilo gráfico corresponde a um momento de renovação e redimensionamento do mercado editorial nacional, simbolizado pelo surgimento de revistas como a *Kosmos*, *O Malho*, a *Careta*, a nova *Ilustração Brasileira*, *Para Todos* e o infantil *Tico-Tico* (SODRÉ, 1966: 341-346, 399-401). Esse momento de grande dinamismo da imprensa coincidiu com os esforços oficiais pela modernização do País, simbolizados pela reforma urbana do Rio de Janeiro e pela construção da Avenida Central. A figura do ilustrador J. Carlos paira imponentemente sobre o design de periódicos dessa época, realizando inclusive sem nenhuma ruptura aparente a transição para o estilo *Art Déco* e além, durante sua longa atividade na imprensa que se estendeu de 1902 até 1950. Além da enorme repercussão que atingiu com suas ilustrações e caricaturas, J. Carlos foi responsável por importantes transformações no projeto gráfico das revistas em que exerceu o seu ofício, principalmente como diretor artístico das publicações pertencentes à Sociedade Anônima O Malho (LIMA, 1963: III, 1070-1024; COTRIM, 1985; LOREDANO, 2002, 56, 61-69). Essa empresa já era responsável pela publicação das principais revistas do Brasil – incluindo os semanários de política *O Malho* e de cultura *Para Todos* – quando foi adquirida em 1918 pela Pimenta de Mello e Cia., detentora de um dos maiores parques gráficos do país. A partir de 1922, essa grande

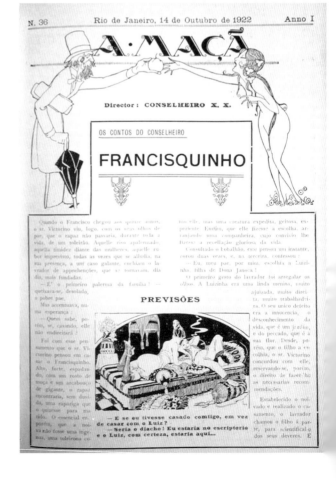

Página de abertura da revista *A Maçã*, edição de 14 de outubro de 1922. Editada por Humberto de Campos, essa revista possuía um padrão gráfico altíssimo e era considerada bastante picante na época.

Falo ao silencio e á noute. E ao que está
[junto
de mim, a tudo que me vê, pergunto

por ti: que fazes? onde estás? — Então,

do meu cigarro um rôlo de fumaça

solta-se, e sóbe, e baila, e se adelgaça,

formando um ponto de interrogação.

XIV

NÓS dous de novo juntos, novamente

eu a teu lado, tu pelo meu braço,

eis-nos unidos descuidosamente

nos mesmos beijos e no mesmo abraço.

Sigo, segues... Que importa que esta gente

fale tanto de nós? Eu rio e passo,

como sabes passar, indifferente,

com muito orgulho e com desembaraço.

organização jornalística ficou sob a direção conjunta do escritor Álvaro Moreyra e do artista J. Carlos, responsáveis por nada menos do que seis revistas, incluindo a novidadeira *Cinearte*, primeira revista brasileira impressa em *off-set*, lançada em 1926. Nos nove anos que permaneceu à frente da Pimenta de Mello, J. Carlos promoveu uma transformação impressionante das publicações da empresa, imprimindo a cada uma delas um projeto diferenciado e de altíssima qualidade em termos estéticos e de planejamento gráfico (SOBRAL, 2004; CARDOSO, 2005: 124-159).

As décadas de 1910 a 1930 foram um período de efervescência da área editorial no Brasil, gerando uma série de grandes nomes da ilustração, como K.Lixto, Guevara, Raul e Fritz. Outro exemplo pouco conhecido dos novos padrões de apresentação gráfica é a revista *A Maçã*, editada por Humberto de Campos, a qual circulou entre 1922 e 1929 com uma ousada diagramação, que mistura texto e imagem de modo criativo e inovador. O primeiro projeto da revista, assinado pelo ilustrador Ivan, foi substituído em 1923 por um novo, elaborado pelo desenhista paraguaio Andrés Guevara, introduzindo importantes inovações gráficas no universo das revistas ilustradas brasileiras (HALUCH, 2002; CARDOSO, 2005: 96-123). Guevara viria a se afirmar como um dos principais reformadores do projeto gráfico

Capas e miolo de livros realizados em 1917 (ao lado) e 1927 (páginas anteriores) pelo ilustrador Fernando Correia Dias. Além de ser um dos primeiros nomes a se dedicar com regularidade ao projeto de livro no Brasil, o português Correia Dias foi casado com Cecília Meireles. Esse livro de Humberto de Campos é um dos primeiros a trazer a assinatura do autor do projeto.

na imprensa brasileira, principalmente através do *layout* criado por ele para o jornal *Última Hora*, na década de 1940. Em paralelo, nessa mesma época, o projeto de livros passou a merecer uma nova atenção de editoras brasileiras como a Livraria Leite Ribeiro, a Francisco Alves e a Livraria Castilho, todas no Rio de Janeiro. Ao longo da década de 1910, já começa a ser comum encontrar edições bem cuidadas de poesia e de literatura, freqüentemente ostentando motivos *Art Nouveau* nas suas capas ou no seu interior. Multiplica-se na década de 1920 a preocupação com maior esmero na diagramação e impressão, e começam a surgir com alguma freqüência capas de livros ilustradas e assinadas. Um dos pioneiros nessa área foi o ilustrador e caricaturista português Fernando Correia Dias, o qual chegou ao Brasil em 1914, produzindo diversos projetos de livro bastante interessantes e abrindo caminho para outros pioneiros da área, como Júlio Vaz e J. Wasth Rodrigues. A década de 1920 trouxe um novo surto da atividade editorial fora do Rio de Janeiro, e revelaram-se em São Paulo talentos gráficos, como Paim e J. Prado, ambos ligados à revista *A Garoa*, além de trazer à tona os esforços dos modernistas da Semana de Arte Moderna de 1922 (ver LIMA, 1963: IV, 1372-1383; MINDLIN, 1995: 72, 76-81; VELLOSO, 1996: 11-19).

Com o crescimento das metrópoles brasileiras, surgia um novo público consumidor para impressos de todos os tipos. O meio editorial brasileiro passou por verdadeira transformação na década de 1920, experimentando um período de expansão rápida e diversificação de atividades. Entre outras inovações, tornou-se sistemática a produção de edições em brochura com capas ilustradas. A intenção era de baratear o livro, tornando-o produto acessível a uma parcela maior da população. A crescente mecanização do processo de produção dos livros ocasionou, por vezes, queda na qualidade de papel e encadernação. Uma das maneiras encontradas para compensar isto foi o maior esmero dedicado ao projeto gráfico, principalmente no que diz respeito à ilustração e às capas. Diversas editoras participaram desse movimento, dentre as quais cabe destacar a já referida Leite Ribeiro, então a principal do país. Concorrendo com ela a partir de São Paulo, que começava a despontar como centro industrial, surgiu em 1919 a Monteiro Lobato e Cia., posteriormente batizada de Companhia Editora Nacional, a partir de 1925. Geralmente lembrado por seu pioneirismo na área de literatura infantil, a contribuição de Lobato à evolução da editoração de livros foi igualmente decisiva. Sob o comando de Octalles Marcondes Ferreira, sócio de Lobato, a CEN viria a se tornar a grande liderança do meio editorial renovado, principalmente após

1932 quando adquiriu a editora carioca Civilização Brasileira, unificando pela primeira vez Rio e São Paulo em uma grande organização editorial. Cabe citar também o surgimento de outras experiências menores, mas significativas, nesse mesmo período, como a editora B. Costallat & Miccolis, de propriedade do escritor Benjamim Costallat, ativa no Rio de Janeiro entre 1923 e 1934. A Livraria do Globo, em Porto Alegre, também começou a publicar livros por volta de 1925, mantendo-se por décadas como talvez a única grande editora do país fora do eixo Rio-São Paulo (HALLEWELL, 1985: 235-308; AZEVEDO, CAMARGOS & SACCHETTA, 1997: 101-195; CARDOSO, 2005: 160-196).

Além da expansão do mercado e sua reorganização empresarial, a década de 1920 também foi palco de importantes transformações tecnológicas, que acarretaram a atualização do parque gráfico. Tirando as oficinas da Imprensa Nacional, no Rio de Janeiro, que possuíam maquinaria avançada e abundante, eram poucas as empresas gráficas bem equipadas, principalmente no que diz respeito à produção de livros. No início do século, quase todos os equipamentos gráficos ainda eram importados (ver Oliveira Bello, 1908). O processo de impressão por *off-set* chegou ao Brasil em 1922, sendo utilizado inicialmente mais para impressos comerciais, em especial a serviço da companhia de cigarros Souza Cruz. Outro fator primordial para a evolução do mercado de impressos é a disponibilidade do papel, assim como seu custo. Quando Monteiro Lobato deu início à sua editora, a obtenção de papel de boa qualidade ainda era um obstáculo; e o grande escritor nacionalista teve de recorrer à importação para suprir suas necessidades empresariais. Em meados da década de 1920, existiam cerca de duas dezenas de indústrias fabricantes de papel no Brasil, sendo as principais a Companhia Melhoramentos de São Paulo, de propriedade da família Weiszflog, então recém-transferida para novas instalações no bairro paulistano da Lapa, e a Companhia Fabricadora de Papel, também localizada no estado de São Paulo, de propriedade dos irmãos Klabin. Em 1925, a produção anual das duas empresas chegou a treze mil toneladas de papel, o que correspondia a quase 25% do total fabricado nacionalmente. Esse volume representava um aumento espetacular com relação às décadas anteriores, e ajuda a dimensionar melhor o *boom* editorial do período. Até 1890, data de constituição da Melhoramentos, a fabricação de papel no país havia sido bastante modesta. Mesmo assim, a disponibilidade de papel de qualidade continuou a ser um problema para o mercado editorial, por muitos anos ainda (HALLEWELL, 1985: 250-259, 270-277; PAULA & NETO, 1989: 49, 55-56, 82-83; CAMARGO, 2003: 46-56).

O advento da produção em massa

Apesar de a fabricação de impressos e de diversos outros produtos já ter atingido no final do século 19 séries de produção da ordem de dezenas e até centenas de milhares de unidades, a maioria dos textos de história industrial tende a considerar a produção em massa propriamente dita como uma inovação do século 20. Por que essa distinção entre uma produção em série, por maior que seja esta, e uma produção dita 'em massa'? Por um lado, deve-se reconhecer que existe um preconceito da parte de muitos analistas que têm tratado do assunto, os quais criam uma separação inteiramente arbitrária entre os chamados 'efêmeros', como jornais e impressos, e os chamados 'bens duráveis', como tratores ou automóveis. Visto que a lógica da fabricação mecanizada pressupõe uma certa indiferença em relação ao destino final do produto (uma máquina de extrusão de plásticos pode ser utilizada para produzir tanto tubos para encanamento quanto bambolês, sem alterar em nada a natureza essencial da produção), não existe razão para discriminar um produto como sendo menos industrial do que outro, desde que os processos de fabricação atendam a critérios similares. Além do mais, hoje em dia, tais distinções fazem cada vez menos sentido frente a dilemas ambientais que colocam a durabilidade do produto não como uma vantagem, mas como um problema a ser superado através do aperfeiçoamento de tecnologias de desmonte, reciclagem e substituição de materiais. Persiste, contudo, a visão um tanto distorcida de que a 'verdadeira' história da indústria se fez com ferro e aço e não com papel e madeira. Por outro lado, existe pelo menos uma excelente justificativa histórica para limitar a aplicação de 'produção em massa' ao século 20, a qual consiste no fato de que este tipo de produção foi percebido pela maioria dos contemporâneos como um fenômeno novo, qualitativamente diferente de tudo que o antecedeu: o próprio termo só entrou em uso corrente na década de 1920, principalmente através da influência de um único homem, o industrial e fabricante de automóveis Henry Ford.

Junto com Karl Marx, Ford é um dos raros indivíduos dos dois últimos séculos que, sem ser líder político ou religioso, teve acrescido ao seu nome o sufixo 'ismo', ou seja, cuja pessoa passou a simbolizar toda uma doutrina. O fordismo constitui-se, sem dúvida alguma, em uma das ideologias mais influentes do século 20 e continua, com razão, a ser tomado como importante paradigma histórico na definição dos grandes movimentos econômicos, sociais e culturais de toda uma época (ver HARVEY, 1989: 121-172; BATCHELOR, 1994: 91-143). Todavia, faz-se extremamente problemática a relação entre o fordismo como doutrina e as realizações de Ford como industrial, pois construiu-se em torno do assunto toda uma mitologia que só começou a ser desmontada nos últimos anos (ver HOUNSHELL, 1984: 217-262; BATCHELOR, 1994: 39-63; GARTMAN, 1994: 1-14). É uma tarefa difícil definir os limites que separam o mito fordista – propagado em grande parte pelo próprio Ford – da realidade da Ford Motor Company no período fundamental da década de 1910, quando foram estabelecidas as bases do sistema de produção em massa praticado pela empresa. Vale a pena examinar em maior detalhe tanto a versão quanto o fato, pois ambos exerceram um papel essencial no estabelecimento da visão de mundo do século 20.

Primeiramente, é preciso esclarecer o que se entende por fordismo. Geralmente, quando se fala em Ford, as pessoas costumam pensar apenas na introdução da linha de montagem. Para muitos, a imagem que vem à cabeça é a famosa caricatura criada por Chaplin no filme *Tempos Modernos* (1936), em que o trabalhador enlouquece tentando acompanhar o ritmo implacável da máquina, ou então a visão ainda mais sombria do filme *Metrópolis* (1926) de Fritz Lang, em que outro trabalhador se vê subordinado aos movimentos de uma máquina-relógio que o escraviza. Com certeza, a linha de montagem foi uma parte importantíssima da escalada de produção da Ford Motor Company durante a década de 1910, digna de ser destacada pela posteridade como símbolo de uma nova era, mas cabe ressaltar que foi apenas a parte mais visível de todo um complicado processo de transformações produtivas. Do ponto de vista tecnológico, a reorganização da fabricação na Ford se configura mais como uma culminação dos longos esforços do século 19 do que como alguma mudança drástica do paradigma industrial; as transformações realmente revolucionárias efetuadas pelo sistema fordista ocorreram mesmo nos campos trabalhista, gerencial e mercadológico. Mais do que qualquer outro indivíduo, Ford foi responsável pela propagação de um modelo socioeconômico em que a produção em massa estimula o consumo em massa, o qual se torna, por sua vez, a força motriz para a reestruturação e expansão contínua de toda a sociedade. Levando ao seu limite a lógica produtiva e organizacional da fábrica, Ford demonstrou o potencial explosivo de uma organização social inteiramente racionalizada, padronizada e homogeneizada, em que o aumento do poder de compra garantiria a adesão voluntária de cada um dos seus membros. A visão de mundo que ele ajudou a gerar — um misto de ditadura benévola da indústria combinada com uma democratização radical do consumo — está tão próxima do ideal de boa parte do mundo no século 20 que, mesmo hoje quando o paradigma produtivo no qual se baseava está largamente superado, continua a ser extremamente difícil imaginar a vida após o pacto social fordista entre governo, indústria e trabalhadores. Portanto, o termo fordismo se refere não somente a um sistema de fabricação, mas também a todo um modelo de gerenciamento do trabalho, da indústria e, em última instância, do consumo e da própria sociedade. Quando empregamos o termo capitalismo, no senso comum da palavra, para falar do modelo socioeconômico vigente nos Estados Unidos durante a maior parte do século 20, na verdade, é ao fordismo que nos referimos. Ao contrário do capitalismo 'clássico' do século 19, praticamente desprovido de regulamentação, o modelo fordista prevê um alto grau de planejamento e controle externos aos meios de produção. Trata-se de um sistema, no qual a propriedade privada e o interesse público seriam fundidos por intermédio de uma ideologia de inclusão pelo consumo.

Embora seja extremamente densa e complexa a história da Ford Motor Company e rica em fontes documentais sobre a evolução do seu processo produtivo, existe uma tentação muito grande de reduzi-la a uma série de números e estatísticas. Não é à toa, pois os números são impressionantes. Quando Henry Ford assumiu o controle acionário total em 1907, a produção da empresa não era muito diferente de outros fabricantes de automóveis de preço médio, como a Oldsmobile. O automóvel ainda era um bem de consumo fora do alcance da maioria da população e, por conseguinte, a sua produção era modesta. Em 1908, o ano de introdução do famoso Modelo T, a Ford vendeu menos de seis mil veículos desse modelo. No ano seguinte, foram produzidos 13.840 veículos Modelo T a um preço de US$950 por unidade. Os próximos sete anos viram um aumento vertiginoso da produção e um declínio constante dos custos e, em 1916,

foram fabricados 585.388 veículos Modelo T vendidos a um preço unitário de US$360. Em nove anos, portanto, a produção de automóveis aumentou 85 vezes enquanto o preço por unidade diminuiu duas vezes e meia, aproximadamente. É importante notar que essa escalada da produção foi muito mais dramática entre 1908 e 1912 (doze vezes) do que entre 1912 e 1916 (sete vezes), sendo que a primeira linha de montagem foi implantada justamente em 1913 (HOUNSHELL, 1984: 224).
A linha de montagem é apenas uma parte da escalada de produção, da mesma forma que esta última é apenas uma parte da história mais ampla do fordismo. Não se deve perder de vista, contudo, o grande feito da Ford nesse período. Pela aplicação de novas tecnologias e métodos de fabricação, ele demonstrou que era possível produzir mais barato sem sacrificar a qualidade do produto e, por conseguinte, ganhar cada vez mais cobrando cada vez menos. Assim nascia a ideologia do consumo de massa, contrariando a vivência do consumidor industrial do século 19, o qual estava acostumado a pagar mais para ter o melhor. É evidente, em retrospecto, que essa revolução não seria permanente, pois a oportunidade de comprar um produto bom, bonito e barato permanece, historicamente, mais uma exceção do que uma regra. Ainda hoje, vale o ditado: 'você tem o que você paga'.

    A introdução do Modelo T representou a cristalização do sonho de Ford de fabricar um automóvel simples e durável a preços acessíveis para um público consumidor amplo. A idéia de produzir um carro para as massas estava no ar nos Estados Unidos na década de 1900 e Ford resolveu investir uma grande quantidade de tempo, dinheiro e mão-de-obra para atingir

Modelo T da Ford: mais do que um simples carro, o símbolo definitivo da chegada da sociedade de massa.

este objetivo. Contratou os melhores engenheiros mecânicos que conseguiu obter, vários dos quais trouxeram para o projeto a sua experiência com o desenvolvimento de peças padronizadas e máquinas-ferramentas de precisão em outras indústrias. O chamado sistema americano, discutido no capítulo dois, tinha-se desenvolvido muito desde o seu início nos arsenais da Nova Inglaterra. Importantes avanços técnicos foram realizados ao longo da segunda metade do século 19 em indústrias, como as de máquinas de costura, de máquinas de escrever, de bicicletas e de maquinismos agrícolas — notadamente, no caso desta última, na famosa fábrica McCormick em Chicago (ver HOUNSHELL, 1984: 153-216). Após mais de meio século de experiências e melhorias contínuas, a precisão das máquinas-ferramentas e a padronização de peças haviam atingido um patamar de excelência bastante elevado nos Estados Unidos. A Ford foi a primeira empresa a reunir todos esses avanços e aplicá-los de modo sistemático na sua linha de produção, o que ocorreu em etapas gradativas sob a supervisão dos superintendentes de fábrica P.E. Martin e Charles Sorensen. Através da elaboração de máquinas-ferramentas extremamente precisas e de função única — as quais minimizavam a necessidade de mão-de-obra qualificada — a equipe de Martin e Sorensen conseguiu levar aos seus limites máximos os princípios de divisão e de mecanização de tarefas preconizados desde muito por figuras, como Smith, Ure, Babbage e Taylor, mas nunca dantes concretizados de forma tão completa. Antes mesmo de 1913, as funções de cada operário na Ford foram sendo subdivididas e reduzidas aos seus elementos essenciais, permitindo a extrema especialização de tarefas simples e monótonas que podiam ser repetidas incessantemente e com grande rapidez. Nesse contexto, constituiu-se quase em uma evolução lógica a introdução do conceito do fluxo contínuo na produção e, em seguida, de uma linha de montagem que levasse a peça ao operário, que permanecia fixo no seu lugar. Tais linhas já haviam sido aplicadas com sucesso parcial em algumas indústrias desde a década de 1870, pelo menos (HOUNSHELL, 1984: 218-233, 240-244; BATCHELOR, 1994: 39-48).

Por mover-se a uma velocidade constante, a linha de montagem impunha uma seqüência e um ritmo fixos de produção, eliminando a possibilidade do operário individual atrasar qualquer etapa do trabalho e trazendo um aumento nítido de produtividade. No entanto, a linha de montagem trouxe problemas também. O ritmo e a intensidade eram exaustivos, exigindo do trabalhador um nível de esforço massacrante. Muitos não se adaptaram e a rotatividade de operários na Ford chegou a atingir uma taxa de 380% em 1913, ano da introdução da linha móvel.

Ford resolveu contra-atacar fixando a jornada de trabalho em oito horas e aumentando os salários, os quais foram elevados em outubro de 1913 para um mínimo de US$2,34 por dia e depois para US$5 por dia em janeiro de 1914. Para a Ford, esse aumento salarial dramático tinha uma vantagem tripla: primeiramente, segurava os melhores operários e minava a influência crescente dos sindicatos; em segundo lugar, atraía a atenção da imprensa e do público, divulgando o poder e a prosperidade da empresa; e, por último, colocava dinheiro adicional no bolso de operários que se tornariam, por sua vez, consumidores dos automóveis da própria empresa. Além do mais, Ford atrelou os aumentos a normas de comportamento dentro e fora da empresa que visavam garantir o ideal do operário masculino, fiel à empresa, patriótico, sóbrio e providente. Entre outros objetivos,

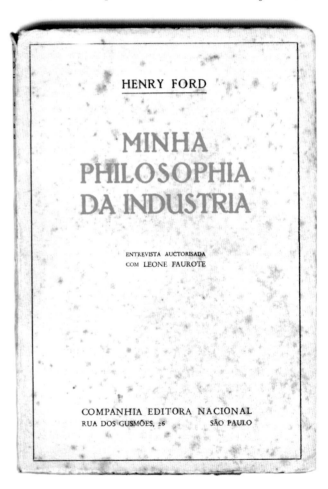

Capa do livro *Minha Philosophia da Industria*, de Henry Ford, publicado pela Companhia Editora Nacional, de propriedade de Monteiro Lobato. Entre outros tópicos, o livro trata de "Homens de negócios como líderes sociais", tema muito adequado ao perfil tanto do autor quanto do editor.

Ford via os aumentos salariais como uma alavanca para a 'americanização' da sua força de trabalho, composta em grande parte por imigrantes e minorias (HOUNSHELL, 1984: 256-259; HARVEY, 1989: 126; BATCHELOR, 1994: 48-53). A Ford estava gerando não somente um novo modelo de produção, mas também um novo modelo de operário e de consumidor, o qual continuaria a ser visto durante muitas décadas como o padrão a ser atingido pela sociedade americana.

Durante a década de 1920, Henry Ford se tornou uma figura famosa em nível mundial. Ele era o homem mais rico do mundo e o maior industrial do novo século; o sucesso do seu sistema abalizava as numerosas opiniões sobre indústria, economia, sociedade, política e até religião emitidas em diversos livros e artigos assinados (mas nem sempre escritos) pelo grande homem. A linha de montagem se transformou no símbolo mais poderoso do sonho fordista de fabricação precisa, rápida, contínua e uniforme, ditando o ritmo dos movimentos do operário e, por extensão, do crescimento de toda a sociedade. Sua influência se fez sentir internacionalmente, inspirando seguidores não somente no mundo capitalista mas também na recém-criada União Soviética, onde encontrou uma ressonância particular em várias mentes revolucionárias a idéia de um corporativismo populista baseado em produtividade industrial máxima e dirigido com um alto grau de disciplina e centralização. No Brasil, também, propagou-se rapidamente a fama de Ford como o homem que valia um bilhão de dólares, em especial através das traduções dos seus livros feitas e publicadas por Monteiro Lobato. Para os seus admiradores, Ford se colocava como a culminação de uma longa linha de empreendedores que venceram pelos seus próprios esforços: o *self-made man* do folclore americano (ver BATCHELOR, 1994: 9-38). Manipulando cuidadosamente a sua imagem pública, Ford se transformou em nada menos do que um herói moderno e deu início à percepção pública de que a indústria automobilística era a força motriz da economia dos Estados Unidos.

Entre as suas diversas outras convicções — as quais incluíam um apoio quase fanático à proibição de bebidas alcoólicas, bem como um anti-semitismo explícito que o levou a ser condecorado por Hitler em 1938 — Ford acreditava piamente que a produção em massa teria o poder de gerar uma sociedade industrial mais ou menos igualitária e moralmente regenerada. Como tantos outros que pensaram a indústria, Ford era um reformista com tendências utopistas e faz-se interessante portanto examinar a sua visão do design nesse contexto. Quem olha bem para o Modelo T logo percebe que o seu design é essencialmente inseparável da sua engenharia. O luxo, a estética e o prazer eram considerações muito distantes das preocupações dos engenheiros que o criaram. A Ford pretendia que o Modelo T fosse uma espécie de carro universal: forte, durável, econômico: ou seja, um veículo essencialmente utilitário. Durante muitos anos, o próprio Ford alardeou que o Modelo T seria o carro definitivo, o único modelo que sua empresa produziria para todo o sempre, acrescido apenas de mudanças técnicas eventuais. Em 1926, ele chegou até a proferir o famoso ditame de que o freguês podia escolher qualquer cor para o seu carro Ford, contanto que fosse preto (ver BATCHELOR, 1994: 28, 40). Mesmo descontando a enorme dose de exagero para fins mercadológicos contido em tais frases bombásticas, não resta dúvida de que o Modelo T permanece historicamente como um exemplar de utilitarismo e de despojamento no campo do design de automóveis e, igualmente, não resta dúvida de que a visão de mundo de Ford tem muito em comum com o design do Modelo T: plena liberdade de escolha, contanto que se escolhesse sempre a opção certa. Os trabalhadores teriam dinheiro, contanto que aceitassem trabalhar de forma desumana. Haveria prosperidade e crescimento, contanto que a sociedade aceitasse as normas impostas pelos interesses da indústria. O mundo poderia escolher qualquer estilo de vida, contanto que fosse o mesmo dos americanos. Apesar dos desafios agudos apresentados pela grande depressão econômica da década de 1930, o modelo fordista permaneceu intacto nos Estados Unidos durante o meio século seguinte, espalhando-se também para o resto do mundo após a Segunda Guerra Mundial. Até 1945, porém, a Europa permaneceu mais ou menos resistente à combinação eminentemente fordista de desqualificação total do trabalhador e consumismo irrestrito para a massa da população. Na velha Europa, as antigas barreiras de classes, e também sua história de lutas, permaneciam fortes demais para permitir qualquer uma das duas coisas.

Em contraposição às tradições liberal e trabalhista que retardaram a disseminação do fordismo na Grã-Bretanha e na França, outros países europeus experimentaram, durante as décadas de 1920 e 1930, o fascínio das idéias políticas corporativistas. As conquistas industriais impressionantes dos Estados Unidos, sob o regime da produção em massa, e da União Soviética, sob a égide de seus planos qüinqüenais, apontavam para a colaboração estreita entre Estado e indústria como o caminho mais promissor para a transformação da sociedade. Primeiramente na Itália, e depois em outros países, o fascismo despontou nessa época como uma terceira via política – oposta ao comunismo soviético e ao enfraquecido liberalismo do passado ocidental recente. Enfatizando valores conservadores como religião, família e tradição, ao mesmo tempo em que promoviam uma idéia quase coletivista de progresso nacional e trabalho industrial, os modelos fascistas atribuíram um novo sentido à idéia de massificação. Na Alemanha do Terceiro Reich, o pacto sinistro entre povo, partido e Estado tomou sua dimensão mais extrema, com a espetacular evolução da indústria bélica servindo de força motriz para a refundição da sociedade. Sob o totalitarismo nazista, a massa era conduzida a agir como um corpo unido e submisso à liderança de uma casta seleta, encarregada de pensar para todos. Suavizado por uma propaganda política tão engenhosa quanto enganosa, esse modelo constituiu-se em uma aberração pela qual hoje se detém uma ojeriza completamente justificada. De modo insidioso e perverso, ele ajudou a difundir para o mundo moderno o princípio de homogeneização do comportamento como questão de conformidade ao estilo e padrões alheios. Infelizmente, esse princípio sobreviveu à morte de seus idealizadores.

CAPÍTULO 5

Design e teoria na primeira era modernista, 1900-1945

Design e nacionalismo

O vanguardismo europeu e a Bauhaus

A prática do design entre as guerras

Design, propaganda e guerra

Design e nacionalismo

A Europa de 1900 a 1914 era farta em contradições. Por um lado, estava no seu auge a vivência burguesa do luxo, da cultura de elite, das boas maneiras e dos nem sempre tão bons costumes que estão subentendidos no termo *Belle Époque*. Por outro lado, a riqueza e a propriedade não eram usufruídas por todos. Mais que nunca, persistiam os antagonismos de classe, com os movimentos socialistas, comunistas e anarquistas experimentando uma ascendência crescente até mesmo em termos de política institucional, como no caso do Partido Trabalhista britânico, o qual se consolidava na época como expressão partidária do poder sindical. Para além das questões de classe, as mulheres também exigiam emancipação política: o movimento sufragista britânico ganhou destaque internacional entre 1910 e 1914, apesar de o direito ao voto só ter sido conquistado em 1918. A Grã-Bretanha e a França continuavam prósperas e poderosas, aproveitando o monopólio sobre a exploração de imensos impérios ultramarinos; porém, não havia mais como disfarçar a sua estagnação frente a novas potências, como a Alemanha e os Estados Unidos, cujo poderio industrial e dinamismo tecnológico impunham um novo ritmo de competição econômica internacional. Nas margens da esfera de influência européia — na Rússia, na América Latina, no Japão ou nas colônias da Ásia e da África — era imenso o contraste entre o modelo parisiense ou londrino de modernidade e as estruturas tradicionais de organização social e econômica, muitas vezes quase feudais ou escravistas. As contradições eram tantas que acabaram não encontrando solução por partes ou pelas bordas, como de costume. O próprio centro do sistema descambou para uma grande guerra que, a partir de sua ótica, pelo menos, se configurava como mundial.

Nesse contexo diplomático extremamente conturbado, o nacionalismo político e econômico adquiriu um vigor redobrado. Os conceitos de patriotismo, de orgulho nacional e de competição entre nações já exerciam desde muito uma influência importante: na seqüência da declaração de independência dos Estados Unidos (1776) e da Revolução Francesa (1789), foi ganhando força crescente a idéia da Nação como instância máxima de representação das pessoas: não mais o rei soberano, mas a nação soberana (daí a idéia de soberania nacional). Ao longo do século 19, consolidou-se grande parte das nações modernas que ainda hoje exercem a parte mais visível do poder político direto, através das instituições que compõem o Estado, embora venha ocorrendo nos últimos anos um crescimento impressionante da influência de organizações e entidades supranacionais. Durante essa longa trajetória, o nacionalismo foi passando por mudanças interessantes. Concebido inicialmente como uma forma de agregar grupos mais ou menos desconexos de pessoas em povos organizados, dispostos a manifestar a sua autonomia política em relação a outros povos ou a um soberano percebido como estrangeiro, o nacionalismo foi perdendo aos poucos a sua função de efetuar mudanças de baixo para cima (do povo para o rei) ou de dentro para fora (do país regido para o país que rege) e foi concentrando toda a sua autoridade no poder do Estado, o qual, mesmo sem ser equivalente à Nação, passou a fazer a vez desta nas relações tanto com o próprio povo quanto com outros estados nacionais. É justamente no contexto de tais relações que o nacionalismo tem exercido um papel importantíssimo na evolução histórica do design.

Como parte do clima de acirrada concorrência econômica internacional criado pela expansão do capitalismo industrial, vários países começaram a perceber o interesse de coordenarem as ações e produções de suas indústrias, a fim de obter uma vantagem competitiva com relação aos seus concorrentes de outras nacionalidades. A Grã-Bretanha já contava desde meados do século 18 com uma entidade privada voltada para a promoção industrial e a integração de arte e indústria, a *Society for the Encouragement of Arts, Manufacture and Commerce* (hoje, *Royal Society of Arts*); e a abertura das *Schools of Design* britânicas em 1837, mencionada no capítulo anterior, foi em grande parte ocasionada pela percepção de que era preciso melhorar a qualidade da produção industrial para fazer face à concorrência francesa, principalmente na área de fabricação de tecidos. Fundada no Rio de Janeiro em 1827, a já citada Sociedade Auxiliadora da Indústria Nacional constitui-se em um dos primeiros exemplares desse gênero de organização e, apesar do seu alcance reduzido, a importância da sua atuação estratégica é freqüentemente subestimada (CARONE,

1978: 13-68). Em 1845 foi criada na Suécia a *Svenska Slöjdforeningen*, um fórum para a proteção das artes e dos ofícios que serviu de modelo para organizações similares em outros países durante toda a segunda metade do século 19. Diferentemente desta última, voltada mais para questões artesanais do que industriais, a *Union Centrale des Arts Décoratifs* foi organizada na França em 1864 como uma associação de fabricantes interessados em aperfeiçoar a aplicação da arte à indústria. Com o tempo, a UCAD acabou tomando um rumo similar ao sistema de *South Kensington* na Grã-Bretanha, dedicando-se mais à promoção de museus, de escolas e de exposições do que à indústria propriamente dita (ver SILVERMAN, 1989: 109-111; TISE, 1991). De modo geral, essas organizações receberam pouco ou nenhum subsídio direto dos governos nacionais. O Estado do século 19 ainda entendia o sucesso ou o fracasso das indústrias como um problema dos industriais e não como uma questão de subvenção pública. Os industriais, por sua vez, costumavam confiar mais na sua própria capacidade de conquistar mercados do que em políticas setoriais ou nacionais, com o resultado de que a direção das organizações promotoras da indústria ficava freqüentemente nas mãos de pessoas envolvidas apenas indiretamente com o assunto.

Com a consolidação dos estados nacionais e do imperialismo europeu nas últimas décadas do século 19, a economia mundial começou a adquirir suas feições modernas, demonstrando uma globalização incipiente do comércio internacional e dos ciclos financeiros. O intercâmbio econômico – antes organizado de forma quase que exclusivamente bilateral entre uma potência européia e suas colônias e, em segunda instância, entre as grandes potências européias – passou a assumir uma dimensão multilateral. Assim, os blocos regionais e imperiais foram aos poucos sendo integrados em uma economia verdadeiramente mundial (KENWOOD & LOUGHEED, 1983: 103-104, 161-162), sendo a abertura dos portos brasileiros em 1808 um exemplo pioneiro dessa pluralização pragmática das opções de comércio internacional. A parceria comercial que passou a florescer após a visita de D. Pedro II aos Estados Unidos em 1876 é apenas um exemplo, dentre muitos, das possibilidades que se abriam para um país como o Brasil, tradicionalmente restrito a relações clientelistas com uma única metrópole. Diga-se de passagem, aliás, que o esfacelamento das velhas rotas econômicas coloniais se deve em grande parte à ascensão dos Estados Unidos como potência econômica, criando uma alternativa à dominação européia do comércio internacional que prevalecia desde o século 16. Deparando-se com um tal cenário econômico, tanto industriais quanto governantes se viram obrigados cada vez mais a pensar a competição por mercados em termos nacionais. Com o mundo fragmentado em opções internacionais de compra e venda, aquelas nações que não usufruíam de monopólios coloniais eram obrigadas a buscar outras formas de vantagem competitiva para a colocação dos seus produtos. Tornava-se evidente para muitos que os interesses da indústria de um país eram idênticos aos do estado nacional.

Surgiu na Alemanha em 1907 a organização pioneira na promoção do design como elemento de afirmação da identidade nacional: a *Deutscher Werkbund* (literalmente, 'Confederação Alemã do Trabalho'). Os antecedentes institucionais e comerciais dessa associação são vários, mas as principais vozes na fundação da *Werkbund* foram o político liberal-progressista Friedrich Naumann e Hermann Muthesius, um influente funcionário do Ministério do Comércio alemão nomeado professor de arte aplicada na Universidade Comercial de Berlim em 1907. Lembrando muito a atuação do também burocrata Henry Cole na Inglaterra da década de 1840, Muthesius transformou o seu cargo em palanque para denunciar a indústria alemã, reivindicando entre outras coisas uma relação mais estreita entre produção industrial e um estilo nacional. Para ele e seus aliados, a padronização tanto técnica quanto estilística daria aos produtos alemães a supremacia no mercado internacional; tratava-se essencialmente de uma questão de usar o design como alavanca para as exportações e para a competitividade. A *Werkbund* anunciava como suas metas principais a cooperação entre arte, indústria e ofícios artesanais; a imposição de novos padrões de qualidade na indústria; a divulgação dos produtos alemães no mercado mundial; e a promoção da unidade cultural alemã. Além da motivação econômica, existia portanto um discurso de natureza claramente ideológica por trás de suas ações e este não diferia substancialmente dos argumentos avançados por uma série de outras organizações nacionalistas ativas na Alemanha, inclusive algumas de extrema direita. Embora fizesse parte do movimento maior pela *Lebensreform* ('reforma da vida'), o qual costumava insistir na formação de valores alemães, a *Werkbund* se diferenciava da maioria dos grupos que defendiam a 'germanização' da arte e da arquitetura pois, ao contrário deles, ela pregava a reforma social e cultural através do desenvolvimento da indústria moderna e não através de um retorno a valores ruralistas e pré-modernos (BURCKHARDT, 1977: 85-90; HESKETT, 1986: 119-120; WOODHAM, 1997: 18-23).

Na prática, a *Werkbund* funcionava como um fórum reunindo empresários, políticos, artistas, arquitetos e designers em torno de encontros e exposições periódicas. Através dessas atividades, a confederação se propunha a estimular uma política setorial de aplicação do design à indústria, a pressionar as autoridades competentes para realizar uma melhoria dos padrões técnicos e estéticos da indústria alemã e a educar o consumidor para exigir o cumprimento desses padrões. O número de associados cresceu rapidamente e a organização logo se tornou conhecida, se bem que permaneceu bastante limitada a sua capacidade de efetuar mudanças concretas, em parte por causa de divisões profundas entre os associados. Mesmo assim, o modelo foi rapidamente copiado em outros países, dando origem a uma versão austríaca em 1912, a uma *Werkbund* suíça em 1913 e à *Design and Industries Association* na Grã-Bretanha em 1915. Apesar do êxito aparente do empreendimento, os primeiros anos de existência da *Werkbund* alemã foram marcados por embates constantes e uma série de dissensões. O mais sério desses conflitos ocorreu entre Muthesius e o designer belga Henry van de Velde, então diretor da escola de artes e ofícios de Weimar, por ocasião de uma exposição da *Werkbund* em Colônia em 1914. Inconformado com as posições de Muthesius a favor da padronização estilística e da subordinação da arte aos interesses industriais, van de Velde advogava a importância da liberdade criativa e da autonomia da arte como guardiã de valores humanos, independentemente de questões comerciais. O debate possuía ramificações complexas e profundas em uma associação composta de elementos tão heterogêneos, com representantes do meio artístico e do meio artesanal, da pequena e da grande indústria, da esquerda e da direita políticas. A eclosão da Primeira Guerra Mundial naquele mesmo ano acirrou os ânimos nacionalistas e postergou esse debate, até mesmo porque van de Velde foi destituído do seu cargo por ser cidadão de um país inimigo. A questão seria retomada após a guerra em outras instâncias, tornando-se um tema central das discussões sobre design no século 20. A primeira versão da *Werkbund* alemã acabou sendo extinta em 1934, em decorrência da chegada ao poder do Partido Nacional Socialista, mas a organização foi ressuscitada em 1947 e existe até hoje (BURCKHARDT, 1977: 7-15; NAYLOR, 1985: 40-46; HESKETT, 1986: 122-124).

Para alguns, a verdadeira história do design se inicia com a *Werkbund*, pois foi a partir de suas atividades que ganhariam destaque vultos, como Peter Behrens, o arquiteto alemão que se celebrizou através dos seus projetos para a empresa de eletricidade *Allgemeine Elektrizitäts Gesellschaft*, ou simplesmente AEG como é mais conhecida, realizados a partir da sua contratação em 1907 (ver HESKETT, 1986: 137-141). De fato, a colaboração de Behrens com a AEG é um marco no desenvolvimento do design modernista, principalmente no contexto alemão, mas daí para afirmar, como fazem alguns, que suas atividades refletem algum 'pioneirismo' na evolução do design trai uma ignorância profunda não somente de tudo que veio antes, como também do próprio contexto desses acontecimentos (ver SCHWARTZ, 1996). A importância excessiva que se tem atribuído a Behrens e à *Werkbund* é um reflexo do abuso constante que o design tem sofrido no século 20 como um instrumento de propaganda ideológica, partidária e mesmo faccionária. Para citar um exemplo conexo, o papel da Bauhaus na evolução do design tem sido superestimado de modo sistemático por comentaristas subseqüentes, gerando sérias distorções na percepção histórica do campo. Passados tantos anos desde as duas guerras mundiais e quase duas décadas desde o final da Guerra Fria, cabe questionar a validade de interpretações que teimam em situar determinado estilo ou escola como detentor dos melhores ou mais altos valores, sejam estes estilísticos, culturais ou humanos. A realidade histórica, como se vê no caso da *Werkbund*, é bem mais complexa do que admitem essas interpretações, pois sempre existem contradições e imisção de valores antagônicos no seio de qualquer movimento ou instituição. A ação de privilegiar as realizações de uns em detrimento de outros acaba por servir mais aos interesses de quem cultua a modernidade passada, e quer preservar a sua ascendência institucional a qualquer custo, do que a quem se interessa pela continuada relevância do design no mundo de hoje.

O vanguardismo europeu e a Bauhaus

A maioria dos artistas plásticos da *Belle Époque* permaneceu à margem das preocupações nacionalistas e competitivas que motivaram ações como a criação da *Werkbund* alemã. Ainda vigoravam em grande medida os preceitos de autonomia artística e liberdade estética que haviam marcado tão fortemente o final do século 19, principalmente através do movimento simbolista, e pode-se afirmar, sem medo de errar, que a arte era percebida por muitos como uma questão mais de expressão individual do que em termos da já desgastada concepção de concorrência entre escolas nacionais.
A produção dos vários movimentos artísticos comumente agrupados sob o termo Expressionismo depõe eloqüentemente sobre essa nova visão do indivíduo, e não da nação ou coletividade, como fulcro da criação artística. Mesmo assim, conforme se viu no último capítulo, a busca de um estilo unificado e adequado ao novo século ocupava o pensamento de muitos, o que culminou nas manifestações realmente internacionais do *Art Nouveau*. Porém, mesmo dentro desse estilo, existia uma tensão entre duas soluções formais mais ou menos distintas. A primeira defendia o uso de formas orgânicas, extraídas da representação realista ou convencional da natureza. A segunda promovia a geometrização das formas, caminhando cada vez mais em direção ao uso de motivos abstratos e/ou lineares. De modo extremamente esquemático, essas duas grandes tendências podem ser vistas como correspondendo a posições antagônicas em relação à crescente inserção das máquinas na vida cotidiana: no primeiro caso, o desejo de humanizar/naturalizar a máquina através de formas estilizadas e, no segundo, o desejo de adaptar o mundo e as pessoas à mecanização através da imposição de formas euclidianas (por serem estas entendidas,

de modo ingênuo, como inerentes à produção mecanizada). Essas duas visões estéticas iriam se chocar com crescente acrimônia durante as primeiras décadas do século 20 e, a partir do surgimento do Futurismo, do Cubismo, do Construtivismo e do Neo-Plasticismo, as autoproclamadas vanguardas iriam se alinhar de maneira militante do lado da máquina como ideal estético e parâmetro para a produção/reprodução artística. Contudo, se as crônicas da arte moderna tendem a enfatizar as rixas e desavenças entre os integrantes dos diversos 'ismos', do ponto de vista do design o seu impacto foi mais ou menos uniforme. Descrente dos ensinamentos tradicionais sobre a arte, uma geração de jovens artistas descobria na tecnologia, na indústria e por extensão no design o que prometia em termos de novos padrões para a organização das suas atividades. Não hesitaram os mais inflamados a conclamarem seus colegas para o incêndio dos museus e das bibliotecas e a elegeram o automóvel como novo símbolo do belo absoluto.

Os ideais que motivaram os integrantes dos diversos movimentos da chamada vanguarda foram os mais variados possíveis, incluindo um pouco de tudo, desde a Teosofia e outras inclinações místicas, até o Marxismo-Leninismo ortodoxo. Não é surpreendente, portanto, que as estratégias adotadas em cada grupo e por cada artista também tenham sido extremamente diversas. Não há espaço, em um livro como este, para uma análise detalhada da sua atuação e, além do mais, as suas idéias e ações têm sido amplamente divulgadas e discutidas em outros veículos. Do ponto de vista do seu impacto sobre o design, é interessante notar que os principais movimentos vanguardistas (com a exceção parcial do Surrealismo) tenham abraçado como valores estéticos: as máquinas e os objetos industrializados, a abstração formal e a geometria euclidiana, a ordem matemática e a racionalidade, a disposição linear e/ou modular de elementos construtivos, a síntese das formas e a economia na configuração, a otimização e racionalização dos materiais e do trabalho. Essa visão artística – contraposta conscientemente ao ideário romântico do século 19 que situava a Natureza como fonte dos mais elevados valores estéticos – condizia perfeitamente com os interesses daquela parcela da sociedade que buscava impor tipos e padrões industriais baseados em um suposto racionalismo científico (ver SCHWARTZ, 1996: 190-221). Para quem entendia a tecnologia e a indústria como forças com o potencial de gerar uma organização social mais perfeita, nada mais lúcido do que a opção por formas e construções identificadas com o progresso industrial. Após décadas, e até séculos, de resistência ao avanço do industrialismo por questões de sensibilidade artística – ou seja, por achar feia e repugnante a sociedade industrial – surgia um ideário que apresentava a máquina e as suas decorrências na vida não como coisas que precisavam ser escondidas ou suavizadas, mas como o próprio fundamento de uma nova estética. Ao abraçarem abertamente as formas mecânicas, os movimentos de vanguarda artística franqueavam ao industrialismo uma respeitabilidade e prestígio social que até então lhe tinham faltado. Nos quadros cubistas do pintor francês Fernand Léger, por exemplo, os tubos e as engrenagens antes vistos apenas em fábricas passavam a figurar em telas que iriam decorar as galerias e as casas freqüentadas pela fina flor da sociedade burguesa. Numa outra postura, quase inversa, o gesto do artista plástico Marcel Duchamp de enviar um mictório, com o título de *Fonte*, para uma exposição artística em 1917, é igualmente indicativa dessa aproximação da arte com a indústria. Conforme uma famosa anedota da história da arte, ao visitar uma exposição de aviação em 1912, na companhia de Léger e do escultor Constantin Brancusi, o mesmo Duchamp teria comentado, ao apontar para uma hélice de avião: "Está tudo acabado para a pintura! Quem consegue fazer algo melhor do que essa hélice?".

O impacto direto das vanguardas artísticas sobre a evolução do design foi bastante desigual. Relativamente poucos artistas de vanguarda se prestaram a executar projetos de produtos e, salvo alguns artigos de luxo e de decoração, o aproveitamento industrial destes foi pequeno. A indústria de mobiliário talvez seja a maior exceção a essa afirmação: diversos arquitetos e designers ligados à primeira fase do movimento modernista se notabilizaram na execução de projetos de cadeiras e outros móveis, valendo citar, entre tantos, o trabalho de Alvar Aalto, Gerrit Rietveld, Le Corbusier, Ludwig Mies van der Rohe, Marcel Breuer e Wilhelm Wagenfeld, todos responsáveis pela criação de peças que se tornaram 'clássicos' do design do século 20. A aplicação sistemática de materiais industrializados, como o aço tubular cromado e a madeira compensada, é um elemento característico da produção dessa geração de designers, que buscavam assim projetar um móvel de qualidade acessível à grande massa de consumidores. Ironicamente, os projetos por eles criados tendem a ser vendidos hoje a preços altíssimos, tornando-se verdadeiras peças de coleção. No Brasil, a influência desses designers se reflete nos móveis projetados nas décadas de 1920 e 1930 por figuras, como o arquiteto Gregori Warchavchik, o arquiteto e performático Flávio de Carvalho e os pintores John Graz e Lasar Segall, todos ligados direta ou indiretamente ao modernismo paulista da Semana de Arte Moderna de 1922.

A influência das vanguardas artísticas foi mais ampla e profunda na área do design gráfico. Partindo principalmente da confluência de idéias e de atores em torno do Construtivismo russo, do movimento De Stijl na Holanda e da Bauhaus na Alemanha,

Capa do primeiro número da revista *Klaxon*, veículo ligado ao Modernismo paulista de 1922. As cores empregadas – vermelho, preto e branco – eram comumente utilizadas por artistas construtivistas, e são também as cores da bandeira de São Paulo.

emergiu uma série de nomes fundadores do design gráfico moderno, dentre os quais não se poderia deixar de citar Alexander Rodchenko, El Lissitzky, Herbert Bayer, Jan Tschichold, Laszlo Moholy-Nagy e Theo van Doesburg (ver MEGGS, 1992: 270-287; MARGOLIN, 1998). O impacto direto desses designers se fez sentir principalmente através de uma grande produção de cartazes e outros impressos que privilegiavam a construção da informação visual em sistemas ortogonais, prenunciando o conceito da *grid*, ou malha, de módulos lineares. De modo geral, o estilo gráfico desenvolvido por esses designers dava preferência ao uso de formas claras, simples e despojadas: tais quais figuras geométricas euclidianas; uma gama reduzida de cores (geralmente, azul, vermelho e amarelo); planos de cor e configuração homogêneas; fontes tipográficas sem serifa, com um mínimo de variação entre caixa alta e caixa baixa e a quase abolição do uso de elementos de pontuação. Pretendia-se que os significados visuais derivassem principalmente do contraste e do equilíbrio entre massas e vultos formais, uma proposta relacionada intimamente com as teorias do gestaltismo, então muito em voga. Talvez em função da tradicional proximidade entre o meio de artes plásticas e o de artes gráficas, tais proposições foram assimiladas rapidamente a partir da década de 1930, dando origem a todo um paradigma de design gráfico divulgado mundialmente através do livro influente de Tschichold intitulado *Die Neue Typographie* ('A Nova Tipografia'), de 1928. Curiosamente, considerando-se a rapidez com que foram assimiladas as tendências vanguardistas européias em outras áreas, essa visão do design gráfico teve uma influência muito pequena no Brasil antes do final da Segunda Guerra Mundial e só foi trabalhada sistematicamente a partir da década de 1950 nas obras de artistas e designers ligados aos movimentos Concreto e Neoconcreto.

Não por acaso, vários dos nomes mencionados acima reaparecem no contexto do ensino do design, e principalmente em conexão à Bauhaus e/ou à escola de arte técnica de Moscou que ficou conhecida pela sigla *Vkhutemas*, a qual funcionou na década de 1920. Pode-se argumentar que o ponto de maior influência dos movimentos vanguardistas em matéria de design tenha sido justamente na área de ensino, o que não deixa de ser um tanto irônico em se considerando que a maioria dos seus integrantes proclamava abertamente o horror à institucionalização acadêmica. Irônico ou não, diversas escolas de arte e design surgidas durante o período modernista devem a sua existência às atividades de indivíduos mais ou menos hostis à ordem hierárquica comum nas instituições de ensino. Um bom exemplo dessa tensão entre ímpetos revolucionários e estruturas repressoras pode ser encontrado nas atividades da *Staatliches Bauhaus* (literalmente, 'Casa de Construção Estatal') ou, simplesmente, a Bauhaus, escola estabelecida na cidade alemã de Weimar em 1919. A contradição manifesta entre a sua condição de instituição estatal e as idéias libertárias da maioria dos seus membros já surte uma idéia da natureza dos conflitos que marcaram essa escola durante a sua curta existência. Não resta dúvida, porém, de que, em menos de quinze anos de funcionamento, a Bauhaus conseguiu se transformar em principal paradigma do ensino do design no século 20. A mitologia e o folclore gerados a partir das suas atividades são tão extensos que já foram publicadas algumas dúzias de livros sobre a instituição (ver, entre outros, WINGLER, 1969; NAYLOR, 1985; DROSTE, 1990).

A Bauhaus foi formada através da unificação e reorganização de duas escolas já existentes em Weimar, a academia de belas-artes e a escola de artes e ofícios, e sua direção foi entregue ao jovem arquiteto Walter Gropius, figura ligada à ala modernista da arquitetura alemã e às tendências coletivistas da organização *Arbeitsrat für Kunst*

('Conselho dos Trabalhadores para a Arte'), a qual exerceu alguma influência no meio artístico alemão logo após a Primeira Guerra Mundial. Muito provavelmente a criação da Bauhaus não teria sido possível fora do clima extremamente conturbado da Alemanha no período 1918-1919. A derrota na guerra havia deixado um saldo de dois milhões de mortos do lado alemão e ocasionado, além de motins e greves em todo o país, a renúncia do Kaiser e a formação de um partido comunista que pregava abertamente a revolução nos moldes soviéticos. A situação acabou levando, no início de 1919, à criação de uma nova república federal com sua capital na pequena cidade de Weimar, famosa por sua tradição literária e distante dos tumultos de Berlim. Foi precisamente no auge dessa confusão que o governo estadual provisório resolveu aceitar a proposta de Gropius para a reformulação do ensino artístico público, proposta que havia recusado apenas três anos antes (DROSTE, 1990: 16-19). No momento da sua formação, portanto, a Bauhaus se encontrava no centro dos acontecimentos políticos e não é surpreendente que a sua existência tenha permanecido como motivo de polarização ideológica até o momento do seu fechamento em 1933, com a chegada ao poder do partido nazista.

Esta capa de livro, criada em 1934 por Di Cavalcanti, revela influência do modernismo europeu em seu uso das cores azul, amarelo e vermelho dentro de uma malha diagramática ortogonal.

Página de catálogo mostrando luminárias projetadas na oficina de metal da Bauhaus.

Do ponto de vista institucional, a Bauhaus passou por fases bastante distintas, sob três diretores (Gropius, Hannes Meyer e Mies van der Rohe) e em três diferentes cidades (Weimar, Dessau, Berlim). A escola sempre foi dominada em maior ou menor grau por um ideário socialista; inclusive, as sucessivas mudanças de localidade devem-se em grande parte a conflitos políticos nos momentos em que a autoridade regional que financiava a escola passava às mãos de um partido antipático às suas inclinações ideológicas. A escola buscou em diversas ocasiões estabelecer parcerias com a indústria que diminuissem a sua dependência dos cofres estatais, mas estas foram mal sucedidas de modo geral. Foram empreendidas ao longo dos anos várias atividades de extensão que levassem as suas iniciativas para além da escola, incluindo a publicação de livros e revistas e, ainda, um grupo de teatro. No final de 1925, foi até formada uma pequena empresa, a Bauhaus GmbH, para distribuir os produtos projetados na instituição. No período inicial sob a direção de Gropius (1919-1928), a Bauhaus esteve sempre preocupada em agregar pessoas e propostas das mais diversas tendências. Suas portas estavam abertas para praticamente qualquer novidade e essa receptividade acabou atraindo de toda a Europa figuras e idéias inovadoras relacionadas ao fazer artístico e arquitetônico. Passaram pelo corpo docente da Bauhaus pelo menos dois dos principais pintores da época, o russo Wassily Kandinsky e o alemão Paul Klee, além de outros nomes mais ou menos conhecidos – Gunta Stölzl, Herbert Bayer, Joost Schmidt, Johannes Itten, Josef Albers, László Moholy-Nagy, Lothar Schreyer, Lyonel Feininger, Marcel Breuer, Marianne Brandt, Oskar Schlemmer – das áreas de pintura, design, arquitetura, fotografia, escultura, literatura e todas as combinações intermediárias dessas profissões, advindos de diversas origens nacionais e pregando uma variedade quase babélica de filosofias e crenças. Mais que qualquer outro elemento, foi essa capacidade ímpar de reunir um grande número de pessoas muito criativas e muito diferentes em uma única escola que deu vida e força para a Bauhaus, transformando essa pequena instituição em um foco mundial para o fazer artístico. Essa mesma variedade de idéias e de idiomas também militou contra a sua sobrevivência institucional, em função não somente dos choques inevitáveis entre personalidades tão fortes, mas também pelo confronto desse cosmopolitismo com as poderosas tendências xenófobas da época.

Do ponto de vista pedagógico, a escola também esteve em constante mutação, com trocas freqüentes de docentes, de cursos e de enfoques. Costuma-se dividir essas fases pedagógicas de acordo com a ascendência de professores individuais: por exemplo, muitos estudiosos da Bauhaus separam o período inicial, quando prevaleceram as idéias expressionistas e místicas de Gropius e Itten, da fase subseqüente em que dominaram o tecnicismo e o racionalismo de Moholy-Nagy e Meyer, ou da fase final sob Mies van der Rohe, em que o ensino da arquitetura passou a ser privilegiado quase que exclusivamente. Desde o início, existiu a intenção declarada de pensar o design como ação construtiva, subordinada em última análise à arquitetura como resumo de todas as atividades projetuais; daí o conceito de uma escola dedicada à *Bau* (construção) no seu sentido amplo. Essa talvez tenha sido a contribuição pedagógica mais importante de Gropius e da Bauhaus: a idéia de que o design devesse ser pensado como uma atividade unificada e global, desdobrando-se em muitas facetas mas atravessando ao mesmo tempo múltiplos aspectos da atividade humana. Essa feição totalizante derivava, em última instância, da velha filosofia *Arts and Crafts* da arte como forma de viver e da vida como ofício artesanal, a qual devia muito, por sua vez, à idéia romântica da obra de arte total (*Gesamtkunstwerk*). A Bauhaus foi perdendo aos poucos o seu utopismo inicial e, após a saída de Gropius, foi se adequando a uma visão menos grandiosa do ensino do design. Nos anos finais, ela assumiu inclusive o subtítulo de *Hochschule für Gestaltung* ('Escola Superior de Design'), o qual definia mais claramente a abrangência do seu currículo. Ao longo da sua existência, o ensino bauhausiano se estruturou em torno de oficinas dedicadas a uma única atividade ou a um único material. Existiram aulas e/ou oficinas de cerâmica, metal, tecelagem, mobiliário, vitrais, pintura mural, pintura de cavalete, escultura e talha, encadernação, impressão gráfica, teatro, arquitetura, design de interiores, publicidade e fotografia. A unificação dessa vasta gama de assuntos se dava através de um curso preliminar, o qual também foi se transformando ao longo dos anos, mas pretendendo sempre transmitir fundamentos sobre

Cartaz de Herbert Bayer de 1926, anunciando palestra sobre arquitetura.

a forma e a cor. A pedagogia da Bauhaus foi terreno de diversos conflitos e não há mesmo espaço aqui para um relato detalhado desses meandros. Felizmente, não faltam publicações voltadas ao tema (ver NAYLOR, 1985: 67-122), incluindo-se aí os enunciados e escritos de alguns dos mais ilustres pensadores da casa, como Albers, Gropius, Itten, Kandinsky, Klee e Moholy-Nagy.

O legado da Bauhaus para o campo do design é um tema bastante complexo. Seria injusto pensar as atividades da escola e dos seus integrantes fora do contexto tumultuado da Alemanha entre as guerras, um período marcado pela exacerbação contínua de conflitos de importância visceral para a evolução material e espiritual do século 20. Naquele momento, a própria sobrevivência da Bauhaus foi um ato de implicações políticas dramáticas, e até certo ponto heróicas. Porém, com o final da Segunda Guerra Mundial e a derrota do eixo fascista, o mundo mudou muito e a memória da Bauhaus foi assumindo um caráter bastante distinto daquele promovido pelos seus integrantes. Para a maioria dos que participaram, o significado maior da escola esteve na possibilidade de fazer uso da arquitetura e do design para construir uma sociedade melhor, mais livre, mais justa e plenamente internacional, sem os conflitos de nacionalidade e raça que então dominavam o cenário político. Na prática, porém, os aspectos que foram aproveitados posteriormente pelo campo do design refletem apenas o verniz desses ideais elevados. Contrariando a vontade de alguns dos seus idealizadores, a Bauhaus acabou contribuindo muito para a cristalização de uma estética e de um estilo específicos no design: o chamado 'alto' Modernismo que teve como preceito máximo o Funcionalismo, ou seja, a idéia de que a forma ideal de qualquer objeto deve ser determinada pela sua função, atendo-se sempre a um vocabulário formal rigorosamente delimitado por uma série de convenções estéticas bastante rígidas. Boa parte dos admiradores da Bauhaus acabou aplicando fórmulas prontas — como o uso normativo de determinadas fontes tipográficas ou das cores vermelho, amarelo e azul — sem se preocupar em entender ou questionar as razões que deram origem a tais soluções.

Também contrariando as suas raízes nos movimentos de artes e ofícios e a sua prática de produção manual e artesanal, a experiência da Bauhaus acabou contribuindo para a consolidação de uma atitude de antagonismo dos designers com relação à arte e ao artesanato. Apesar de ser uma escola cheia de artistas e artesãos — ou talvez por causa disto — acabaram prevalecendo aquelas opiniões que buscavam legitimar o design ao afastá-lo da criatividade individual e aproximá-lo de uma pretensa objetividade técnica e científica. Nesse sentido, o folclore bauhausiano inclui pérolas, como o exemplo do pintor e fotógrafo Moholy-Nagy que se definia como técnico do design e costumava passear pela escola vestindo um macacão vermelho de operário, sem nunca ter trabalhado em uma fábrica na vida. O legado mais irônico da Bauhaus, considerando-se a enorme diversidade de opiniões que ali vigorou, é a tendência de muitos dos seus seguidores a prescrever normas e regras para o design. Infelizmente, a intolerância de opiniões divergentes tem se mostrado a herança principal da Bauhaus nos campos da teoria e do ensino do design, perpetuando desnecessariamente tensões compreensíveis para um momento histórico em que fazer prevalecer a opinião era questão de vida ou morte. Como sempre nesses casos de apropriação de valores simbólicos por discípulos, quem for examinar detidamente as ações, as produções e os textos da Bauhaus descobrirá uma realidade muito mais rica e diversificada do que a caricatura, à qual ficou reduzida a instituição posteriormente. O mito da Bauhaus como ápice histórico do design merece ser enterrado, mas as suas experiências continuam a ser uma fonte importantíssima de estudo e de idéias para o designer nos dias de hoje.

A prática do design
entre as guerras

Longe, muito longe, dos debates vanguardeiros, a indústria passava por um período de rápidas e importantes transformações entre as décadas de 1920 e 1940, que exigiram uma intensificação notável do trabalho de design. Surgiam novas tecnologias e materiais que antes haviam sido de aplicação bastante restrita, como os plásticos e o alumínio por exemplo, que tiveram seu uso generalizado em diversos ramos industriais. Também se popularizavam o automóvel, o avião, o cinema, o rádio e outros eletrodomésticos, levando para a massa da população hábitos que antes haviam ficado restritos às camadas de elite ou a usuários especializados. O processo de implantação e extensão da eletrificação doméstica nas cidades, completada em grande parte nesse período, talvez seja o símbolo maior de inclusão das pessoas comuns na modernidade, tão proclamada e decantada nas décadas anteriores a partir de experiências bastante restritas em sua representatividade. Se é verdade que o primeiro impacto histórico da industrialização se fez sentir no século 19, é igualmente justo afirmar que os benefícios da sociedade industrial só se espalharam em nível mundial e popular após a Primeira Guerra Mundial. No Brasil, este foi um período de notável expansão do parque industrial, o que se reflete tanto nos dados econômicos quanto na produção cultural. A era do rádio, como ficou conhecida entre nós, foi marcada pela ascensão de valores culturais que só puderam ser difundidos em função de avanços tecnológicos bastante específicos: por exemplo, a transformação da música popular em símbolo da nacionalidade só foi possível em um país do porte e da diversidade do Brasil com a chegada do sistema eletromagnético de gravação em 1927. A existência de

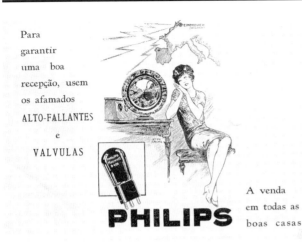

Para garantir uma boa recepção, usem os afamados ALTO-FALLANTES e VALVULAS

A venda em todas as boas casas

Anúncio de rádios Philips datando de 1928. É interessante notar que o sinal captado pela ouvinte brasileira está sendo emitido a partir de um pequeno mapa da Holanda. A novidade vem de fora!

rádios, vitrolas e discos gerou toda uma nova cultura, novas indústrias e abriu uma imensa área de atuação para o design (ver LAUS, 1998).

Acompanhando as capas de discos, o cinema não somente constituiu um foco importante para a produção de peças de design gráfico, como cartazes, mas também ajudou a divulgar hábitos e modas que, por sua vez, geraram novas oportunidades para a inserção do design. A partir da década de 1920, as estrelas de Hollywood passaram a ditar mundialmente os padrões de comportamento e também de consumo que dominavam então a sociedade americana. Uma área de expressão gráfica que sentiu o impacto do cinema de maneira especialmente visceral foram as histórias em quadrinhos, que experimentaram na década de 1930 a sua maior transformação desde os primórdios do final do século 19. O período de 1900 a 1930 viu um florescimento constante e gradativo dos quadrinhos, principalmente nos Estados Unidos, onde foram introduzidos personagens clássicos, como o 'Pafúncio' (1913) de George McManus, o 'Gato Félix' (1921) de Pat Sullivan e 'Popeye' (1929) de Elzie Segar. Tais quadrinhos ainda primavam pelo desenho e a narrativa lineares, reminiscentes da tradição de charges e caricaturas. Tudo isso mudou com a criação de quadrinhos como *Tarzan* (1929) e *Príncipe Valente* (1937), ambos de Harold Foster; *Dick Tracy* (1931) de Chester Gould e *Flash Gordon* (1934) de Alex Raymond. Subitamente, a influência do cinema se fazia sentir através do emprego sistemático de sombreados dramáticos, enquadramentos inusitados com muito uso de close, um seqüenciamento de imagens claramente inspirado na montagem cinematográfica e narrativas dramáticas, carregadas de ação e aventura. Seguiram-se, a partir de 1933, os *comic-books*, ou álbuns de histórias em quadrinhos, e a introdução subseqüente de todo um panteão

Anúncio de cinema de 1922. O influxo de filmes estrangeiros trazia novos padrões de comportamento, de beleza e também de design.

de personagens, como 'Super-homem', 'Mandrake', o 'Fantasma', 'Brucutu', 'Ferdinando' e 'Tintin' (COUPERIE et alii, 1967: 57-79; ver tb. MOLITERNI, 1989). A importância do quadrinho para o design não está apenas no seu sucesso como fenômeno de comunicação visual, mas também nas transformações que efetuou em termos de linguagem gráfica. Elementos básicos do repertório semiótico moderno – como os balões para expressar fala e pensamento, as linhas de força para expressar movimento e toda uma série de signos tipográficos para expressar ações e sons – devem a sua codificação à penetração do quadrinho no imaginário moderno.

Diante das mudanças nos meios de comunicação impostas por novas mídias como rádio e cinema, a imprensa e a indústria gráfica passaram a dar uma atenção redobrada à configuração visual dos impressos. No Brasil, como em todo o mundo, o período entre as décadas de 1920 e 1940 testemunhou uma enorme multiplicação da inter-relação de texto e imagem em jornais, revistas, livros e cartazes. Seguindo-se à expansão da oferta de revistas ilustradas referida no capítulo anterior, a década de 1930 marca um momento de reformulação do mercado editorial brasileiro, protagonizado pela ascensão de importantes empresas, como a Companhia Editora Nacional, de Monteiro Lobato, em São Paulo, a Livraria José Olympio Editora, no Rio de Janeiro, e a Livraria do Globo, em Porto Alegre (ver HALLEWELL, 1982: 235-266, 316-322, 333-397). Com o advento dessas e outras casas, o projeto do livro ingressa em uma nova fase no Brasil e ganham destaque ilustradores e capistas, como Belmonte, Edgar Koetz, João Fahrion e, acima de qualquer outro pela qualidade e quantidade das suas produções, Tomás Santa Rosa, o mais importante nome dessa fase (ver BARSANTE, 1993: 115-129; CUNHA LIMA & FERREIRA, 1998; CARDOSO, 2005: 197-232). Juntando um traço distintivo a uma diagramação e paginação cuidadosas, os cerca de 220 livros projetados por Santa Rosa para a José Olympio entre 1934 e 1954 constituem um marco fundamental do design gráfico brasileiro.

Capas e miolo de livros projetados por Santa Rosa em 1935 (ao lado) e 1938 (páginas seguintes). A solução de diagramação aqui demonstrada, de inserir uma pequena ilustração em preto e branco em uma grande área de cor lisa, enfatizando a tipografia, foi muito utilizada nos projetos realizados para a Editora José Olympio na década de 1930.

BENJAMIM SILVA

Pesa em tudo a tristeza de um deserto:
O jardim, que já foi um céo aberto,
Parece mais um cemiterio agora!

BENJAMIM SILVA

ESCADA DA VIDA

PREFACIO DE
ATTILIO VIVACQUA

RIO DE JANEIRO
1938

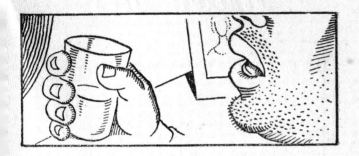

PAU DAGUA

Vou virar o meu copo de cachaça,
Para ver minha amada lá no fundo...
Nunca troquei o copo pela taça,
Porque sou bohemio, poeta e vagabundo.

Para mim, nesta vida, tudo é graça.
E' raso, para mim, o mar profundo!
Levo tudo na troça e na chalaça,
Não tenho medo de almas do outro mundo.

Cartazes de Ary Fagundes datando do final da década de 1930 e do início da de 1940. Essa geração de profissionais do design gráfico foi praticamente relegada ao esquecimento com a importação dos modelos construtivista e ulmiano em décadas seguintes.

Paralelamente a esses esforços na área editorial, o design de cartazes também experimentou um novo florescimento entre as décadas de 1930 e 1940 através dos esforços de cartazistas como Geraldo Orthof e Ary Fagundes, este último formado arquiteto pela Escola Nacional de Belas Artes, mas ativo principalmente na produção de cartazes. As obras de Fagundes refletem bem as tendências modernas da época, sem se encaixarem abertamente no paradigma modernista. Nesse sentido, o seu trabalho remete aos esforços de alguns dos grandes nomes contemporâneos do design de cartazes internacional, como A.M. Cassandre, E. McKnight Kauffer e Jean Carlu (ver MEGGS, 1992: 262-269). Nascido na Áustria, Orthof imigrou para o Brasil em 1926, iniciando suas atividades gráficas como diagramador da revista *O Cruzeiro* e tornando-se, na década de 1930, um dos pioneiros de anúncios em bondes no Rio de Janeiro e em São Paulo. O incipiente mercado de propaganda revelou ainda talentos, como Henrique Mirgalowsky (Mirga) e Fulvio Pennacchi, ambos ativos na criação de cartazes e anúncios, ou 'reclames' como eram conhecidos. A extensa produção destes e de outros autores é assunto merecedor de pesquisas aprofundadas (ver ZIMMERMANN, 2005: 92-101; CARDOSO, 2006: 9-13; RUBINSTEIN, 2007: 64-74).

A expansão de mídias, como as revistas ilustradas e o cinema, contribuiu para o surgimento de outra importante área de atuação para os designers: a indústria de alta costura e de moda. Conforme mencionado no capítulo anterior,

Últimos figurinos parisienses

Estampa de 1919 mostrando as tendências do momento. O *fashion plate* sobreviveu em muito ao século 19, preparando o terreno para a fotografia de moda no século 20.

o fenômeno de modas de vestuário existe há muitos séculos e esteve associado, pelo menos desde o século 18, a um comércio ativo voltado para a mudança cíclica de vogas e gostos. Durante todo o século 19 os modismos de vestuário se propagaram, atingindo novas camadas da população, principalmente através da circulação crescente de revistas de moda e estampas (*fashion plates*), retratando as últimas tendências parisienses. Desde essa época, portanto, a influência da moda esteve ligada diretamente às possibilidades de sua divulgação rápida e eficiente pela imprensa. Até a Primeira Guerra Mundial, contudo, a fabricação de roupas da moda permaneceu mais ou menos restrita a uma produção artesanal ou semi-artesanal, na forma de alfaiatarias ou boutiques de modistas. É no período entre as duas guerras mundiais que começa a tomar forma a alta costura e a indústria do prêt-à-porter tais quais as conhecemos hoje, e a despontarem nomes, como Paul Poiret e Coco Chanel, cuja enorme influência sobre os padrões de bom ou

Datando da década de 1940, o cartaz de Mirga revela a influência de Hollywood, conjugada com uma inteligência gráfica fora do comum no delicado jogo de interpenetração entre a impressão colorida e a área em branco.

mau gosto da sua época estabeleceram um paradigma a ser seguido por toda uma longa linhagem de *fashion designers*. Em paralelo ao desenvolvimento da alta costura, a indústria de moda passou a exercer um fascínio quase global e a alcançar praticamente todas as parcelas da população, pelo menos nas sociedades ocidentais (ver BREWARD, 1995: 147-157, 184-195). O desenvolvimento posterior desse ramo do design e da indústria é um assunto específico demais para ser abrangido pelas páginas do presente livro. Basta assinalar a sua extrema importância na definição de noções de atualidade e de modernidade, já que, junto com a evolução tecnológica, a moda talvez seja o elemento mais influente na imposição de um ritmo para as mudanças visíveis das formas e dos hábitos culturais.

No Brasil, o interesse por assuntos de moda já era intenso no início do século 20. É o que demonstra o surgimento de colunas e suplementos dedicados ao tema em jornais de grande circulação nas primeiras décadas do século. Em crônica publicada em 1923, o escritor Álvaro Moreyra já anunciava o fascínio dos novos tempos modernos: "Caiam bênçãos sobre a moda. Feita de beleza ou feita de extravagância, ela torna pitorescos os espetáculos terrestres. Empresária de surpresas, por ela a monotonia dos enredos mortais deixou de aborrecer..." (MOREYRA, 1991: 20).

O avião e o automóvel serviram como símbolos especialmente poderosos daquilo que era crescentemente percebido como a modernidade da época. O culto à velocidade não era privilégio apenas de alguns pintores futuristas, mas era compartilhado por uma gama enorme de apreciadores, o que se reflete tanto na popularidade do automobilismo como prática esportiva quanto em títulos de revistas, como *Fon-Fon* (Rio, 1907) e *Klaxon* (São Paulo, 1922), ambos os quais remetem à buzina do carro. No design, a admiração pela velocidade como elemento estético deu origem a um modismo bastante peculiar durante a década de 1930. Inspirados nas formas aerodinâmicas aplicadas a trens, automóveis e principalmente aviões (foram fabricados nessa época os primeiros aviões de passageiro inteiramente de metal, como o DC-3 da Douglas), um grande número de objetos industrializados passou a sofrer um arredondamento e/ou alongamento assimétrico das formas, às vezes com a aplicação superficial de nervuras estruturadas na horizontal, remetendo claramente às linhas de força das histórias em quadrinhos. Essa tendência, que ficou conhecida como *streamlining* – em referência à palavra inglesa *streamline*, que denota a linha de fluxo de uma corrente de ar –

Rádio de baquelita da marca Philco, produzido no Brasil e datando provavelmente da década de 1930. As formas arredondadas e a falta de arestas remetem ao *streamlining*, do ponto de vista estilístico, mas atendem também a requisitos técnicos da moldagem desse tipo de plástico.

marcou de forma extraordinária a configuração de muitos produtos, inclusive alguns que dificilmente teriam necessidade de qualidades aerodinâmicas, como canetas ou rádios. O *streamlining* tem sido muito criticado por comentaristas posteriores — principalmente aqueles ligados ao Funcionalismo — como um tratamento meramente cosmético que nada acrescenta em termos construtivos ou funcionais. Sem dúvida, o motivo principal da aplicação indiscriminada do *streamlining* foi o seu poder de evocar noções de velocidade, dinamismo, eficiência e modernidade. Trata-se, porém, de uma moda gerada a partir de critérios produtivos concretos (na área do design de naves e veículos) e existem, além do mais, pelo menos duas questões importantes que os críticos funcionalistas ignoraram. Primeiramente, é preciso lembrar que a capacidade de evocar idéias também faz parte de qualquer proposta de design; ou seja, as funções de um objeto não podem ser reduzidas apenas ao seu funcionamento. Em segundo lugar, a aplicação a objetos estáticos das formas associadas ao *streamlining* possui também justificativas de ordem técnica. A eliminação de arestas e formas angulares é extremamente adequada, por exemplo, à moldagem de plásticos característicos da época, como a baquelita e a melamina que, por serem termorrígidos, são quebradiços e de delicada extração do molde. De modo análogo, as formas arredondadas utilizadas em 1935 pelo designer Raymond Loewy no célebre projeto da geladeira *Coldspot* reduziram o gasto de materiais e baratearam consideravelmente o custo de produção do aparelho, fazendo o uso mais eficiente possível das tecnologias então disponíveis para a prensagem de chapas metálicas. Além do mais, tanto para plásticos quanto para chapas de metal, a aplicação de nervuras laterais funcionava ainda como um elemento de reforço estrutural (HESKETT, 1980: 148-149; DINOTO, 1984: 32-33). Portanto, o *streamlining* era usado na indústria da época também para reduzir custos e fabricar um produto mais durável, e não apenas por considerações estéticas ou de moda.

 O termo *styling*, ou estilização, tem sido aplicado de maneira sistemática e quase sempre pejorativa aos trabalhos de uma série de designers americanos que se notabilizaram nas décadas de 1930 e 1940, dentre os quais cabe destacar não apenas Loewy, como também Harold Van Doren, Henry Dreyfuss, Norman Bel Geddes e Walter Dorwin Teague. Acusados de praticar um tipo de design que consiste em dar a qualquer objeto um tratamento superficial de reformulação estética — ou seja, de reduzir o design a uma questão de projetar novas embalagens para velhos produtos — o seu trabalho tem sido constantemente menosprezado nos relatos

Geladeira Coldspot, projetada por Raymond Loewy para a Sears em 1934. Esse projeto é, sem dúvida, um dos grandes triunfos do design do século 20, tanto pelo seu enorme êxito comercial quanto pela sua elegância em conciliar exigências técnicas com expectativas estéticas.

escritos a partir de uma perspectiva modernista, quase na proporção exatamente inversa em que têm sido supervalorizados os esforços das vanguardas européias. Sem pretender exercer o tipo de revisionismo histórico que consiste simplesmente em inverter os juízos do passado, cabe reavaliar essa questão. No caso de Raymond Loewy, por exemplo, é obviamente infundada e reducionista a acusação freqüentemente repetida de ser um mau designer ou um 'mero homem de marketing'. Loewy, nascido na França e radicado nos Estados Unidos a partir de 1919, foi certamente o designer que, em toda a breve história do campo, conseguiu atingir o maior grau de fama e sucesso profissional, tanto pelo seu extenso trabalho em diversas áreas do design quanto pelo seu talento especial na autopromoção, bem como na promoção dos interesses dos seus clientes. Dentre muitas outras afirmações capciosas, ele ganhou notoriedade na Europa ao escrever que a estética no design consistia de "uma linda curva de vendas em ascensão" (apud WHITELEY, 1993: 14). Trabalhando em projetos de todos os tipos, desde logotipos, embalagens e identidades visuais até eletrodomésticos, automóveis e aviões, Loewy e sua equipe foram responsáveis pela criação de uma gama enorme de clássicos do design do século 20, incluindo o maço de cigarros *Lucky Strike*, a reformulação da identidade visual da *Coca-Cola* e o design do ambiente interno da nave espacial *Skylab* para a NASA. No final da década de 1940, Loewy já era tão famoso que foi capa da revista *Time* e talvez seja esse seu status insólito de designer/estrela que o tenha exposto à má vontade posterior (ver LOEWY, 1979; WOODHAM, 1997: 66-69). Loewy e seus contemporâneos americanos foram responsáveis por importantes inovações na prática profissional do design como, por exemplo, a inauguração dos primeiros grandes escritórios de consultoria na área, alguns de alcance internacional, ou, ainda, a introdução de maior preocupação com o mercado como fator na elaboração de projetos.

Embora seja fácil criticar esses designers por sua preocupação quase obsessiva com a questão de vendas, o indiscutível êxito comercial do seu trabalho precisa ser entendido em termos de transformações mais profundas na paisagem econômica e produtiva mundial. A Primeira Guerra Mundial trouxe benefícios enormes para os Estados Unidos, levando a uma duplicação da sua produção industrial, ao mesmo tempo em que arrasou as economias de nações concorrentes, como a Alemanha, e essa tremenda expansão da capacidade produtiva americana foi direcionada após 1918 para a fabricação de bens de consumo. Os altos salários recebidos por operários sob o sistema fordista incipiente eram reinvestidos na compra de bens duráveis, como automóveis e eletrodomésticos, os quais começavam a se tornar acessíveis pela primeira vez para uma parcela maior da população. Nesse contexto de abundância, o design se torna um fator de escolha entre diferentes possibilidades de compra. Em 1927, por exemplo, no auge da prosperidade, tanto a General Motors quanto a Ford introduziram opções de estilos e de cores nos automóveis que produziam, contrariando a notória política de 'qualquer cor contanto que seja preto'.
O grande nome do design de automóveis desse período foi Harley Earl, que vinha da construção de carroçarias sob medida para estrelas de Hollywood. Earl foi contratado pela GM em 1926 e projetou um novo modelo de Cadillac, o La Salle, que era um elegante conversível vendido a US$2.500, muito mais caro do que um Modelo T da Ford, mas seis vezes menos do que um carro esporte equivalente

produzido por padrões europeus. O imenso sucesso de vendas do La Salle levou a GM a efetivar Earl em 1927 como chefe do seu novo departamento de 'Arte e Cor', função que ele continuaria a exercer até 1958. Nascia a era da fantasia irrestrita no design de automóveis, em que o carro seria elevado ao patamar simbólico mais alto do 'sonho americano' (GARTMAN, 1994: 77-99). Como Loewy e outros designers americanos dessa época, Earl encarava com naturalidade a idéia de que uma das tarefas do design era de aumentar as vendas do produto, principalmente através de mudanças estratégicas da sua aparência.

O primeiro boom do consumismo americano se esgotou com a quebra da bolsa de Nova York em 1929 e o período subseqüente de depressão econômica. Com o consumidor apertado e as vendas difíceis, algumas empresas passaram a recorrer com mais insistência ainda do que antes para uma combinação estratégica de publicidade e design. Foi no período crítico da Grande Depressão mundial de 1929-1935 que ganhou projeção o conceito do *styling* como forma de agregar valor estético ao produto e ajudar assim a estimular o consumidor a comprar novos artigos para substituir outros similares ainda servíveis, mas já fora de moda. Com o auxílio poderoso de meios de comunicação como o cinema e o rádio, a indústria americana passou rapidamente a dar ênfase ao estilo e à moda como fatores de identificação de produtos das mais variadas espécies. Acompanhando as tendências formais do *Art Déco*, o *streamlining* passou a ser aplicado na década de 1930 com uma prodigalidade exagerada, marcando todas as produções da época com um estilo inconfundível. O meio empresarial percebeu rapidamente a dupla vantagem de reforçar e acelerar os ciclos de moda já existentes: um produto não somente se tornava mais atraente por estar na moda, como também fazia-se indispensável a sua substituição, assim que saísse de moda. O estilo virava assim um propulsor sistemático de novas vendas e a idéia da obsolescência estilística – ou seja, de que um artigo se tornasse obsoleto em termos estéticos muito antes de se desgastar pelo seu funcionamento – começava a tomar forma como estratégia mercadológica consciente, pressionando o consumidor a comprar novos produtos com maior freqüência (WHITELEY, 1993: 13-14). Nesse contexto, os designers se viam encarregados cada vez mais de introduzir mudanças de natureza principalmente cosmética, prática que atingiu o seu ápice na indústria automobilística americana entre as décadas de 1930 e 1960. Nesse período, o automóvel passou a ser visto nos Estados Unidos como um acessório de moda, e uma parcela significativa da população passou a trocar de carro anualmente para acompanhar as tendências da nova temporada.

A questão da estilização possui ramificações bastante complexas (ver DORMER, 1993: 55-89). Felizmente, é defendida por poucos a idéia de nortear o design exclusivamente pelo mercado mas, do ponto de vista atual, fica igualmente difícil pregar a suposta pureza de um design que se mantenha alheio às exigências mercadológicas. Bem ou mal, o mercado prepondera na consciência dos designers de hoje como um fator a ser levado sempre em consideração. Além do mais, os mesmos críticos que emitem juízos condenando o *styling* de produtos como prática pouco ética freqüentemente louvam os esforços de designers responsáveis pela criação de nova identidade visual para uma empresa ou organização. Será que existe tanta diferença assim? Afinal, a estilização de um produto também visa uma transformação de identidade, ou seja, a conquista de uma nova imagem para algo que já existe. Do ponto de vista histórico, a sociedade moderna parece ser regida pelos ciclos da moda e pela busca de um estilo; e a preocupação com as aparências como expressão da identidade é inegavelmente um fator cultural de primeira importância nos dias de hoje. O que destaca o indivíduo da massa? O que distingue um povo de outro? O que separa as atitudes da geração atual daquelas da geração anterior? São todas perguntas que dificilmente podem ser respondidas sem falar em estilo, em como as atitudes e as identidades tomam forma visível e aparente. A necessidade de projetar uma imagem parece ser uma questão inseparável do regime comunicacional moderno, pautado como está sobre o sentido de alienação do indivíduo pela consciência das grandes distâncias espaciais, temporais e morais. Se aquilo que é inseparável deve também ser entendido como insuperável, e simplesmente abraçado como um aspecto da nossa humanidade permanece como um dos grandes temas de discussão na era pós-moderna.

Design, propaganda e guerra

Não é à toa que nas conturbadas décadas de 1920 e 1930 tenha vindo à tona com redobrado vigor a questão da expressão de uma identidade através do design. Datam dessa época alguns dos primeiros grandes projetos de identidade corporativa, ou seja, de todo um sistema de comunicação visual que dá unidade aos diversos aspectos de uma organização. A função dos sistemas de identidade corporativa é de tornar uma entidade reconhecível e conhecida e, no sentido mais amplo, esses sistemas existem desde muito: emblemas como bandeiras, uniformes, escudos e brasões são utilizados por exércitos e por ordens religiosas há séculos, senão milênios. Na era moderna, a identidade corporativa assumiu um grau bem maior de inserção na vida do cidadão comum, a começar pelos sistemas de identificação nacional e regional que acompanharam a consolidação dos estados nacionais. Alguns dos primeiros projetos de identidade corporativa no sentido que hoje atribuímos ao uso desse termo foram realizados ainda no século 19 para empresas ferroviárias (WOODHAM, 1997: 149). Como entidades pioneiras no esforço de integrar lugares e pessoas, as estradas de ferro e companhias de navegação tiveram de reconhecer, desde cedo, a importância de gerarem códigos de identificação fáceis de distinguir, memorizar e transmitir com rapidez e eficiência. No período entre as duas guerras mundiais, a identidade corporativa começou a assumir novas características e é interessante observar que muitos dos primeiros grandes sistemas deste tipo surgem no setor de serviços públicos ou no próprio âmbito estatal. O projeto de identidade corporativa do metrô de Londres, criado na década de 1930 e em uso até hoje, é citado freqüentemente como um exemplo importante em nível internacional (ver FORTY, 1986: 222-238).

Capas da revista *Sino Azul*, publicada pela Companhia Telefônica Brasileira. O padrão gráfico da revista supera em muito a média das publicações institucionais de hoje.

Entre nós, um dos casos mais interessantes é o da Companhia Telefônica Brasileira, a qual gerou todo um sistema de identidade em torno da sigla CTB e do logotipo da empresa, a representação convencional de um sino dentro de um círculo (geralmente em cor azul). A revista *Sino Azul*, uma das primeiras revistas institucionais do País, começou a circular ainda em 1927 com o título *O Telephone* e a partir de 1928 com o seu nome definitivo. Outras empresas de serviço público logo seguiram o exemplo, como no caso da revista *Light* que também passou a circular no Rio de Janeiro no ano de 1928. Assim, a identidade corporativa começou a se fazer presente no momento em que muitos serviços antes privados passavam a ser unificados sob a égide do Estado.

O período entre as duas guerras mundiais foi marcado por grandes embates ideológicos, ligados de uma forma ou outra à consolidação do poder estatal. O êxito da revolução de 1917 na Rússia e a criação subseqüente da União Soviética polarizaram os conflitos de classe social em muitos países do mundo, servindo como modelo e inspiração para movimentos trabalhistas e como ameaça concreta para as classes dominantes. Com o quase colapso do sistema financeiro internacional em 1929 e o panorama econômico desesperador dos anos seguintes, o sistema capitalista industrial parecia ter atingido, nas palavras proféticas de Marx, os limites de suas contradições. A década de 1930 foi um período de fervilhamento dos partidos de esquerda não somente na Europa, mas também em grande parte do mundo, inclusive no Brasil e até mesmo nos Estados Unidos, onde o modelo consumista parecia ter fracassado. Como resposta aos problemas do desemprego e da ausência generalizada de poder de compra, os governos de vários países foram assumindo políticas de empreendimento de obras públicas e de auxílio popular direto através de programas trabalhistas e de seguridade social. A partir do modelo dos planos qüinqüenais na União Soviética, em que toda a população se arregimentava em grandes esforços para promover a prosperidade coletiva, foi ganhando força a idéia de combater as dificuldades econômicas através da intervenção direta do Estado como empregador e tendo a infra-estrutura nacional como objeto de trabalho. Esse modelo foi copiado em boa parte do mundo, quase que independentemente de inclinações ideológicas. Da Alemanha hitlerista aos Estados Unidos sob Roosevelt, e passando evidentemente pelo Brasil da era Vargas, o panorama político era dominado, na década de 1930, por grandes líderes populistas, que não hesitaram em elevar o Estado ao papel de principal agente econômico, social e cultural. No limiar da Segunda Guerra Mundial, os grandes embates ideológicos da época haviam sido essencialmente encampados pelo Estado, assumindo por conseguinte uma feição nacionalista que colocava projeto estatal contra projeto estatal e que condicionava a continuada recuperação econômica de cada um à destruição do modelo político alheio.

Tal conjuntura apresentou uma série de oportunidades, e também desafios, para o campo do design. Em um clima de conflitos ideológicos intensos, de grandes

A imagem de Getúlio Vargas era continuamente exaltada na propaganda política do Estado Novo, como nessa publicação dirigida para as crianças.

Cartaz do Departamento de Imprensa e Propaganda glorifica a presença brasileira na Segunda Guerra Mundial.

obras públicas e de culto à personalidade de líderes fortes, a propaganda política se configurou como uma das áreas mais importantes para a atuação do designer (ver CLARK, 1997). O período que compreende as duas guerras mundiais foi prolífico na produção de cartazes políticos e propagandísticos, gerando projetos verdadeiramente antológicos do gênero, como, por exemplo, as diversas obras dos construtivistas russos para o estado soviético ou, então, o Tio Sam de dedo em riste recrutando soldados americanos para a Primeira Guerra, que se baseava em um similar britânico de 1914 (HOLLIS, 1994: 33, 44-51). Nem toda peça de propaganda precisava ser tão explícita assim; o desdobramento do aparato estatal em obras e serviços públicos e em órgãos de informação (como o Departamento de Imprensa e Propaganda, ou D.I.P., sob Getúlio Vargas) abriu toda uma frente de trabalho inédita não somente para designers, como também para jornalistas, educadores, assistentes sociais e outros profissionais envolvidos na transmissão para o grande público dessas iniciativas oficiais. Criado em 1939, o D.I.P. realizou, sob a chefia de Lourival Fontes, um trabalho intenso não somente de propaganda, como também de censura. Sua atuação foi determinante para a manutenção da ordem durante a ditadura do Estado Novo. Em alguns países do mundo, o design começou a se transformar nessa época em um instrumento de planejamento estatal propriamente dito. Em 1942 foi contratado pelo governo dos Estados Unidos o designer e inventor americano Richard Buckminster Fuller, com o propósito de colocar em produção o seu protótipo de casa experimental pré-fabricada batizada de *Dymaxion* (ver MELLER, 1972: 33; PULOS, 1988: 36). Cinco anos depois, Fuller iria inventar a cúpula geodésica, talvez a solução construtiva mais original desde o arcobotante. Ao longo das décadas seguintes, Fuller foi deixando para trás sua estreita colaboração com o governo americano e seus interesses geopolíticos, e passou a conceber o trabalho de design de maneira ainda mais abrangente. No melhor estilo visionário maluco, Buckminster Fuller soube projetar o seu trabalho para além das limitações normalmente impostas ao design como campo profissional, demonstrando que não somente a sociedade mas o próprio planeta – que ele chamava de 'Espaçonave Terra' – poderiam ser pensados como projetos de design.

Em todo o mundo, encontram-se nessa época exemplos de arquitetos, artistas e designers envolvidos diretamente em grandes obras públicas ou a serviço de partidos e governantes específicos, com resultados geralmente desalentadores em termos do seu legado histórico. No Brasil, o exemplo mais contundente de uma colaboração dessa natureza está na construção, entre 1936 e 1945, do edifício do Ministério da Educação e Saúde, no Rio de Janeiro, marco fundamental do Modernismo brasileiro e símbolo maior da política educacional e cultural da era Vargas. Independentemente do significado arquitetônico desse empreendimento,

Durante muitos anos, a camisa da seleção brasileira ostentou a marca do Café do Brasil, refletindo a identificação do setor estatal com a representação da nacionalidade. Hoje, com a presença de grandes patrocinadores do setor privado, a linha divisória entre propaganda política e propaganda comercial fica ainda mais confusa.

não há como negar o fato incômodo de que, mesmo após o golpe de estado de
1937 e a decretação do Estado Novo, o consenso da elite cultural permaneceu
favorável ao projeto político getulista. Aparentemente, no contexto da época,
até a liberdade individual e a legalidade podiam ser vistas como questões de ordem
secundária diante de outras considerações prementes. A curiosa confluência
entre projetos políticos e projetos artísticos nessa época, e as incríveis contradições
geradas, reforçam o apelido de 'era dos extremos', escolhido pelo historiador
Eric Hobsbawm para designar o século 20 (HOBSBAWM, 1994: 178-198). Para o design
permanece a lição de como tudo que se projeta também reflete um projeto de
sociedade e de como é importante, portanto, manter sempre uma consciência
clara do tipo de sociedade que se deseja projetar.

A importância da propaganda política se estendeu para bem além de 1945,
é claro, em decorrência da perpetuação das rivalidades ideológicas entre os Estados
Unidos e a União Soviética na chamada Guerra Fria. É notável a maneira em que,
durante todo esse intenso período de guerras, o próprio nacionalismo conseguiu
resistir como um valor fundamental da ordem social e política mundial. Embora
muitos apontassem o sistema de nacionalismo econômico que se cristalizou no
final do século 19 – durante o período áureo do imperialismo europeu – como uma
das principais causas da Primeira Guerra, pouco ou nada se fez para desmontá-lo
após 1918. A verdade é que o nacionalismo econômico saiu não somente incólume,
mas também triunfante das duas guerras mundiais. Se antes de 1945 já era difícil
separar o que era bom para os Estados Unidos do que era bom para a GM, então
essa comunhão de interesses estratégicos só fez aumentar de grau com a Segunda
Guerra Mundial, atingindo nas décadas subseqüentes a promiscuidade total.
A identificação sempre crescente entre governos nacionais e grandes empresas acabou
por gerar um clima em que os limites entre a propaganda política e a propaganda
comercial ficaram extremamente tênues, conforme será visto no próximo capítulo.
No entanto, a expansão dessas mesmas grandes empresas no período pós-Guerra
para uma esfera de atuação multinacional acabou gerando um contraponto
determinante ao velho nacionalismo econômico, nos moldes de uma nova visão
global das grandes questões comerciais e industriais.

Os países vencedores de modo geral, e os Estados Unidos em particular,
conseguiram tirar das duas guerras enormes proveitos econômicos, incluindo um
aumento fantástico de produtividade para as indústrias envolvidas diretamente no
fornecimento de materiais bélicos e o aniqüilamento parcial ou total dos seus

principais concorrentes estrangeiros. Entre 1945 e 1947, o grande projeto industrial do Terceiro Reich — o fusca de Ferdinand Porsche e a fábrica Volkswagen que o produzia — foi oferecido em pelo menos duas ocasiões para o governo britânico e depois para o governo australiano. Nas três vezes, foi recusado por não possuir potencial comercial, o que dá uma idéia da devastação em que se encontrava a Alemanha, e também da falta de visão de alguns especialistas (ver NELSON, 1965: 101–105). Além do crescimento industrial, as guerras também propiciaram avanços espetaculares em termos de pesquisa e desenvolvimento tecnológico, o que iria gerar benefícios concretos para o período subseqüente de relativa paz. Um fenômeno importante, nesse sentido, envolveu a crescente atenção atribuída ao estudo dos chamados 'fatores humanos' como aspectos condicionantes do processo de design. Diante da necessidade de padronizar equipamentos, as forças armadas passaram a dedicar cada vez mais atenção ao estudo de medidas antropométricas. Foi a partir de dados militares que o designer americano Henry Dreyfuss desenvolveu seu extenso trabalho sobre relações entre usuários e equipamentos, culminando na aplicação de suas pesquisas ao novo campo da ergonomia, termo popularizado na década de 1950. Os livros *Designing for people* (1955) e *The measure of man* (1960), ambos de autoria de Dreyfuss, tornaram-se marcos fundamentais dos estudos de ergonomia e das interações humano-máquina. O final da Segunda Guerra também marca o começo do fim dos grandes impérios europeus e a reorganização política, econômica e industrial do mundo em novas bases multinacionais. O design teria um papel cada vez mais influente a exercer nesse admirável mundo novo, mas enfrentaria também novos dilemas éticos e ideológicos, ainda mais complexos.

CAPÍTULO 6

O design em um mundo multinacional, 1945-1989

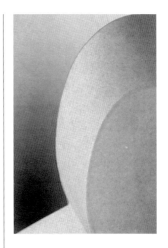

Indústria e sociedade no pós-Guerra

O designer e
o mundo das empresas

A tradição modernista
e o ensino do design

O design na era do marketing

Design na periferia

Indústria e sociedade no pós-guerra

A Segunda Guerra Mundial foi decisiva para o desenvolvimento mundial do design, não tanto pelo que ocorreu nos campos de batalha quanto pela evolução tecnológica e produtiva que ajudou a definir o conflito armado. Os anos da guerra foram um período de notáveis avanços tecnológicos, desde conquistas notórias, como o radar e a bomba de hidrogênio até progressos menos conhecidos mas igualmente impressionantes na produção de motores, plásticos, equipamentos eletrônicos e outros componentes que serviriam de base para a expansão industrial fenomenal das décadas seguintes. Como principais fornecedores de quase todos os tipos de equipamentos e insumos consumidos em boa parte do mundo durante o período mais crítico da guerra, os Estados Unidos lograram um crescimento considerável do seu parque industrial. Guardadas as devidas proporções históricas, talvez fosse justo comparar os benefícios econômicos obtidos pela indústria americana nesse período aos enormes ganhos para a Grã-Bretanha advindos do seu quase monopólio do comércio marítimo internacional durante o período do bloqueio napoleônico. Além do predomínio temporário em mercados normalmente concorrentes para indústrias como vestuário e alimentos, as exigências do esforço bélico aumentaram de forma espetacular a taxa de demanda para aquelas indústrias envolvidas diretamente na produção de equipamentos militares, como aviões, tanques e outros armamentos. Durante o período da Segunda Guerra, grandes empresas americanas ligadas à produção de tais equipamentos – dentre as quais, Boeing, General Electric, General Dynamics, General Motors, IBM, IT&T, Lockheed, McDonnell-Douglas – se viram levadas a expandir o alcance e a intensidade das suas operações de forma impensável em tempos de paz.

Os Estados Unidos não foram, evidentemente, o único país a se beneficiar com a economia de guerra. Outros países exportadores de insumos agrícolas, como Argentina e Brasil, também se viram exigidos a contribuir para a manutenção do esforço de guerra. A Europa, sem condições de suprir a demanda da sua própria população, detinha nessa época ainda menos possibilidades de exportar produtos manufaturados para seus clientes tradicionais. No Brasil, essa situação surtiu uma necessidade premente de substituir artigos normalmente importados da Europa ou dos Estados Unidos, o que contribuiu de modo decisivo para a expansão do parque industrial nacional; não resta dúvida de que as bases do surto industrial das décadas posteriores foram estabelecidas durante e logo após o período da Segunda Guerra. Essas exigências concretas da época vieram ao encontro da política nacionalista

O desenvolvimento como valor econômico não levou necessariamente a avanços na posição social das mulheres, conforme indica esse anúncio da Swift, datando de 1949.

e desenvolvimentista promovida pelo governo Vargas. Após a decretação do Estado Novo e a eclosão da guerra na Europa, Getúlio anunciou em 1940 um plano qüinqüenal para a expansão dos sistemas ferroviário, hidroelétrico e industrial. A Companhia do Vale do Rio Doce foi criada em 1942 para explorar as riquezas minerais do País, resultando em um aumento considerável da extração de minério de ferro nos anos seguintes. A criação da Companhia Siderúrgica Nacional foi decretada em 1941 e a usina de Volta Redonda começou de fato a produzir aço cinco anos depois. A terceira grande iniciativa estatal – a organização da indústria petrolífera nacional – só veio a ser realizada no segundo governo Vargas, através da campanha 'o petróleo é nosso' do início da década de 1950 e a criação da Petrobrás em 1953.

A mesma necessidade de suprir a falta de produtos europeus foi enfrentada por países do mundo inteiro, enfraquecendo ainda mais a tradicional hegemonia dos impérios europeus, cujo desmantelamento se daria ao longo das décadas seguintes. O ímpeto multinacional dessa expansão foi tão intenso no período do pós-Guerra que conseguiu abranger até os países derrotados em 1945. A ascensão do Japão como uma das maiores potências econômicas do mundo figura como um dos fenômenos de maior impacto global do último meio século, trazendo no seu bojo a afirmação de uma fortíssima cultura de design que atingiu projeção internacional a partir da década de 1960, através do trabalho de designers, como Yusaku Kamekura ou Kenji Ekuan e sua firma GK Design (WOODHAM, 1997: 174-175; CENTRO CULTURAL BANCO DO BRASIL, 1998: 24-27).

Além de propiciar o crescimento industrial em países até então periféricos, as exigências produtivas do período de guerra acarretaram conseqüências importantes para a configuração do mercado consumidor interno nos Estados Unidos e na Europa. Contrariando as tendências do longo período de desemprego que prevaleceu durante a década anterior, na década de 1940 as mulheres foram estimuladas a trabalhar em fábricas para suprir a falta de operários masculinos que se dedicavam às atividades soldadescas. Vários governos empreenderam nesses anos campanhas propagandísticas enaltecendo o trabalho feminino e a sua importância para o esforço guerreiro, gerando imagens de mulheres fortes e independentes, que tiveram que ser minadas sistematicamente após o término da guerra quando os mesmos governos desejavam que as mulheres voltassem para os seus afazeres domésticos, deixando mais empregos para os homens. A construção da imagem da mulher imbecilizada na década de 1950, não somente através de mídias como cinema e televisão, mas também através do design de artigos voltados especificamente para um consumo feminino muitas vezes frívolo, é um assunto de grande importância no estudo da história do design (ver LUPTON, 1993; SPARKE,

O design em um mundo multinacional, 1945-1989

1995; DE GRAZIA & FURLOUGH, 1996). Por exemplo, a continuada expansão do mercado de eletrodomésticos no período do pós-Guerra dependeu, pelo menos em parte, de um esforço consciente da parte da indústria de criar uma identificação entre os seus produtos e o público consumidor feminino, o que foi realizado através de campanhas estratégicas que incluiram o lançamento de veículos promocionais, tais quais livros de receitas produzidos por grandes empresas, como a Arno ou a Walita. Nesse sentido, pode-se dizer que uma das funções do eletrodoméstico no século 20 tem sido de dar trabalho às mulheres e não somente, como se costuma pensar, de poupar-lhes esforço. O ressurgimento da alta costura e da moda no pós-Guerra não pode ser de todo dissociado desse anseio maior por novo período de paz e prosperidade. Na década de 1950, nomes como Dior e Balenciaga contribuíram para a reconstrução da sociedade européia e, principalmente, para o resgate de uma auto-estima abalada por anos de privação e austeridade. Juntamente com a já poderosa influência do cinema de

Este anúncio promete fazer todo o trabalho em menos tempo e sem esforço, o que parece bastante improvável. Além de associar o eletrodoméstico com a mulher na própria imagem, o anúncio era veiculado em um livro de receitas publicado pela Arno e dirigido às donas de casa.

Hollywood, a indústria de alta costura começava a ditar padrões de comportamento e sinalizar novos valores ligados ao consumo. Nessa mesma época, no Brasil, 'modistas' pioneiras, como Mena Fiala, da Casa Canadá, ocuparam-se de traduzir as novidades internacionais para os padrões da sociedade elegante local (SEIXAS, 2000).

Com o final da Segunda Guerra, tornou-se prioritária a tarefa de redirecionar a produção industrial. Em 1945, nos Estados Unidos, diversas indústrias haviam ampliado a sua capacidade produtiva para níveis muito acima da demanda normal. Como efetuar sem transtornos a transição para um período de paz, e empregar novamente o enorme contingente de soldados retornando da guerra, no exato momento em que a lógica econômica exigiria o fechamento de fábricas e a desaceleração produtiva? Ninguém queria arriscar uma volta às condições traumáticas da Grande Depressão, com o desemprego generalizado e a agitação política concomitante. Parte da solução estava na recuperação daquilo que havia sido destruído na guerra, e o Plano Marshall para a reconstrução européia criou as condições políticas e financeiras que permitiram a execução da grande iniciativa americana de ajuda aos países dizimados, a qual já foi descrita ironicamente como a coca-colanização da Europa. Uma outra parte da solução estava na manutenção pura e simples de um alto volume de produção de equipamentos militares: uma série de atos oficiais do Congresso americano a partir de 1949 autorizou a criação de um programa de assistência militar, que possibilitou a doação e depois a venda subsidiada de materiais bélicos para países aliados (THAYER, 1970: 152-155). A última parte da solução estava no redirecionamento da capacidade produtiva através de ajustes no próprio processo industrial. A mesma fábrica que produzia tanques poderia ser reequipada para produzir automóveis; a fábrica que produzia aviões de guerra, para produzir aviões comerciais; a fábrica que produzia tubos de plástico por extrusão, para produzir bambolês; e assim por diante. A única dúvida dessa última parte da solução estava no fato de que era preciso existir demanda para absorver toda essa produção nova.

No final da década de 1940, diversos bens duráveis produzidos pela indústria americana não estavam longe de atingir o ponto de saturação de mercado; ou seja, a maioria dos lares americanos já possuía um fogão, uma geladeira, um rádio e, em muitos casos, até um automóvel. Para manter as altas taxas de produtividade desejadas, era preciso então estimular os consumidores a trocarem os seus aparelhos antigos por novos. Era preciso que o consumidor consumisse por opção e não apenas por necessidade e, conforme assinalado no capítulo anterior, o conceito da obsolescência estilística foi introduzido como estratégia mercadológica já na década de 1930.

Contudo, não bastava querer comprar; era preciso que o consumidor possuísse o poder de compra, o qual havia sido o grande fator limitador durante a Grande Depressão. A solução encontrada no período pós-Guerra foi a ampliação quase irrestrita do crédito ao consumidor. Entre 1946 e 1958, a soma concedida em crédito de curto prazo nos Estados Unidos aumentou cinco vezes e esse tipo de endividamento se tornou ainda mais simples e corriqueiro com a introdução do cartão de crédito em 1950. Nesse mesmo período, a produção de automóveis cresceu mais de quatro vezes, refletindo o aumento correspondente de consumo (WHITELEY, 1993: 13-17). Com a instauração definitiva do crédito como alavanca para o crescimento econômico, pode-se dizer que os Estados Unidos passaram de um estágio de organização socioeconômica baseada no consumo simples – comum a diversas outras sociedades durante os séculos 19 e 20 – para o estágio inédito de uma sociedade consumista, no qual o consumo se torna força motriz de toda a economia e no qual a abundância e o desperdício se tornam condições essenciais para a manutenção da prosperidade. Pela primeira vez na história da humanidade, parecia realmente possível eliminar em larga escala o problema da escassez, e a euforia resultante deu origem a um período de confiança ilimitada no *American way of life* ('modo americano de vida') que só iria se esgotar definitivamente no início da década de 1970, com os reveses da crise do petróleo, de Watergate e da derrota no Vietnã, além do reconhecimento por órgãos internacionais da existência de um problema ambiental.

Os trinta anos após o final da Segunda Guerra marcam o apogeu do modelo fordista de acúmulo de capital pela expansão contínua do consumismo, o qual gerou conseqüências de suma importância com relação ao papel do design na produção industrial. Em um sistema em que a prosperidade depende de um consumo sempre crescente, a idéia de produtos descartáveis passa não somente a fazer sentido, mas também se torna uma necessidade. Quanto mais se joga fora, mais oportunidade se gera para produzir de novo o mesmo artigo, o que ajuda a manter uma taxa positiva de crescimento. A prática do descarte se tornou tão central à filosofia da indústria americana nessa época que acabou sendo elevada ao plano conceitual: levando a idéia da obsolescência estilística à sua conclusão lógica, muitas indústrias deram início nas décadas de 1950 e 1960 a uma política de obsolescência programada, ou seja, de fabricar produtos projetados para funcionar por um tempo limitado. Embora os avanços tecnológicos permitissem criar produtos que durassem cada vez mais, não era necessariamente do interesse do produtor que isto ocorresse. A meta do sistema era estimular o consumo de reposição, aproveitando uma superabundância de materiais e de capacidade produtiva para manter o crescimento contínuo do todo. Da perspectiva de hoje, de maior consciência ambiental, a obsolescência como filosofia industrial parece não ter nenhuma justificativa. Porém, para entender as razões da sua persistência, mesmo face à crise ecológica, é preciso admitir que esse modelo possui alguns méritos sociológicos, conforme argumentou ainda em 1947 o designer americano J. Gordon Lippincott, no seu livro *Design For Business* (WHITELEY, 1993: 16). O consumismo conseguiu gerar nos Estados Unidos e na Europa ocidental uma espécie de democratização ampla da propriedade privada e do luxo, tradicionalmente restritos a poucos em economias baseadas na escassez e na subsistência. Sob o regime da obsolescência, passa a existir uma escala decrescente de posse em que o artigo ainda funcional descartado pelo primeiro usuário é reaproveitado por um segundo, como no comércio de carros usados. Ao longo do tempo, isso acaba gerando uma situação em que a maioria da população consegue (ou pretende) ter algumas posses e, portanto, passa a se sentir incluída no projeto social coletivo.

Quando se pensa em produtos descartáveis, as primeiras imagens que costumam vir à cabeça são copos de plástico ou lenços de papel; mas a economia da obsolescência atingiu dimensões bem mais preocupantes. Com o aprofundamento da Guerra Fria nos anos 1950, essa lógica ultrapassou o âmbito do consumismo individual e passou a ditar políticas nacionais em escala global. Quando os futuros historiadores forem analisar a segunda metade do século 20, certamente irão destacar o papel preponderante do armamentismo como fator de sustentação econômica. A fabricação de armamentos continua hoje a ser uma das maiores indústrias do mundo e a maior parte dessa produção vem sendo consumida há décadas por governos nacionais, bastando olhar o orçamento anual do Pentágono para se entender o peso da indústria militar na economia americana em particular. A corrida armamentista e espacial entre Estados Unidos e União Soviética dominou o cenário político internacional entre as décadas de 1950 e 1970, suscitando o setor público a investir trilhões em equipamentos descartáveis por definição, pois mesmo que não seja destruído em uso, o avanço tecnológico constante garante que nenhum armamento moderno é feito para durar muito. É difícil imaginar um símbolo mais poderoso do desperdício de recursos naturais do que o lançamento sem volta de um foguete espacial. Considerando-se a importância desse setor para a manutenção da capacidade produtiva sob o sistema fordista, caberá àqueles futuros historiadores determinar se foram os motivos políticos que geraram as decisões econômicas, ou se foi o contrário. Seja isso como for, não resta dúvida de que essa produção descartável em imensa escala conseguiu realizar durante muitas décadas a tarefa aparentemente impossível de sustentar um crescimento quase sem limites.

O designer e o mundo das empresas

Um dos fenômenos mais notáveis do pós-Guerra tem sido o império das grandes empresas multinacionais. A impressionante expansão dessas empresas para além das fronteiras nacionais de suas matrizes decorre de uma política consciente de internacionalização econômica, desenvolvida desde a década de 1940 para coordenar a recuperação e futura operação da economia mundial. O colapso do ouro como padrão monetário no início da década de 1930 desestruturou profundamente os mecanismos de comércio internacional então existentes, aprofundando a depressão econômica mundial e agravando, por conseguinte, as crises políticas que acabaram conduzindo o mundo para a guerra. Com o intuito de reverter a situação extremamente restritiva de controles cambiais e barreiras comerciais decorrente da exacerbação de tensões nacionalistas, os Estados Unidos e a Grã-Bretanha iniciaram em 1941 discussões sobre uma nova estrutura monetária a ser implementada ao término das hostilidades. Em 1944, foi realizada nos Estados Unidos a famosa conferência de Bretton Woods, em que 44 países signatários deram origem ao Fundo Monetário Internacional (FMI) e ao Banco Internacional para Reconstrução e Desenvolvimento (BIRD) ou Banco Mundial como ficou conhecido. O primeiro Acordo Geral sobre Tarifas e Comércio, ou GATT, foi estabelecido em 1947, dando início a um longo processo de renegociação das condições do comércio internacional que acabaria resultando na criação da Organização Mundial de Comércio (OMC), em 1995 (KENWOOD & LOUGHEED, 1983: 208-217, 249-255). As metas principais dessas organizações ao longo dos anos têm sido garantir uma estabilidade monetária adequada para o prosseguimento do comércio internacional e eliminar restrições sobre a livre circulação de mercadorias e de capital. Assim respaldadas por uma estrutura político-jurídica favorável, as grandes empresas mundiais se encontraram idealmente posicionadas para promover a sua expansão para o plano multinacional. O resultado a longo prazo dessa internacionalização econômica sob o patrocínio dos estados nacionais tem sido previsivelmente híbrido. A tensão entre ideologias nacionalistas e internacionalistas, que já se anunciava na primeira metade do século 20, vem suscitando ao longo dos anos situações bastante paradoxais e contradições quase perversas em termos políticos, sociais e culturais, com repercussões significativas para a área do design.

A ascensão e queda do Estilo Internacional fornece um bom exemplo das tensões inerentes à prática do design no mundo multinacional. Desde a década de 1920, diversos designers e arquitetos ligados ao Modernismo europeu vinham buscando soluções formais 'internacionais', ou seja, que substituissem as formas vernáculas (para eles ligadas a um passado arcaico de regionalismos e nacionalismos, de escolas e modas) por formas gerais e supostamente universais, de preferência redutíveis a módulos simples e abstratos que pudessem ser eternamente recompostos de acordo com necessidades funcionais. Essa proposta ganhou notoriedade através de uma exposição de 1927 na qual Gropius, Mies van der Rohe, Le Corbusier, Mart Stam e outros arquitetos/designers mostraram projetos de moradias e de mobiliário construídos a partir de módulos padronizados e com formas pretensamente universais. A chamada exposição de Weissenhof é reconhecida como um dos principais pontos de partida para o que veio a ser o Estilo Internacional, nome usado para descrever as tendências essencialmente funcionalistas que dominaram o design e a arquitetura modernistas entre as décadas de 1930 e 1960. Os proponentes do Estilo Internacional acreditavam que todo objeto podia ser reduzido e simplificado até atingir uma forma ideal e definitiva, a qual seria o reflexo estrutural e construtivo perfeito da sua função. Um exemplo freqüentemente citado para sustentar essa idéia é a garrafa de vinho, na qual a forma básica do objeto constitui uma expressão depurada do seu uso. No entanto, essa proposta de adequação funcional era estendida pelos seus defensores a uma vasta gama de outros objetos, desde móveis até a tipografia (AYNSLEY, 1993: 20-22).

A idéia de um Estilo Internacional foi ganhando força aos poucos durante a conturbada década de 1930, mas só conseguiu repercutir de maneira realmente decisiva após a Segunda Guerra. O Museu de Arte Moderna (MoMA) de Nova York foi um veículo importante para a divulgação dessa vertente do Modernismo, principalmente através de uma série de exposições entre 1932 e 1939, promovendo a existência de um 'Estilo Internacional' (o termo foi usado pela primeira vez com relação a uma exposição de arquitetura moderna no MoMA) e de outra série entre 1950 e 1955 promovendo uma visão modernista do que seria *Good Design* ('bom design'), sendo estas últimas organizadas por Edgar Kaufmann Jr., então curador do MoMA para a área de design. A partir dessas exposições, os padrões do suposto 'bom' design foram ganhando projeção no mundo inteiro. Na Europa, diversas organizações governamentais passaram a oferecer prêmios de design, como o *Good Design Award* na Grã-Bretanha, o *Compasso d'Oro* na Itália e o prêmio *Beauté France* na França. Esse apoio institucional maciço ao conceito tem sido denunciado por comentaristas mais recentes, os quais criticam o movimento a favor do *good design* como nada mais do que uma forma de impor padrões de gosto elitistas ao consumidor popular através de um discurso de bom senso e eficiência. Seja isso como for, ao longo da década de 1950 foi-se consolidando um novo cânone de gosto no design derivado, na sua origem, dos preceitos funcionalistas genericamente associados à Bauhaus e, em segunda instância, do Modernismo escandinavo que então começava a ser divulgado no mundo inteiro (PULOS, 1988: 110-121; AYNSLEY, 1993: 44-45; WOODHAM, 1997: 155-159; HAYWARD, 1998: 223). Em termos de design gráfico, o Estilo Internacional se manifestou principalmente através da austeridade, do rigor e da precisão associados à chamada 'escola suíça', termo um tanto genérico utilizado para se referir aos trabalhos realizados entre as décadas de 1920 e 1960 por designers, como Jan Tschichold, Ernst Keller, Max Bill, Adrian Frütiger, Emil Ruder, Armin Hofmann e Josef Müller-Brockmann, que impuseram definitivamente a *grid* como parâmetro construtivo (ver MEGGS, 1992:-334-344). Em nível mais popular, o Estilo Internacional também encontrou expressão mundial durante a década de 1950 nos modismos de decoração descritos familiarmente no Brasil como 'estilo pé de palito' e 'estilo *Jetsons*', refletindo já uma apropriação bem menos austera dos valores formais do movimento, senão de suas propostas teóricas.

De modo muito geral, a ideologia do Estilo Internacional se baseava na idéia de que a criação de formas universais reduziria as desigualdades e promoveria uma sociedade mais justa. Simplificando um pouco, alguns funcionalistas raciocinaram que se a melhor e mais bonita cadeira fosse também a mais eficiente e mais barata de se fabricar, não haveria mais sentido em produzir cadeiras melhores e outras piores. Evidentemente, essa proposta tinha muito em comum com as tendências coletivistas e comunistas então em voga, de gerar uma sociedade igualitária pela solução aparentemente simples de fazer todo mundo pensar, trabalhar, ganhar, consumir e se vestir de maneira igual. Com as experiências históricas dos últimos cinqüenta anos, hoje temos consciência de que uniformidade e igualdade não são a mesma coisa, mas é preciso reconhecer o apelo forte dessa idéia na época, principalmente no clima de conflitos extremados entre esquerda e direita da década de 1930. A grande ironia histórica com relação à preponderância do Estilo Internacional durante as décadas de 1950 e 1960 está no fato de ter-se tornado não um estilo de massa ou mesmo de contestação da ordem capitalista mas, muito pelo contrário, de ter sido adotado como o estilo comunicacional e arquitetônico preferido de nove entre dez grandes corporações multinacionais. Entre os projetos mais completos e mais consagrados do movimento estão realizações, como a identidade corporativa da IBM, elaborada a partir de 1956 sob o comando do designer/arquiteto Eliot Noyes, ex-aluno de Gropius e então ex-curador do MoMA, com a colaboração do influente designer americano Paul Rand (que criou o famoso logotipo da empresa), bem como uma série de outros designers e arquitetos modernistas, tais quais Marcel Breuer, Eero Saarinen, Charles Eames e George Nelson. A cultura corporativa incipiente reconheceu no design funcionalista atrativos irresistíveis como austeridade, precisão, neutralidade, disciplina, ordem, estabilidade e um senso inquestionável de modernidade, todas qualidades que qualquer empresa multinacional desejava transmitir para os seus clientes e funcionários. Por conseguinte, o mercado para esse tipo de trabalho de design experimentou um crescimento fantástico a partir da década de 1950, dando origem a influentes empresas de consultoria em design, como Henrion Design Associates, Knoll Associates, Conran Design Group, Chermayeff & Geismar e Total Design (woodham, 1997: 151-154).

Não seria justo restringir aos adeptos do Estilo Internacional esse conflito entre visões de mundo discrepantes da parte do designer e do cliente. Na verdade, uma certa tensão entre valores individuais e corporativos aparece como um tema constante na evolução histórica do design no século 20, e principalmente no pós-Guerra. Quando um designer se dedica ao trabalho de projetar uma identidade empresarial, ele ou ela assume a tarefa de encontrar a melhor forma de veicular a imagem que aquela empresa pretende transmitir para o seu público interno e externo, mas nem sempre a imagem pretendida é condizente com os valores reais da empresa. Ninguém duvida de que um bom projeto 'agrega valor' ao produto (no jargão dos manuais de design), e com isto pretende-se dizer que o design tem o poder de investir os seus objetos de significados adicionais, extrínsecos e, às vezes,

até inteiramente fantasiosos. Nesse sentido, um projeto de identidade visual não é tão diferente qualitativamente de uma peça de propaganda partidária ou ideológica. Todo projeto traduz relações sociais e econômicas, dentre as quais está inserida a posição ambígua do designer como, ao mesmo tempo, prestador de serviços e consumidor ou usuário em potencial. O próprio papel do designer dentro da hierarquia empresarial também entra em questão. Quem dá legitimidade a quem? Vale a pena atentar para alguns exemplos históricos específicos que ajudem a elucidar melhor essas questões.

Existem alguns casos de empresas que têm pautado a sua identidade sobre o design em grau extremo ou fora do comum. A multinacional italiana de máquinas e equipamentos de escritório Olivetti é citada freqüentemente nesse sentido, principalmente pela forma estratégica com que tem usado o design ao longo de muitas décadas para promover uma imagem de modernidade, eficiência e esclarecimento. Fundada em 1908, a empresa passou na década de 1930 a investir com maior intensidade em uma política de design ligada especificamente aos padrões estéticos do Modernismo e, em especial, da Bauhaus. Foram contratados nessa época diversos designers que reformularam as peças publicitárias, o design gráfico e a identidade visual da empresa, colocando-os em conformidade com as tendências funcionalistas que então começavam a ser divulgadas em toda a Europa para um público mais amplo. A preocupação da Olivetti naquele momento era de se posicionar como uma empresa moderna e avançada – qualidades percebidas como valiosas no seu segmento

Uma identidade corporativa pode se transformar muito ao longo dos anos. Aqui, um dos primeiros rótulos da cerveja Antarctica, de 1889, e um pequeno rótulo comemorativo, ostentado pela cerveja Bohemia em 1997. Este último mistura elementos políticos aos comerciais, exemplificando o quão tênue é a linha que divide os dois tipos de propaganda.

do mercado — e o Modernismo de cunho funcionalista foi adotado pela empresa mais como uma roupagem estilística, pois no momento inicial nenhuma alteração de design foi feita nas máquinas em si. A partir de 1936, o designer Marcello Nizzoli foi contratado como consultor da Olivetti, envolvido não somente com a imagem da empresa, mas também passando a se ocupar da forma dos próprios produtos. Trabalhando em estreita colaboração com os engenheiros da empresa, Nizzoli projetou durante as décadas de 1940 e 1950 uma série de máquinas que ajudaram a definir o chamado 'estilo Olivetti', como as máquinas de escrever da série Lexikon. Ele foi substituído em 1956 por outro designer italiano de grande renome, Ettore Sottsass, e, na década de 1970, juntou-se à empresa também o designer Mario Bellini. Há muitas décadas, portanto, a direção da Olivetti tem-se empenhado diretamente em atribuir um perfil claro à empresa em termos de design e, a fim de realizar esse intuito, tem apostado na contratação de designers capazes de criar projetos arrojados e facilmente diferenciados de seus concorrentes. Contudo, os críticos mais severos identificam na política de design da Olivetti uma preocupação maior com a aparência da qualidade do que com a qualidade em si (SOAVI, 1958: 145-166; SPARKE, 1986: 181-184).

Outra empresa que ficou notória pela atenção atribuída ao design dos seus produtos é a Braun, multinacional alemã de equipamentos eletrônicos e eletrodomésticos. Entre 1960 e 1997, a identidade da empresa e de seus produtos esteve sob a responsabilidade do designer Dieter Rams. Embora Rams tenha gerado uma certa variedade de projetos nessas quatro décadas, o design da Braun sob seu comando está irremediavelmente associado a uma proposta de formas despojadas, sóbrias e pouco variadas que ficaram conhecidas pelos epítetos um tanto maldosos de 'caixa branca' e 'caixa preta', em função do predomínio de cores e de invólucros mais ou menos homogêneos para uma série de aparelhos diferentes. O caso de Rams na Braun é interessante, porquanto revela algumas mudanças importantes ocorridas na percepção social do design ao longo dos últimos vinte anos. Durante as décadas de 1960 e 1970, os produtos projetados por Rams eram apontados como modelos de um design funcional, pois suas linhas austeras e total ausência de detalhes ornamentais pareciam ilustrar com perfeição a idéia de que a forma do objeto deve apenas traduzir a sua função. Nessa capacidade, seus produtos eram freqüentemente contrapostos aos projetos de designers, como Raymond Loewy para ilustrar a diferença entre um 'bom design', no qual a forma surgia organicamente da estrutura do aparelho, e uma estilização artificiosa, na qual eram aplicadas ao objeto formas estranhas ao seu funcionamento. Com a decadência do paradigma

A Siemens, grande empresa
multinacional de equipamentos
eletrônicos, apostava
na estética do 'móvel moderno'
para integrar seus produtos
no lar brasileiro da década
de 1950. Os conceitos de
modernidade e importação
sempre andaram juntos
na visão de mundo
das elites brasileiras.

modernista do final da década de 1970 para cá, e o distanciamento crítico conseqüente adquirido em relação à estética funcionalista, as pessoas começaram a perceber que os projetos pretensamente neutros e atemporais de Rams atendiam, tanto quanto os de Loewy ou qualquer outro designer, a uma série de parâmetros previamente estabelecidos e essencialmente arbitrários. Não é necessário, por razões técnicas, estruturais ou de uso, que um processador de alimentos possua as mesmas linhas de uma calculadora, e muito menos que qualquer um dos dois seja branco, ou preto, ou de qualquer outra cor predeterminada. À medida que nos distanciamos no tempo daquela sociedade que gerou o design funcionalista formulado por Rams, torna-se cada vez mais evidente que as formas 'neutras' geradas por ele são também fruto de um estilo e de uma fórmula. Tanto isto é verdade que hoje podemos falar de um estilo Braun, o qual carrega ainda a marca inconfundível de Dieter Rams.

Como se vê, a indústria de aparelhos elétricos e eletrônicos tem sido uma área de projeção para o design, propiciando uma certa celebridade a designers individuais. Mais um setor empresarial em que os designers têm conquistado uma posição de destaque é a fabricação de mobiliário. A empresa americana Herman Miller constitui-se em um dos exemplos mais conhecidos em nível internacional. A partir da década de 1930, a empresa passou a fabricar móveis de acordo com os padrões de gosto modernistas então em ascendência, inicialmente sob a direção do designer Gilbert Rohde e, a partir de 1944, sob George Nelson como diretor de design. Nessa época, a Herman Miller se voltou prioritariamente para o mercado empresarial, projetando e vendendo móveis para ambientes de trabalho. No ano de 1946, Nelson introduziu na empresa o designer Charles Eames, criador de alguns dos projetos de mobiliário — e, em especial, de cadeiras — mais produzidos e reproduzidos do século 20 (ver KIRKHAM, 1998). As peças projetadas por Nelson, Eames, sua mulher Ray Eames, Eero Saarinen, Harry Bertoia e diversos outros designers para empresas, como a Herman Miller e a Knoll Associates durante a década de 1950, contribuíram de modo poderoso para o estabelecimento de padrões de conforto e de beleza ainda hoje vigentes. (Charles Eames, Saarinen e Bertoia haviam sido professores da Cranbrook Academy of Art, a qual vinha se firmando desde a década de 1920 como um dos maiores centros de

Barbeador elétrico projetado por Hans Gugelot para a Braun em 1961: um belo exemplar da estética 'caixa preta' em formação.

excelência no ensino de design dos Estados Unidos.) Em conjunção com a forte influência do design de móveis escandinavo, o trabalho desse grupo de designers gerou uma versão nova e bastante diferenciada do Modernismo, mais condizente com o espírito dos Estados Unidos como uma cultura dedicada à liberdade individual e empresarial. O design americano dessa época, embora claramente filiado ao Modernismo europeu, evidencia uma nítida rejeição dos ideais coletivistas subjacentes ao Funcionalismo (PULOS, 1988: 78-98, 169; WOODHAM, 1997: 151-154).

Os padrões estéticos e empresariais alheios tiveram também que ser adaptados para a realidade brasileira do pós-Guerra. Uma iniciativa interessante, nesse sentido, foi a tentativa de Raymond Loewy de implantar um escritório de design no Brasil. Atraída por empresários brasileiros, a Raymond Loewy Associates inaugurou uma filial em São Paulo no início de 1947, sob a direção do arquiteto e designer californiano Charles Sampson Bosworth. O escritório – situado no Centro, à Rua Marconi –, contou entre seus clientes importantes indústrias da época, como Gessy, Ford, GM, Peixe e Matarazzo. Mesmo assim, teve pouca duração, encerrando suas atividades no mesmo ano de 1947. Bosworth retornou ao Brasil na década de 1950 e se radicou definitivamente, realizando posteriormente um grande número de projetos de arquitetura industrial (LEFFINGWELL, 2003; WOLLNER, 2003: 55). Um caso interessante de projeto de design surgido de dentro do meio empresarial, nesse período, está no desenvolvimento do chuveiro elétrico automático pela Lorenzetti S.A., empresa ativa em São Paulo desde os anos 1920, na fabricação de aparelhos metalúrgicos e materiais elétricos. O modelo *Standard*, patenteado por Lorenzo Lorenzetti em 1949, passou a ser comercializado na década de 1950 e acabou por se tornar um dos produtos mais conhecidos do público brasileiro ao longo da segunda metade do século 20 (BARDI, 1982: 89). É um exemplo primoroso de como um produto que venha atender a necessidades básicas do usuário pode atingir um grau de disseminação muito alto, sem grande alarde, pela adequação do seu projeto ao contexto.

Distantes ainda de um mercado consumidor com o dinamismo dos Estados Unidos em plena era fordista, porém próximos do ideário modernista que então se difundia mundo afora, uma série de arquitetos e designers brasileiros empreendeu entre meados da década de 1940 e o início da década de 1960 importantes iniciativas voltadas para a área de design de mobiliário. Dentre os nomes que mais se destacaram nessa época, cabe citar todo um grupo de profissionais ativos em São Paulo que incluiu Geraldo de Barros, Henrique Mindlin, João Batista Vilanova Artigas, José Zanine Caldas, Júlio Roberto Katinsky, Lina Bo Bardi, Michel Arnoult, Oswaldo

Arthur Bratke, Paulo Mendes da Rocha e Rino Levi, vários dos quais possuíam ligações com a Faculdade de Arquitetura e Urbanismo da Universidade de São Paulo (FAU/USP) ou com a Escola de Engenharia Mackenzie. No Rio de Janeiro também surgiram nomes fundamentais do design de mobiliário brasileiro, incluindo Aida Boal, Bernardo Figueiredo, Joaquim Tenreiro, Sérgio Bernardes e Sérgio Rodrigues. Esses profissionais foram responsáveis pela abertura de diversas empresas, lojas e pequenas fábricas, principalmente no Rio de Janeiro e em São Paulo, que buscavam atender a um tipo de consumidor preocupado em acompanhar as grandes tendências estilísticas internacionais. Dentre muitas experiências dessas, cabe destacar organizações como a Langenbach & Tenreiro Móveis e Decorações, a Fábrica de Móveis Z, a Móveis Branco e Preto, a Unilabor, a Móveis Hobjeto e a Oca Arquitetura de Interiores S.A. (ACAYABA, 1994; SANTOS, 1995: 51-154; CALS, 2000: 221-235).

O caso da Unilabor merece destaque especial, por sua peculiaridade. Idealizada por um frei dominicano e localizada no bairro operário do Alto do Ipiranga, na capital paulista, a Comunidade de Trabalho Unilabor nasceu com a proposta de ser um empreendimento de produção cooperativista, capaz de instaurar laços de ajuda mútua entre seus trabalhadores. Nesse sentido, tratava-se de um projeto comunitário com um propósito bem mais amplo do que o design de móveis, abrangendo uma série de outras atividades, que iam desde peças de teatro até a construção da Capela do Cristo Operário, ainda existente no local. Como parte desse projeto, foi formada, em 1954, a fábrica de móveis Unilabor, a qual contou com a participação de Geraldo de Barros, artista ligado ao movimento de Arte Concreta e integrante do grupo Ruptura. Sob a liderança dele, foi projetada, fabricada e comercializada uma

O chuveiro modelo *standard* da Lorenzetti, patenteado em 1949, tornou-se um dos produtos mais difundidos do Brasil nas décadas seguintes.

série de móveis, obedecendo a preceitos construtivistas, com destaque especial para estantes vazadas de estrutura modular. Embora os móveis da Unilabor nunca tenham conseguido atingir o público maior que alvejavam seus organizadores, a fábrica manteve-se em funcionamento até 1967, quando finalmente sucumbiu ao clima político e econômico hostil, decorrente do golpe militar (CLARO, 2004). Por todas suas realizações – e principalmente por sua plena adequação do princípio modernista de racionalização ao contexto social mais amplo –, a Unilabor permanece como um exemplo único e fascinante na história do design no Brasil. Muito antes de qualquer movimentação explícita em torno da idéia de design social, a Unilabor já colocava em prática a velha idéia de usar a produção para transformar as relações sociais, preconizada por Ruskin e Morris, desde o século 19.

A fecundidade de propostas de trabalho nesse período em torno do design de interiores reflete um momento de grande importância na formação do Brasil contemporâneo. Sob o segundo governo Vargas e sob Juscelino Kubitschek, o País experimentava uma verdadeira febre de modernização, de rejeição anunciada das tradições patriarcais e de renovação de valores e de costumes. Nada mais adequado para uma nação que buscava se livrar de velhos trastes da cultura e da política que trocar também os velhos trastes que mobiliavam as salas e os quartos de dormir das suas elites. A diversidade de projetos criados por essa geração de designers brasileiros compõe um cenário histórico ímpar e, pelo seu impacto, digno de maior investigação.

Estante modular MF 710, projetada por Geraldo de Barros e fabricada pela Unilabor em 1954.

No campo gráfico, igualmente, a década de 1950 foi um período de importantes inovações ligadas aos ares modernizantes que transformavam economia e sociedade. Acompanhando a rápida evolução da indústria fonográfica, por exemplo, surgiu nessa época a atividade de design de capas de discos, lançando talentos exemplares como a dupla Joselito e Mafra (fotógrafo) ou o argentino Paéz Torres, praticamente responsáveis por inaugurar este ramo no Brasil, e abrindo caminho para os grandes nomes da década seguinte, como César G. Villela, autor de projetos antológicos na época da bossa nova (LAUS, 1998: 125-126). Na indústria editorial, a adaptação a novos padrões tecnológicos – entre os quais, o ingresso definitivo da impressão offset no cenário brasileiro – propiciou um momento de grande renovação no design de livros e revistas. A editora Civilização Brasileira se afirmou nessa época como um novo parâmetro para a área, através do trabalho de Eugênio Hirsch, no desenho de capas, e de Roberto Pontual, na diagramação. De modo análogo, o projeto arrojado da revista *Senhor* se constituiu em experiência ímpar e fértil, colocando em evidência o trabalho gráfico de Carlos Scliar, Glauco Rodrigues, Michel Burton, Reynaldo Jardim e Bea Feitler (esta, na qualidade de assistente dos dois últimos, antes de partir para Nova York, onde desenvolveria carreira própria na revista *Harper's Bazaar*). Vários destes últimos profissionais também foram ativos no projeto de capas de livros, com destaque para os trabalhos realizados para a Editora do Autor, empreitada de breve duração, mas memorável por sua qualidade excepcional. A revista *Senhor* marcou época por sua diagramação inovadora, com um uso vivo e sofisticado de tipografia e ilustração, que a distanciava de tudo que havia sido feito no Brasil, até então (HOMEM DE MELO, 2006: 58-144).

No compasso das políticas nacionalistas e desenvolvimentistas dos governos acima citados – embalados por slogans como 'cinqüenta anos em cinco' – o design brasileiro se viu levado a gerar soluções à altura dos grandes desafios sociais e culturais da época. Os designers da segunda fase modernista se viram divididos entre nacionalismo e internacionalismo, entre tradição artesanal e progresso industrial, e os resultados foram tão diversos quanto as personalidades envolvidas nos debates. O exemplo de Joaquim Tenreiro, talvez o mais importante designer de móveis da época, pode ajudar a elucidar melhor esse ponto. Português de nascimento e radicado definitivamente no Rio desde 1928, Tenreiro foi ativo não somente como designer, mas também como artista plástico, conquistando inclusive diversos prêmios de pintura e escultura ao longo de mais de cinqüenta anos de carreira. Por influência familiar, começou desde cedo a mexer com a fabricação de móveis e, já nas décadas de 1930 e 1940, trabalhava como designer nas firmas Laubisch & Hirth e Leandro Martins & Cia., uma das mais importantes do ramo, responsável por extensa produção e comercialização de móveis em escala industrial. Em 1942, abriu a própria oficina e empresa, a Langenbach & Tenreiro, e, em 1947, a sua primeira loja, no bairro então elegante de Copacabana. Os móveis criados por Tenreiro nessa época trazem o uso característico de madeiras de lei, como jacarandá, e de palhinha, materiais que remetem à mais antiga tradição moveleira brasileira, datando da época colonial.

Logotipo e cadeira de Joaquim Tenreiro, designer de móveis que soube, como poucos, conjugar tradição e modernidade na produção de móveis brasileiros.

Os seus móveis demonstram também uma consciência nítida do fazer e do ofício artesanais, atribuíveis certamente à sua passagem pelas marcenarias da rua da Conceição, velho reduto da indústria moveleira luso-carioca. Contrastando, porém, com essa profusão de raízes, as linhas dos seus projetos refletem já na década de 1940 uma forte influência do Estilo Internacional, principalmente na sua vertente de encontro entre o Modernismo escandinavo e a produção americana de empresas, como a Knoll e a Herman Miller. Os projetos de Tenreiro da década de 1950 compartilham muito da pesquisa formal, material e técnica de um Eames ou de um Saarinen e suportam bem a comparação com esses paradigmas do móvel moderno. Porém, diferentemente dos seus contemporâneos americanos, Tenreiro projetava e fabricava os seus móveis em esquema artesanal, não somente por limitações de demanda do mercado local, mas também por se posicionar contrário à fabricação industrial (MMM & MACEDO, [1985]: 84-86; SANTOS, 1995: 84-85; CALS, 1999). Defendendo uma produção ao mesmo tempo modernista e artesanal, de nível internacional mas de fortes características nacionalistas, a incrível obra de Tenreiro traduz um pouco das contradições do design brasileiro nesse momento de transformação fundamental.

Enquanto na área de mobiliário tantos designers se transformaram em lojistas e pequenos empresários — ou até, como Geraldo de Barros na Unilabor, adotaram estratégias cooperativistas reminiscentes das fórmulas alternativas ao capitalismo, como o *Arts and Crafts* — para a sociedade brasileira como um todo, as décadas de 1950 e 1960 foram um período de crescente inserção na nova economia internacional de grandes empresas e concorrência em escala mundial. Com a organização de estatais, como a Vale do Rio Doce e a Petrobrás e, em seguida, a instalação em solo nacional de multinacionais, como a Mercedes Benz e a Pirelli, abriram-se novas frentes para a atuação do

O design em um mundo multinacional, 1945-1989

Anúncio da Pirelli registra a presença de empresas multinacionais no Brasil do pós-guerra.

designer brasileiro, principalmente em matéria de comunicação visual. De maneira mais hesitante e arriscada, surgiam também oportunidades para o projeto de bens duráveis, como automóveis. Uma das metas almejada pelo governo JK era fomentar a criação do carro nacional. Em 1956, foi criado por decreto o Grupo Executivo da Indústria Automobilística, na esteira do qual surgiram fabricantes pioneiros,

Cédula de um cruzeiro, projetada por Aloísio Magalhães em 1967.

Logotipo do Banco Boavista, criado em 1976, e um dos últimos projetos de Aloísio Magalhães nesse gênero.

como Emilio Romi, DKW-Vemag e Willys, responsáveis por modelos hoje cultuados, como o Romi-Isetta (conhecido como o primeiro automóvel fabricado em série no Brasil), a DKW Universal e a Rural Willys. Embora a maioria não tenha sobrevivido à pesada concorrência das multinacionais nas décadas seguintes, a experiência desses fabricantes é um capítulo de grande interesse para a história do design no Brasil.

A reforma do projeto gráfico do *Jornal do Brasil*, capitaneada por Amílcar de Castro, é emblemática do espírito de renovação que então agitava o meio de design. Buscando transportar para as páginas do jornal os preceitos construtivos preconizados pelo movimento de Arte Concreta, Amílcar implantou no *JB* entre 1956 e 1960 uma diagramação diferenciada que teria grande impacto na evolução posterior da imprensa brasileira (LESSA, 1995: 17-59). Se hoje Amílcar de Castro é lembrado como escultor, sobretudo, ninguém deve se surpreender com o fato de ter atuado também como designer. A relação da Arte Concreta com o design era profunda, estrutural e ideológica. Desde sua deflagração no Brasil, com a exposição do grupo paulista Ruptura em 1952, esse movimento artístico preconizou a integração entre arte e design, ambos subordinados a princípios racionais e capazes de aplicação prática à vida social em grande escala.

Nitidamente influenciados pelos ideais do Construtivismo, do De Stijl e da Bauhaus, artistas, como Antônio Maluf, Athos Bulcão, Geraldo de Barros, Hércules Barsotti, Hermelindo Fiaminghi, Mary Vieira, Willys de Castro, entre outros, transitaram livremente entre artes plásticas, fotografia, design, arquitetura e até publicidade, conjugando todos em uma visão disciplinada e fortemente marcada pelo predomínio da abstração geométrica, em consonância com os preceitos da psicologia *Gestalt*. Nisso tudo, aproximavam-se do movimento de Arte Concreta na Europa, o qual obteve grande divulgação quando da bem-sucedida participação

do escultor suíço Max Bill na I Bienal de São Paulo, em 1951. O cartaz deste evento, criado por Antônio Maluf, é um marco freqüentemente lembrado do início de um processo que desaguaria, cinco anos depois, na I Exposição Nacional de Arte Concreta, a qual partiu do Museu de Arte Moderna de São Paulo para tomar de assalto o meio artístico brasileiro. Merece estudo mais aprofundado o envolvimento com o design dos artistas concretistas e, também, daqueles pertencentes ao sucedâneo movimento Neoconcreto. Ainda são relativamente pouco divulgados os trabalhos desenvolvidos por Willys de Castro e Hércules Barsotti, os quais fundaram em 1954 seu próprio estúdio de design. A dupla manteve-se em atividade por mais de uma década, criando inclusive projetos de estamparia para a multinacional Rhodia, que então iniciava sua produção de náilon têxtil no Brasil. Ainda menos conhecida é a obra de design de Lygia Pape, a qual chegou a desenvolver nos anos 1960 importante trabalho para a indústria de alimentos Piraquê, projetando não somente marca e embalagens, como outros aspectos da identidade corporativa da empresa (AMARAL, 1977; CONDURU, 2005; STOLARSKI, 2006: 190–255).

O momento da ruptura concretista não poderia ser mais propício, pois a idéia de colocar o trabalho artístico a serviço do progresso industrial ia ao encontro das aspirações mais amplas da sociedade brasileira. O ano de 1954, marcado pelo traumático suicídio de Getúlio Vargas, foi também o ano da morte de Oswald de Andrade, o grande escritor e pensador modernista. Com a passagem de ambos, enterrava-se simbolicamente o equilíbrio sempre tenso entre revolução e raiz subjacente à convivência do modernismo com o Brasil profundo. A chegada à presidência de Juscelino Kubitschek em 1956 assinalava uma nova era, de abertura para o internacional, tanto na economia quanto na arte. Além de servir como símbolo maior do Programa de Metas desenvolvimentista do governo JK, a construção de Brasília também gerou oportunidades de trabalho para vários projetistas brasileiros, através de encomendas intermediadas pelos influentes arquitetos Lúcio Costa e Oscar Niemeyer.

Foi nesse clima empreendedor que surgiu em 1958 a forminform (com f minúsculo, segundo queriam seus idealizadores), freqüentemente citado como o primeiro escritório de design no Brasil. Tendo como sócios: Alexandre Wollner, Geraldo de Barros, Ruben Martins e Walter Macedo, o escritório viria a acolher uma série de outros colaboradores importantes para a evolução posterior do campo profissional do design. A parceria entre Wollner e Geraldo de Barros vinha desde sua convivência no Instituto de Arte Contemporânea, do MASP, passando pela participação de ambos no meio de Arte Concreta, e teve continuidade depois

O cartaz criado por Antônio Maluf para a I Bienal de São Paulo prenunciou a movimentação em torno da Arte Concreta, alterando definitivamente a prática do design no Brasil.

na Unilabor e na forminform. Quando o escritório foi aberto, Wollner estava recém-chegado de estudos na Escola de Ulm e trouxe consigo o espírito de militância modernista que caracterizava aquela instituição. Passou a dedicar-se com zelo excepcional ao campo que ele prefere chamar de design visual, deixando de lado suas experiências anteriores na área de artes plásticas. Ao longo dos anos seguintes, ele gerou alguns dos projetos mais notáveis e duradouros do design brasileiro dessa época, em especial na área corporativa. As marcas e sistemas de identidade visual criados por ele para a indústria de conservas Coqueiro e para o fabricante de elevadores Atlas, ambos em 1958, e para as indústrias têxteis Atlas Industrial e Titan Têxtil, ambas de 1959, são considerados exemplos de clareza, concisão e rigor formal. Saindo da forminform em fins deste último ano, Wollner continuou a desenvolver uma carreira que já se prolonga por mais de cinqüenta anos, confundindo-se com a própria história do design gráfico brasileiro na segunda metade do século 20. Suas marcas para empresas, como Metal Leve, Moinho Santista e Eucatex, projetadas nos anos 1960, tornaram-se clássicas, redefinindo o próprio campo de programação visual no Brasil (WOLLNER, 2003; STOLARSKI, 2005; HOMEM DE MELO, 2006: 224-225).

Injustamente relegados à sombra comprida de Wollner, outros designers dessa época também realizaram importantes trabalhos, contribuindo para a consolidação e o alargamento do campo profissional, principalmente em São Paulo, onde a rápida expansão industrial criava uma demanda sistemática para projetos de identidade visual. Seguindo na condução da forminform após a saída do sócio, Ruben Martins desenvolveu em 1960 sua lapidar marca para a indústria de cosméticos Bozzano, e buscou ainda na publicidade uma frente fértil para a aplicação dos princípios concretistas. Também com rápida passagem pelo escritório de Martins, a dupla formada por João Carlos Cauduro e Ludovico Martino fundou em 1964 seu próprio escritório: a Cauduro Martino Arquitetos

Associados, que trouxe ao trabalho de design uma visão mais integrada de planejamento ambiental, originada em seus estudos de arquitetura. Seu projeto de 1967 para o Metrô de São Paulo — abrangendo o padrão visual de todo o sistema, peças de mobiliário e todas as publicações normativas de planejamento e instalação — foi desenvolvido ao longo de oito anos e segue como referência de qualidade até hoje. Segundo André Stolarski, trata-se de um "impecável exemplo de coerência construtiva e visual" (HOMEM DE MELO, 2006: 230-239; STOLARSKI, 2006: 215-219).

Quem também se notabilizou, poucos anos após, pelo seu trabalho na área de identidade corporativa foi Aloísio Magalhães, muito provavelmente o mais influente designer brasileiro do século 20. Embora tenha iniciado a sua carreira de design muito longe das preocupações empresariais sob consideração — no seio do movimento O Gráfico Amador, em Recife (ver CUNHA LIMA, 1997: 85-87) — Aloísio atingiu o ápice dos seus esforços como designer durante as décadas de 1960 e 1970, gerando, entre tantas outras realizações, projetos de identidade visual para a Fundação Bienal de São Paulo, a Universidade de Brasília, Unibanco, Light, Petrobrás, Souza Cruz e Banco Boavista, muitos dos quais continuam em uso até hoje. Além de deixar sua marca na iniciativa privada, Aloísio ajudou a moldar a própria face pública do estado através de projetos marcantes para a Casa da Moeda (séries de cédulas de dinheiro de 1968 e 1978), para o Sesquicentenário da Independência (1972) e para o 4° Centenário da Fundação da Cidade do Rio de Janeiro (1965). Através da enorme repercussão atingida pela obra de Aloísio Magalhães, o designer brasileiro finalmente ingressava em um período de pleno potencial para realizações — e também contradições — característico do exercício da profissão no mundo multinacional (ver SOUZA LEITE, 2003).

A tradição modernista e o ensino do design

Os nomes de Aloísio Magalhães e Alexandre Wollner remetem invariavelmente ao ensino, pois ambos foram ativos como professores da Escola Superior de Desenho Industrial, ou ESDI, cuja abertura em 1963 é tida geralmente como marco definitivo do início dos cursos de design no Brasil. O ensino tem exercido, ao longo do século 20, um papel fundamental na estruturação do design como campo profissional, principalmente em termos da transmissão de uma série de valores formais e ideológicos que transpassam as diversas manifestações do Modernismo internacional. Pode-se dizer até que, paralelamente à história do design vista pela ótica de seus praticantes e dos projetos por eles gerados, existe uma outra história do design que passa pelas escolas e por uma curiosa obsessão com linhagens e vínculos institucionais como marcos essenciais da legitimidade profissional. Até bem recentemente, por exemplo, não era incomum um designer brasileiro querer traçar a sua genealogia profissional da ESDI para a Escola de Ulm e de lá para a Bauhaus, um tanto como certos emergentes se dizem descendentes dessa ou daquela casa real da Europa. Antes que as partes se sintam constrangidas a mostrar os anéis de brasão, cabe ressaltar que tais genealogias existem de fato, pois os resquícios das guerras, da modernidade e da colonização têm ocasionado uma intensa migração de profissionais europeus para outras paragens, principalmente para este velho Novo Mundo. Pela intensidade e pela importância do fenômeno, vale a pena reconstituir aqui um pouco dos vínculos pessoais e institucionais em questão.

O fechamento da Bauhaus e a dispersão subseqüente dos seus integrantes deram alento a uma série de importantes iniciativas de ensino de design do lado de cá do

Atlântico, principalmente nos Estados Unidos, país que acolheu a maior parte dos cientistas, intelectuais, artistas e políticos exilados pelo Nazismo. A herdeira mais imediata da escola alemã foi a 'Nova Bauhaus', fundada em 1937 em Chicago por iniciativa de Moholy-Nagy e cujo corpo docente incluiu não somente alguns ex-bauhausianos, como também o escultor Alexander Archipenko e o pintor e cenógrafo Gyorgy Kepes, o qual se notabilizou posteriormente através de pesquisas e escritos sobre a relação entre visão e design. A escola logo enfrentou dificuldades e chegou a fechar em 1938, reabrindo em seguida sob outros nomes até se firmar como o *Institute of Design* em 1944 e sendo finalmente absorvida pelo *Illinois Institute of Technology* em 1949 (SPARKE, 1986: 163-167).

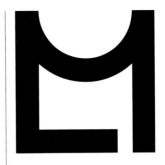

Logo da empresa Metal Leve, criado em 1963 por Alexandre Wollner.

Também inspirada no legado da Bauhaus e como parte dos esforços de reconstrução nacional, surgiu uma nova escola de design na cidade alemã de Ulm, na Baviera, a qual se chamou *Hochschule für Gestaltung*, remetendo até no nome à última configuração bauhausiana. Após alguns anos de preparativos, a Escola de Ulm — como ficou conhecida entre nós — entrou em funcionamento em 1953 e permaneceu ativa até 1968, reunindo entre seus professores Abraham Moles, Claude Schnaidt, Gui Bonsiepe, Hans Gugelot, Herbert Ohl, Horst Rittel, Max Bill, Otl Aicher e Tomás Maldonado, além de receber a colaboração de visitantes ilustres, como Albers, Buckminster Fuller, Eames, Gropius, Itten, Mies van der Rohe e Müller-Brockmann. (LINDINGER, 1988: 4-8).

Na sua primeira fase, a Escola de Ulm esteve sob a direção de Max Bill, escultor e ex-aluno da Bauhaus, o qual buscou estabelecer uma continuidade explícita entre a velha escola e a nova. Mesmo assim, Bill e seus colegas recusaram a oferta de Gropius de chamar a nova escola de "Bauhaus Ulm" e rejeitaram também a inclusão no currículo da pintura e da escultura, distanciando-se assim das tendências expressionistas do primeiro momento bauhausiano. Na verdade, embora desejasse retomar uma série de preocupações da sua famosa antecessora, a Escola de Ulm pretendeu desde o início fazê-lo de modo original e inteiramente independente. Precisamente por ainda estar muito próximo ao legado bauhausiano, o próprio Bill acabou se chocando com as propostas de seus colegas mais jovens e, em 1957, teve que entregar a direção da escola em função de desentendimentos sobre os rumos do ensino. Os outros mestres — sob a liderança de Aicher, Gugelot e Maldonado —

consideravam ultrapassadas as concepções de Bill sobre o papel do artista como criador privilegiado, argumentando antes que a própria persistência da arte como um domínio estético separado era retrógrada e contrária ao sentido da vida moderna. Para eles, toda solução criativa deveria passar pelo redimensionamento do uso, da prática, das funções e dos ambientes cotidianos. Os ulmianos também questionavam diversas soluções formais empregadas na Bauhaus como, por exemplo, a prioridade atribuída à geometria euclidiana como matriz. Segundo relatou Aicher anos depois, a idéia de que tudo devesse se basear no quadrado, no círculo e no triângulo lhes pareceu de um profundo formalismo estético, sem justificativa em preceitos funcionais (AICHER, 1988: 10-13). Persistia o compromisso bauhausiano com o design como uma influência reformadora da sociedade, mas desprovido tanto das fórmulas vanguardistas quanto do conteúdo libertário e ligeiramente anárquico que havia marcado as manifestações da primeira escola. Conforme afirmou Maldonado na abertura do ano letivo de 1957-1958, retomar o espírito progressista da Bauhaus implicaria, de certa forma, ir contra as práticas da mesma.

Com a saída de Bill, a Escola de Ulm foi assumindo aos poucos o seu caráter definitivo e ganhando feições próprias, processo que coincidiu com a ascendência cada vez maior de Maldonado. Ao longo da década seguinte, Ulm projetou para o mundo uma face crescentemente tecnicista, apostando cada vez mais na racionalização e no racionalismo como fatores determinantes para as soluções de design. Abstração formal, uma ênfase em pesquisa ergonômica, métodos analíticos quantitativos, modelos matemáticos de projeto e uma abertura por princípio para o avanço científico e tecnológico marcam o design ulmiano produzido na década de 1960, o que condizia perfeitamente com o entusiasmo tecnicista que se generalizava na sociedade como um todo durante esses anos de corrida espacial e miniaturização eletrônica. Apesar da rigidez dessa visão, ou talvez por causa dela, a Escola de Ulm logrou pelo menos uma importante realização em termos do ensino do design. A sua autonomia radical com relação às artes plásticas — embora não representasse nenhuma vantagem intrínseca — a obrigou a buscar em outras áreas subsídios capazes de ancorar a prática projetual. Daí resultou a notável abertura da escola para palestrantes e visitantes das mais diversas áreas de conhecimento: da cibernética à sociologia. Aliás, a contribuição mais duradoura de Ulm talvez resida em sua visão do design como uma área essencialmente interdisciplinar, voltada para a enorme complexidade de um mundo constituído por sistemas artificiais e redes interligadas de produção. Em função de sua aposta

Capa da revista *Ulm*, publicada para divulgar os trabalhos realizados na Escola de Ulm. Ordem e progresso não eram aspirações exclusivas ao Brasil na década de 1950.

no lado utilitário do design, Ulm também conseguiu travar uma colaboração efetiva com a indústria, em especial com a Braun na área de projeto de aparelhos eletrodomésticos. Examinada a partir de hoje, quarenta anos depois, uma proporção considerável das produções ulmianas ainda detém o poder de surpreender pelo seu rigor metodológico e também por um certo ar de atualidade, que deve muito à aposta no atemporal e no universal como conceitos possíveis.

Mesmo após o seu fechamento, Ulm seguiu os padrões bauhausianos, pois continuou a exercer o seu fascínio em outras paragens. Pelo menos duas grandes experiências de implantar o ensino formal do design em países periféricos se inspiraram diretamente no modelo ulmiano: a ESDI, no Brasil, e o *National Institute of Design* em Ahmedabad, Índia. No caso brasileiro, a ligação se deu através do intercâmbio direto com os docentes ulmianos e do envolvimento de ex-alunos da

Escola de Ulm (Wollner, Edgard Decurtins e Karl Heinz Bergmiller) na criação e condução da nova escola. Na verdade, na época da fundação da ESDI pouco tempo depois (ver WOLLNER, 2003: 49-61), já se buscava implantar o ensino sistemático do design no Brasil há mais de uma década. As primeiras tentativas ocorreram em São Paulo, mais especificamente no Instituto de Arte Contemporânea do MASP (Museu de Arte de São Paulo), aberto em 1951 e fechado três anos depois, o qual contou inclusive com uma breve colaboração de Max Bill quando da sua vinda para a II Bienal de São Paulo. Durante essa proveitosa visita, Bill também teve ocasião de passar pelo Rio de Janeiro, onde deu o seu aval para outro projeto importante de ensino de design, a Escola Técnica de Criação do MAM (Museu de Arte Moderna). O plano geral para essa escola foi encomendado subseqüentemente a Maldonado, o qual chegou a vir ao Brasil com Aicher para ministrar alguns cursos breves entre 1959-1960. A escola do MAM nunca vingou de fato, mas a sua experiência e os contatos lá firmados serviram de base para a organização da ESDI pouco tempo depois. A terceira tentativa de implantação de um curso de design no Brasil, e a primeira a se consolidar, ocorreu na Faculdade de Arquitetura e Urbanismo da USP (Universidade de São Paulo), na qual foi criada em 1962 uma seqüência de Desenho Industrial como parte da graduação em Arquitetura. Sob inspiração das idéias de Vilanova Artigas, o qual vinha exercendo atividades ligadas ao design de mobiliário desde a década de 1940, a FAU deu então início ao ensino de design em nível superior no Brasil (SOUZA, 1996: 2-11; NIEMEYER, 1997: 62-75). Todavia, os contatos intensos com Ulm e o longo processo de incubação da idéia pelo grupo ligado ao MAM do Rio de Janeiro acabaram desaguando, pouco tempo depois, em uma oportunidade ímpar de fundar uma faculdade dedicada exclusivamente ao design.

Da mesma forma que a criação da Bauhaus teria sido quase impensável fora do clima conturbado da República de Weimar, e em que a Escola de Ulm se insere em todo um contexto de reconstrução alemã no pós-guerra, a fundação da ESDI também deve muito a circunstâncias políticas bastante peculiares. O Brasil de 1962 a 1963 encontrava-se — conforme atestaram eloqüentemente os acontecimentos posteriores — em um momento crítico da sua história moderna. Com a renúncia de Jânio Quadros e as dificuldades enfrentadas por João Goulart para ser empossado na presidência, o quadro político nacional havia-se tornado altamente instável. De modo geral, continuava a vigorar o ideário desenvolvimentista promovido por JK, mas, diante das repetidas manifestações de vigor de uma esquerda trabalhista comprometida ideologicamente com o progresso como

Datando da época da inauguração de Brasília, este anúncio faz uso da imagem do Palácio do Planalto para transmitir uma noção de modernidade, associada ao slogan 'o futuro é nosso'. Hoje em dia, o uso da árvore como símbolo de uma empresa de celulose teria um sentido bem diferente, em função de preocupações ambientais com o desmatamento.

bandeira de luta, tornava-se delicada a posição das elites dirigentes, principalmente aquelas ligadas à UDN, partido hostil ao legado getulista e de orientação conservadora. Ao mesmo tempo que a grande força eleitoral dos udenistas residia na sua defesa de valores tradicionais contra o que era percebido como a perigosa agitação populista de esquerda, o partido não podia correr o risco de ser visto como retrógrado no campo econômico, pois a sociedade brasileira havia abraçado de modo quase unânime nessa época o projeto de modernidade e de desenvolvimento industrial simbolizado tão poderosamente pela construção de Brasília. Confrontados com o desafio de transmitir uma imagem progressista e inovadora ao mesmo tempo em que se posicionavam como defensores da moral e dos bons costumes, algumas lideranças da UDN buscavam ativamente oportunidades para se mostrarem empenhadas com todo e qualquer avanço no plano econômico e industrial, principalmente em termos de ciência e tecnologia. Tomava corpo então a política de utilizar realizações tecnológicas e industriais para dar um verniz progressista a governos profundamente reacionários em todos os

outros sentidos, política esta que se tornaria normativa no Brasil ao longo
das décadas seguintes. Esse contexto ímpar abriu a possibilidade de uma aliança
estratégica entre, por um lado, o grupo do MAM – o qual gravitava em torno
do casal composto do célebre arquiteto modernista Afonso Eduardo Reidy
e da engenheira Carmen Portinho, e dos também arquitetos Maurício Roberto e
Wladimir Alves de Souza – e, por outro lado, Carlos Lacerda, governador da
Guanabara e uma das vozes mais estridentes da UDN, com pretensões manifestas
de ascensão política nacional. Essa curiosa parceria, que dava aos primeiros o apoio
político e financeiro para viabilizar um projeto que até então permanecera
irrealizável e ao segundo uma ótima oportunidade de projetar uma face moderna
para o seu governo e para o seu estado, gerou as condições institucionais para a
criação da ESDI (SOUZA, 1996: 3–48; NIEMEYER, 1997: 87–86).

Vale a pena considerar um pouco o momento de concepção da ESDI, pois esta
se tornou rapidamente a matriz para muitas faculdades de design fundadas no Brasil
ao longo das duas décadas seguintes. Quando a ESDI iniciou as suas atividades
em 1963, contava com um grupo relativamente pequeno de professores, muitos dos
quais com pouca ou quase nenhuma experiência, tanto de ensino superior quanto
de exercício profissional do design. Iniciou-se, tal qual a Bauhaus e Ulm, como
uma escola de natureza essencialmente experimental e, também como suas duas
ilustres antepassadas, ocupava a posição um tanto contraditória de ser uma escola
experimental subvencionada pelo estado, o que a predispunha a uma combinação
quase perversa de anarquia e autoritarismo. Não eram estas as únicas contradições.
Apesar de contar com poucos professores estrangeiros, a ESDI era amplamente
percebida como uma transplantação do modelo ulmiano para o Brasil e, mesmo
diferindo de Ulm em muitos sentidos, os esdianos não tinham nenhum interesse
em desmentir essa associação que emprestava à realidade precária da instituição
uma aura de modernidade e eficiência, sem falar da credibilidade automática que
o brasileiro costuma atribuir a qualquer iniciativa de origem estrangeira. Talvez a
maior contradição de todas, a ESDI se apresentava até no nome como uma escola
de desenho *industrial*, e isto não somente em um país com um parque industrial
relativamente pequeno e pouco adiantado em termos tecnológicos, mas, pior ainda,
em um estado que já perdera há muito a liderança industrial no cenário nacional.
Apesar de todas essas contradições, a ESDI foi percebida na época da sua fundação
como uma proposta de ponta e chegou a ser considerada um modelo para a
transformação do ensino superior no Brasil. Embora essa última possibilidade

tenha ficado na promessa, a sobrevivência e o posterior crescimento da ESDI no ambiente difícil das décadas de 1960 e 1970 atestam o poder da sua idéia geradora e também a persistência do ideário modernista como força cultural no Brasil. Incorporada definitivamente à UERJ (Universidade do Estado do Rio de Janeiro) em 1975, a ESDI permanece hoje como uma referência de inegável importância para o design brasileiro, embora raramente tenha atingido uma produção condizente com a expectativa que cercou sua criação (ver HOMEM DE MELO, 2006: 252-283).

Faz-se importante lembrar, contudo, que a linhagem alemã do ensino do design, tão preponderante nos relatos históricos, não foi a única. Contrastando com o inconfundível tom nostálgico de quem traça as suas origens à Bauhaus, outras instituições e tradições menos notórias chegam revigoradas ao início do século 20, ostentando avanços notáveis e um olhar voltado firmemente para o futuro. Dentre essas, cabe dar destaque a outra escola, cujas origens estão firmemente situadas no Modernismo internacional: a já referida *Cranbrook Academy of Art*, em Bloomfield Hills, Michigan, Estados Unidos. Fundada no final da década de 1920 pelo arquiteto finlandês Eliel Saarinen e tornada famosa graças à colaboração de designers como seu filho Eero Saarinen e Charles Eames, a Cranbrook assumiu uma posição de liderança no ensino do design gráfico nos últimos vinte anos, principalmente através dos esforços da designer Katherine McCoy. Igualmente influente, senão mais, no cenário norte-americano tem sido a atuação da *Carnegie-Mellon University* (antigo *Carnegie Institute of Technology*). Sob a direção de Donald R. Dohner e Alexander Kostellow, a Carnegie abriu em 1935 o primeiro curso de graduação em design dos Estados Unidos. O currículo desenvolvido na Carnegie sob Kostellow e Peter Müller-Monk (Dohner saiu em 1936 para organizar o curso do *Pratt Institute*, em Nova York) lançou as bases para o ensino do design nos Estados Unidos e ajudou a determinar um padrão que foi disseminado em nível nacional através dos esforços de um pequeno núcleo de docentes que carregaram as suas propostas para uma série de outras instituições. De modo geral, os cursos de design nos Estados Unidos têm insistido em uma maior autonomia com relação à arquitetura do que na Europa, apostando desde cedo na aproximação com o trabalho prático da indústria e demonstrando um maior dinamismo em assimilar novas possibilidades tecnológicas. Apesar de serem europeus muitos dos nomes fundadores do ensino americano, é relevante notar que figuras, como Kostellow, Müller-Monk e Walter Baermann, emigraram para os Estados Unidos antes da Segunda Guerra Mundial e que era limitado o seu compromisso com as ideologias de vanguarda que caracterizaram a evolução posterior do Estilo Internacional (PULOS, 1990: 164-171). A Carnegie ainda hoje se configura como um importante pólo para o ensino do design nos Estados Unidos, com uma abertura notável para a interação entre design e pesquisa.

Não seria justo encerrar esta seção sem dedicar ao menos algumas palavras a um outro país que tem-se destacado historicamente como uma terceira vertente para o ensino do design. Pioneira da industrialização, do design e do seu ensino, a Grã-Bretanha tem conseguido extrair, de um passado rico em experiências heterogêneas, tendências bastante peculiares com relação aos outros modelos citados. A velha escola central de *South Kensington*, referida no capítulo quatro, acabou por se transmutar em *Royal College of Art* (RCA) em 1896, o que apenas confirmou em nome o abandono da sua missão original de treinar designers para a indústria. Ironicamente, porém, foi a partir dessa nova configuração como escola de arte que a RCA deu início de fato à sua transformação em uma das mais importantes escolas de design do século 20. A partir da nomeação de Robin Darwin como diretor da instituição em 1948, a RCA assumiu uma nova orientação mais voltada para as exigências industriais, mas, com habitual pluralismo britânico, sem abrir mão do forte perfil de educação artística que havia sido a sua razão de ser até então. Persistindo na proposta de educar docentes, artistas plásticos e designers em um mesmo contexto, a RCA foi aos poucos dando ênfase crescente ao terceiro grupo e pautando cada vez mais a sua identidade na relação do design com novas mídias e tecnologias. Em 1959, a escola abriu uma divisão dedicada ao desenho industrial, propriamente dito, e o designer Misha Black assumiu a responsabilidade por essa cátedra. Sob a liderança de Black e seu colega Bruce Archer, a escola passou a investir em pesquisa avançada em design e engenharia, o que acabou conduzindo à formação de um departamento autônomo de pesquisa no final da década de 1960 (FRAYLING, 1987: 128-147; FRAYLING & CATTERALL, 1996: 29-32, 58-62). Desde lá, a RCA tem mantido uma postura de grande abertura para novas frentes de pesquisa, sendo inclusive uma das primeiras faculdades de design do mundo a oferecer programas de pós-graduação em história e teoria do design. O modelo plural da RCA tem exercido um pequeno mas perceptível impacto nos rumos do ensino do design no Brasil. Darwin e Black atuaram como consultores na estruturação da ESDI, mas a sua influência nesse processo foi limitada. Posteriormente, quando a Escola de Belas Artes da UFRJ (Universidade Federal do Rio de Janeiro) conseguiu após longos anos consolidar o seu curso de desenho industrial, no início da década de 1970, a RCA foi citada como exemplo a seguir, mas com poucos resultados concretos (souza, 1996: 32; teles, 1996: 76). Fechando o primeiro decênio de ensino do design em nível superior no Brasil, a Pontifícia Universidade Católica do Rio de Janeiro inaugurou em 1973 o seu próprio curso de graduação, o qual deu origem ao primeiro curso de pós-graduação em design no país, iniciado em 1994. Nos últimos anos, vêm surgindo outros cursos em nível de pós-graduação, confirmando a pesquisa em design como uma frente de primeira importância para o campo.

A centralidade do ensino para a constituição de uma narrativa histórica do design é um fato de importância determinante para contextualizar grande parte dos debates políticos e ideológicos que têm regido o campo, dentre os quais a questão pendente no Brasil da regulamentação da profissão. Como tantas outras profissões congêneres, o reconhecimento pela sociedade do design como campo de atuação profissional tem dependido em grande medida da capacidade dos designers de se colocarem como profissionais liberais, com formação em nível superior, e não como técnicos ou operários. A hierarquia social que coloca o trabalho intelectual acima do manual tem desempenhado papel histórico importante na maioria das culturas materialmente avançadas, em maior ou menor grau, dependendo do lugar e da época. Na sociedade luso-brasileira (seguindo, entre outras, a formulação clássica de Sérgio Buarque de Holanda) vem de muito longe a vilipendiação especialmente intensa do trabalho braçal, reforçada pelos preconceitos associados ao regime escravagista. Não é surpreendente, portanto, que um dos grandes esforços do projeto iluminista europeu tenha sido de libertar o fazer técnico e artístico do estigma de atividade inferior entre os séculos 17 e 19. A arte, a arquitetura e a engenharia conquistaram o seu reconhecimento como profissões liberais, e não apenas mecânicas, ganho traduzido imediatamente na formação de academias e universidades, cuja função era de estabelecer uma distinção entre o exercício da profissão em nível superior e em outros níveis. É evidente, para quem se detém sobre as fontes históricas disponíveis, que o design tem passado por um processo análogo no século 20. Fugindo de suas origens oficinais e fabris, o designer vem se empenhando na busca do devido reconhecimento profissional através do mecanismo testado da revalidação acadêmica; e seu grande coadjuvante nessa busca histórica tem sido o arquiteto, o qual esteve sempre presente na organização do ensino do design em nível superior.

Constatado esse processo histórico, é válido questionar até que ponto se pretende conduzi-lo, e/ou perpetuar as distorções por ele ocasionadas. Em todo o mundo, existem inúmeros exemplos de trabalhos de design importantes e de indivíduos extraordinários que os realizaram antes da organização formal da profissão. Em muitos lugares, esses profissionais já começam a receber o devido reconhecimento da posteridade, em outros não. No Brasil, por exemplo, o que diferencia um Santa Rosa e um Tenreiro de um Aloísio Magalhães, e por que se costuma atribuir somente ao último o epíteto designer? Nenhum deles era formado em design, mas todos geraram uma obra de porte na área. As diferenças parecem ser mais de ordem social do que profissional e, portanto, pouquíssimo sustentáveis diante do escrutínio mais ponderado da análise histórica. De modo paralelo, faz-se necessário questionar o fetiche da prioridade no ensino do design. Enquanto alguns ainda disputam diferenças de meses entre a inauguração dos cursos de graduação da ESDI e da FAU/USP, a grande maioria ignora ou silencia a atuação pioneira de instituições, como o Serviço Nacional de Aprendizagem Industrial, ou SENAI, criado em 1942; a Escola Técnica Nacional, fundada no mesmo ano; o Curso de Desenho e Artes Gráficas da Fundação Getúlio Vargas, criado em 1946 sob a direção de Tomás Santa Rosa; a Escola Técnica IDOPP, ativa a partir de 1949 na área de desenho de móveis e máquinas; ou até mesmo o velho Liceu de Artes e Ofícios, cuja oficina de gravura revelou talentos gráficos do porte de Poty Lazzarotto, Percy Lau e Darel Valença Lins (ver PAES DE BARROS, 1956: 328-334; FONSECA, 1961-1962: I, 503-511, II, 282-283). A importância de tais indivíduos e instituições na abertura das atividades ligadas ao design no Brasil é demasiada para ser relegada aos porões do esquecimento. Além do mais, não se trata de mero escrúpulo em relação a denominações passadas, pois um número significativo de profissionais ativos hoje permanece fora dos trâmites do ensino superior, e nem por isto são menos designers. A questão da regulamentação profissional é complexa e multifacetada, mas enquanto alguns designers insistirem em um discurso de exclusão e de privilégio com base não em critérios de capacidade profissional, mas em títulos e genealogias, permanecerá a tendência de desagregação e faccionismo que tem afetado de modo tão negativo a consolidação do campo entre nós.

O design
na era do marketing

Em paralelo às transformações no ensino do design, os meios empresarial e industrial também experimentaram grandes mudanças. Embora tenha-se falado muito no presente capítulo em capacidade industrial e design de produto, o período do pós-Guerra também foi marcado pela expansão contínua e pela consolidação de mídias relativamente novas, como o cinema e o rádio, ou inteiramente novas, como a televisão. Com o enorme potencial econômico e cultural que o entretenimento passou a representar nas décadas de 1940 e 1950, a própria noção da natureza do produto industrial foi-se alterando. Afinal, no caso de uma música ou de um filme, qual seria o produto da indústria? No plano mais imediato – de fabricação, distribuição e vendas – pode-se dizer que o produto da indústria fonográfica dessa época fosse o registro eletromagnético mas, em outro nível, é evidente que o disco de vinil era apenas um veículo para o verdadeiro produto: a informação, o entretenimento, a experiência do desempenho artístico alheio. De forma idêntica para o cinema: seria de um literalismo quase imbecil considerar que o produto da época áurea de Hollywood fossem as películas de filme fotográfico. É evidente que o produto que se vendia era eminentemente imaterial: em se pagando um bilhete de cinema, o que se compra não é nem um pedacinho de papel e nem apenas o aluguel de uma poltrona mas, antes, o sonho, a aventura, o riso, o romance. Junto com esses bens imateriais, a indústria do entretenimento passou a gerar também uma série de artigos materiais, como cartazes promocionais e capas de discos, os quais acabaram por se constituir em foco importantíssimo para o trabalho dos designers. É nessa área que se revelaram alguns dos grandes nomes do design do pós-guerra, como o americano Saul Bass, o qual se tornou conhecido mundialmente pelos cartazes, títulos e seqüências de créditos criados para filmes, como *O Homem do Braço de Ouro*, a partir da década de 1950. Essa ascensão do entretenimento como valor econômico foi tratada durante muitos anos como uma exceção às regras da produção industrial, a qual costumava ser pensada em termos de bens duráveis, inclusive no meio do design. Com a ampliação assombrosa da informática nos últimos vinte anos, passou-se a perceber que os conceitos tradicionais de 'produto' e 'design' haviam atingido os limites de suas contradições. Tornou-se necessário, portanto, procurar outras explicações que dessem conta do papel da informação como fator determinante da produção industrial.

A crescente inserção do Brasil na economia multinacional fordista do pós-guerra coincidiu, ironicamente, com o início de um longo processo que levaria ao fim do próprio sistema fordista e à sua substituição por um regime econômico que David Harvey batizou de 'acumulação flexível' e que outros têm apelidado, mais genericamente, de capitalismo tardio (HARVEY, 1989: 141-172). Segundo Harvey, no seu livro *A Condição Pós-Moderna*, esse regime — no qual vivemos atualmente — se caracteriza pelo contraste com a rigidez dos padrões fordistas. No lugar de umas poucas regiões fabris concentrando a produção industrial mundial, tem-se a descentralização através da migração do capital para diversos países periféricos. No lugar de empregos fixos e salários altos, tem-se a terceirização e os regimes de trabalho flexíveis. No lugar de bens duráveis e indústria pesada como âncoras econômicas, tem-se uma economia estruturada em torno de serviços, de transações financeiras e de difusão da informação. Vai se desfazendo aos poucos o pacto político fordista entre governos nacionais, empresas e sindicatos, deixando uma situação mais ou menos caótica em que a livre negociação de todos com todos reduz cada vez mais o poder de barganha do cidadão comum perante forças impessoais, como a privatização ou a chamada globalização. Se no sistema fordista o poder e a riqueza se mediam pela capacidade produtiva do país, da empresa ou do indivíduo, o que caracteriza o sistema de acumulação flexível é o poder de consumo de cada um. A expressão tanto da individualidade quanto da participação em um pacto social se faz no momento em que cada cliente manifesta as suas preferências perante as opções de consumo disponíveis e, nesse cenário no mínimo preocupante, a instância máxima de arbítrio é o mercado, o qual se compõe do somatório de todos os agentes econômicos, mas sem ser redutível a nenhuma parcela ou grupo representativo. Como naquele poderoso símbolo da nossa época que é a internet, o objeto de uso são os próprios usuários e a grande nau navega sem piloto.

Em retrospecto, é possível identificar as raízes do regime de acumulação flexível ao longo da década de 1960 e, nessa mesma época, também é possível traçar uma mudança paralela em termos da inserção social do design, compondo uma transição entre as preocupações tipicamente modernistas do período anterior e as inquietações pós-modernas dos últimos vinte anos. É fato notório que os anos sessenta trouxeram novas atitudes e novas formas de comportamento, passando pela idéia de formação de uma contracultura (termo cunhado na época) que colocasse em questão os valores da cultura vigente. Ora, os símbolos mais poderosos desses valores vistos como antiquados nada mais eram do que o consumismo desenfreado do estilo de vida americano da década de 1950 e o *establishment* industrial-empresarial que produzia os bens a serem consumidos, por detrás das fachadas de vidro e aço de seus QGs e da tipografia neutra e funcionalista de seus impressos, ambos projetados no Estilo Internacional. Na *Pop Art* e nos seus correspondentes em termos de design, começaram a pipocar no início da década de 1960 visões antigeométricas, antifuncionalistas e anti-racionalistas que visavam injetar o humor, o acaso e o mau gosto assumido no seio da estética moderna. Um dos melhores exemplos está nos trabalhos gráficos produzidos pelo escritório *Push Pin Studios*, fundado em 1954 nos Estados Unidos pelos designers Milton Glaser e Seymour Chwast, dentre outros. Os projetos criados por Glaser, Chwast e Herb Lubalin na década de 1960 faziam um uso eclético de grafismos apropriados de fontes históricas, do chamado design vernacular americano e da cultura popular, rejeitando o funcionalismo e a suposta neutralidade da escola suíça em prol do humor e da expressão visível da personalidade do designer. Colorida, irreverente e assumidamente artística, a obra desses designers marca um ponto importante de ruptura com os valores vigentes do Estilo Internacional. Na Itália também os designers manifestaram nessa época o mesmo espírito de revolta, principalmente através dos trabalhos de escritórios, como a Archizoom e a Superstudio, ambos dedicados a uma visão radical de individualidade criativa e 'anti-design'.

O principal reflexo dessa revolta no Brasil veio através do movimento artístico conhecido como Tropicália, o qual buscou no chamado desbunde uma forma de libertação do clima opressivo que regia as relações sociais nos anos de chumbo da ditadura militar. Conjugando influências que iam desde o psicodelismo até os movimentos estudantis de 1968, os tropicalistas impuseram sua estética alternativa principalmente na música, mas também nas artes visuais. Talvez o maior expoente dessa tendência tenha sido o designer gráfico Rogério Duarte, responsável por numerosos cartazes e capas de disco emblemáticos da época. Conjugando princípios construtivos

Cartaz de Rogério Duarte para *Deus e o Diabo na Terra do Sol*, filme de Glauber Rocha, 1965.

adquiridos sob a orientação do grupo da Escola Técnica de Criação do MAM com elementos da cultura popular brasileira, Duarte realizou uma verdadeira antropofagia visual, digna das idéias preconizadas pelos modernistas paulistas de 1922 (RODRIGUES, 2002: 89-94; HOMEM DE MELO, 2006: 188-215). Outro exemplo de design contestador ligado à Tropicália está no trabalho de cenografia de Helio Eichbauer, o qual despontou para o teatro brasileiro em 1967, com seu projeto de cenário para a peça *O rei da vela*, dirigida por Zé Celso Martinez Corrêa. Com recém-completados quarenta anos de carreira, Eichbauer tornou-se possivelmente o mais destacado nome da cenografia brasileira desde Santa Rosa.

Embora a Tropicália tenha adquirido mais visibilidade ao longo dos anos, principalmente em função de sua espetacular popularização na música, as raízes da rebelião contra o 'alto' modernismo são mais profundas no design gráfico brasileiro. Já foi referido o impressionante trabalho de capas de livros, iniciado por Eugênio Hirsch, em 1959, na editora Civilização Brasileira. Sua obra era expressiva, arrojada e agressiva, na medida exata. Misturando de modo pouco ortodoxo, formas e cores, tipografia e ilustração, e até lançando mão da distorção e do ruído como elementos de significação, ela prenuncia em décadas a aceitação de um design pós-moderno. Hirsch criou uma nova visualidade para o livro brasileiro, destronando o paradigma implantado por Santa Rosa, trinta anos antes, e abrindo caminho para toda uma geração de capistas que inclui Marius Lauritzen Bern, Gian Calvi, Clóvis Graciano, Jayme Cortez, Vicente di Grado, Odilea Toscano e Cyro del Nero, os quais tiraram proveito, em maior ou menor grau, da ousadia gráfica do excêntrico mestre austríaco (HOMEM DE MELO, 2006: 62-97).

Em se tratando da relação entre design gráfico e contracultura no Brasil, também é importante referir o surgimento de uma nova concepção da ilustração de humor na década de 1960. Mesmo antes do golpe militar, ilustradores como Jaguar, Ziraldo e Fortuna já transitavam pelas fronteiras entre jornalismo, design gráfico e meio editorial, emprestando seu traço inclusive para projetos de capas de livro. Na esteira dos acontecimentos de 1964, os cartunistas subitamente viram seu humor transformado em questão da maior seriedade. Jaguar e Ziraldo, juntamente com o

As capas de Eugênio Hirsch romperam com o bem comportado padrão modernista e introduziram novos elementos, como a desordem e a sujeira, calculados para chamar a atenção do público leitor.

também cartunista Henfil, capitanearam a criação do jornal *O Pasquim*, em 1969, o mais destacado órgão de oposição à ditadura, invertendo o equilíbrio então vigente na imprensa brasileira que colocava ilustração em posição subordinada aos desígnios do texto. Com abertura para afirmar através do traço aquilo que ninguém ousaria dizer em palavras, essa geração de ilustradores conseguiu restaurar o discurso visual a seu devido patamar de visceral importância. Existe um paralelo formal interessante, no sentido de maior ênfase na visualidade, com a experiência da revista *Realidade*, órgão que se destacou na década de 1960 por seu uso extensivo da fotografia, em ousada e feliz integração com a malha diagramática e blocos de tipografia (CIRNE, MOYA, D'ASSUNÇÃO & AIZEN, 2002; HOMEM DE MELO, 2006: 79-81).

Merece maior atenção individual a trajetória de Ziraldo. Conhecidíssimo do grande público, sobretudo por seu trabalho de literatura infantil, iniciado em 1960 com a revistinha *Pererê*, seu nome atravessa as décadas subseqüentes, passando por marcos, como *Flicts* (1969), seu primeiro livro infantil, e *O menino maluquinho* (1980), grandes sucessos que levaram a reputação de seu autor para muito além dos limites modestos usualmente reservados para ilustradores. Ziraldo é raro exemplo de uma celebridade surgido das artes gráficas; mas, nem por isto, costuma receber reconhecimento como designer. Certamente, existe uma injustiça nessa constatação. Além de seus trabalhos com ilustração e capas de livros, ele é autor de numerosos cartazes e até marcas e logotipos. A ambigüidade que o campo profissional do design tem mantido com relação à ilustração é um assunto digno de consideração mais aprofundada. Além do caso de Ziraldo, outro autor muito reconhecido pelo público, mas não pelos designers, é Maurício de Sousa. Desde a publicação da primeira revistinha *Mônica*, em 1970, a produção de Maurício tem se transformado em marco de toda uma época, formando a iniciação visual de gerações de brasileiros. Qualquer discussão desse tema não se esgotaria nas histórias em quadrinhos, certamente. Existem vários grandes nomes da ilustração, surgidos entre as décadas de 1960 e 1980, cuja produção tangencia o campo do design, passando freqüentemente pela produção de livros, cartazes, rótulos e outros impressos. Dentre estes, faz-se necessário citar o nome de J.L. Benício, o qual ganhou notoriedade com seus inconfundíveis cartazes de cinema, especialmente aqueles produzidos para as chamadas 'pornochanchadas' da década de 1970. No total, foram mais de 300 cartazes e cerca de 1.500 capas de livros de bolso, além de quadrinhos e desenhos para publicidade e arquitetura, o que talvez valha para Benício o título irônico de 'não-designer' mais produtivo da história do design brasileiro.

Essa proximidade entre ilustração e transgressão de valores políticos e morais, nas décadas de 1960 e 1970, não ocorreu somente no Brasil. Antes, faz parte do fenômeno mais amplo da pós-modernidade em sua tradução para o registro da cultura visual. Basta pensar nos desenhos de Robert Crumb, o genial criador de ícones, como *Fritz the Cat* e *Mr. Natural*, e virtual fundador do quadrinho *underground* como forma de resistência cultural. A desconfiança dos circuitos de contracultura com relação a tudo que vinha do meio corporativo e dos poderes constituídos, explica em parte a dificuldade que existiu durante muitos anos de aceitação desse tipo de trabalho pelo campo do design. Em sua última encarnação modernista, sob o predomínio do Estilo Internacional, os profissionais de design estavam acostumados

A folclórica obra de Benício marcou época, quase definindo a percepção popular do cinema brasileiro na década de 1970.

a propor grandes soluções totalizantes para os problemas da sociedade, dispondo-se até, com alarmante freqüência, a impor as mesmas de cima para baixo. No clima intelectual de contestação característico dos anos 1960, esse tipo de atitude passou a ser visto com desconfiança. É interessante, nesse sentido, perceber a reviravolta no discurso de Buckminster Fuller, um dos grandes pensadores de design de todos os tempos. Após décadas de atuação na esfera governamental, chegando a se empenhar em programas de planejamento estatal, o velho Bucky passou a preconizar, na década de 1960, a importância do design como elemento de adequação da tecnologia às necessidades humanas e de preservação ambiental. Conforme escreveu em 1962, os designers precisavam agir com uma nova perspectiva, porque a política era importante demais para ser deixada aos políticos. Data dessa mesma época e do decênio subseqüente uma verdadeira explosão de textos e propostas teóricos ligados à contestação do próprio sistema produtivo, incluindo livros antológicos de autores, como E.F. Schumacher, Ivan Illich, Theodore Roszak, Vance Packard e Victor Papanek, vários dos quais lidavam diretamente com a posição do design em relação à lógica do consumismo.

Na arte, no design e na moda, a época dos *sixties* salta aos olhos como uma verdadeira celebração da criatividade, da individualidade e dos estilos de vida alternativos; porém, curiosamente, foi também um período de ampliação contínua do consumo e do consumismo. Na melhor lógica *pop*, cada ato de contestação e rebeldia era apropriado pela mídia, transformado em ícone e revendido como mercadoria, tal como o líder guerrilheiro Che Guevara, cuja morte deslanchou não a revolução esperada, mas uma verdadeira indústria de camisetas e cartazes.

Como explicar a contradição aparente da convivência harmoniosa entre contracultura e consumismo? Na verdade, o que ocorreu de modo amplo nos anos 1960 e 1970 foi não um confronto generalizado com a proposta do consumo em si, mas uma mudança qualitativa no tipo de produção e de consumo. A primeira freada do processo de recuperação econômica do pós-guerra veio por volta de 1957-1958, quando os Estados Unidos e a Europa enfrentaram um momento francamente recessivo, com quedas nas taxas de lucro e acumulação de capital. O símbolo mais famoso dessa crise ficou sendo o fracasso do automóvel *Edsel* da Ford, o qual foi lançado em meados de 1957 em meio a um aparato publicitário estrondoso. Projetado para atingir o consumidor de poder aquisitivo médio, o *Edsel* era o maior e mais possante carro de produção da época e foi dotado de toda espécie de novidades e exageros em matéria de ornamentação. Com o agravamento da crise econômica, as vendas foram péssimas e diversos críticos aproveitaram o momento para acusar a Ford de querer vender apenas a mesmice com uma roupagem nova, o que colocava em questão toda a cultura do automóvel-fantasia então no seu auge (GARTMAN, 1994: 171-178). As perdas imensas contabilizadas pela Ford nesse episódio representavam uma verdade econômica ainda mais grave, pois, com a recessão, o consumo doméstico dos Estados Unidos parecia finalmente ter atingido o seu ponto de saturação. Para piorar a situação, os soviéticos lançaram alguns meses depois o satélite *Sputnik*, assumindo a liderança na corrida espacial, o que, combinado com a Revolução Cubana dois anos depois, deu um ar nítido de final de festa ao boom consumista dos anos anteriores. A partir do final da década de 1950 foi desferido um golpe definitivo contra o paradigma industrial fordista com o surgimento dos primeiros movimentos de defesa do consumidor nos Estados Unidos. A publicação em 1965 do livro *Unsafe at Any Speed*, de autoria de Ralph Nader, denunciando as falhas de design e falta de segurança dos automóveis americanos, deslanchou um processo contínuo de investigação e regulamentação que alteraria permanentemente a relação da indústria com o público consumidor. Diante da exigência jurídica de que as indústrias assumissem a responsabilidade civil pelos danos causados por seus produtos, tornou-se impraticável uma política puramente cosmética de design como aquela conduzida pela GM no auge da estilização automobilística da década de 1950.

Diante desse quadro sombrio para os lucros, os empresários começaram a buscar novas estratégias para promover as vendas e pelo menos uma das soluções encontradas acarretou conseqüências fundamentais para o futuro do design. Com a estabilização dos patamares de vendas, as grandes empresas passaram a investir de forma maciça em publicidade como instrumento de estímulo às compras, lançando campanhas de porte e extensão até então inimagináveis. A década de 1950, embora não represente de forma alguma o início da atividade publicitária, pode ser entendida como o marco da sua maioridade, o momento em que a publicidade passou a ser um fenômeno cultural e econômico de importância central e visceral. A introdução da televisão nessa mesma época ajudou a consolidar a relação trinitária entre design, publicidade e marketing, pois o novo aparelho era ao mesmo tempo produto eletrodoméstico, veículo para vendas e atividade de lazer. É em torno da televisão que se cristaliza um dos conceitos fundamentais do design e do marketing no mundo pós-moderno: o que foi batizado em inglês de *lifestyle*, ou estilo de vida. Mais do que o sentido aparente do termo, trata-se da idéia de que uma mercadoria não deve ser projetada apenas como um produto isolado, julgado por padrões imanentes, como função ou forma, mas como uma peça inserida em toda uma rede de associações e atividades que juntas geram uma imagem e uma auto-imagem do consumidor/usuário. Essa evolução operaria a longo prazo uma transformação permanente do exercício profissional do design, afastando o campo da autonomia criativa e produtiva preconizada pelo paradigma fordista-modernista e reaproximando-o de considerações essencialmente mercadológicas. A partir da década de 1960, e crescentemente até os dias de hoje, os designers e os próprios capitães de indústria iriam perdendo o poder de ditar normas arbitrárias como 'qualquer cor contanto que seja preto' ou 'triângulo amarelo, quadrado vermelho, círculo azul', pois a caixinha de Pandora do poder do consumidor havia sido aberta (deixando no fundo apenas o desejo de cada um). A indústria de moda experimentou uma expansão extraordinária nesse período, assentando as bases do sistema *prêt-à-porter* nos moldes que ainda vigoram hoje. Nomes, como Yves Saint Laurent, Pierre Cardin e Mary Quant, despontaram no cenário internacional, levando para um público maior as preocupações de alta costura antes restritas à elite da sociedade. A consciência da moda como fator condicionante do consumo demoraria ainda para repercutir no Brasil, o que só começou a ocorrer a partir da década de 1970 com a notoriedade alcançada pela estilista Zuzu Angel, levando muitos anos ainda, depois disso, para amadurecer na visão do empresariado nacional.

Um dos primeiros a reconhecer o impacto dessa visão de mercado foi o americano Theodore Levitt, que publicou em 1960 um artigo influente na revista *Harvard Business Review*, o qual ajudou a estabelecer o marketing como área de atuação profissional. Levitt atribuiu a causa de surpresas, como o fracasso do *Edsel* e a demanda imprevista do público por carros mais compactos, ao fato de que os fabricantes de automóveis americanos faziam o seu planejamento estratégico em torno do produto e não do usuário. O tipo de pesquisa de mercado então realizada pela Ford ou pela GM buscava determinar as preferências do consumidor dentre uma série de opções preestabelecidas, mas não oferecia mecanismos para identificar as necessidades do consumidor, muito menos para antecipar-se a mudanças mais radicais nos seus anseios ou desejos. Não bastava apenas modificar o produto, argumentava Levitt; era preciso repensar a sua própria natureza e a sua inserção na vida do usuário. Como outro exemplo dessa tese, Levitt apontou as dificuldades do cinema em lidar com a televisão. Na década de 1950, os estúdios de Hollywood encararam o surgimento da televisão como uma ameaça de concorrência e não como uma oportunidade. Em vez de investir seus enormes recursos no novo veículo, Hollywood partiu para o confronto direto entre cinema e televisão. Levitt argumentou que o produto da indústria cinematográfica não eram filmes, mas sim o entretenimento e que, portanto, Hollywood devia abraçar a televisão como um novo e promissor mercado para o seu verdadeiro produto (como acabou ocorrendo). Pelo prisma dos estudos de estilo de vida, o uso pelo consumidor, e não o produto em si, passa a ser o objeto prioritário da empresa. Cabe ao designer, portanto, projetar muito mais do que apenas funcionalidade, comodidade ou beleza; torna-se necessário antecipar no projeto questões relativas ao modo de venda, à distribuição, à manutenção e até mesmo à devolução e à substituição do produto (WHITELEY, 1993: 19-21).

As teses de Levitt demoraram mais de vinte anos para ser inteiramente assimiladas, mas hoje figuram como o senso comum do mercado. Existem, inclusive, bons exemplos nos últimos anos de produtos que devem a sua própria existência ao reconhecimento do marketing como fator determinante da produção e não apenas como complemento para ajudar a vender um produto já existente. Os relógios Swatch, tão populares na década de 1980, oferecem um bom exemplo. Após sofrer sérios baques na década de 1970 diante da popularização de relógios digitais baratos fabricados na Ásia, a indústria suíça de relógios reagiu com o lançamento em 1983 do primeiro Swatch, fabricado pela empresa Eta. O Swatch é um produto que deve o seu enorme sucesso a uma estratégia extremamente bem coordenada de produção, design e marketing. Do ponto de vista da sua engenharia, trata-se de um relógio de quartzo simples, padronizado, fabricado com alto grau de automação industrial e tecnologia avançada que reduzem ao mínimo o número de peças e o custo de produção. O mecanismo produzido era relativamente barato e de boa qualidade, mas não detinha, por estas razões, nenhum potencial de revolucionar o mercado de relógios de pulso. Acrescentando a esse elemento uniforme de base uma série infindável de pulseiras de plástico com cores e desenhos diferentes, vendidas a preços acessíveis mas não baratos, e posicionando o produto final como um acessório de moda, o Swatch deslanchou no mercado e se tornou um dos grandes fenômenos de vendas da época (WHITELEY, 1993: 23-25). O sucesso do produto se pautou muito mais em questões de design (a solução da pulseira removível, as variações entre pulseiras), de estilo de vida (a possibilidade de usar o relógio como acessório para passar uma imagem temporária, combinando-o com a roupa) e de marketing (sua inserção em um segmento de mercado voltado para o design e a moda como elementos de auto-afirmação) do que em outros quesitos tradicionalmente associados ao mercado de relógios de pulso, tais quais qualidade, durabilidade, valor, prestígio. O Swatch se apresenta como um caso clássico de redimensionamento da produção em função do usuário, abrindo um mercado até então inteiramente insuspeitado. O relógio de pulso tradicional era um objeto caro e a maioria das pessoas possuía apenas um único durante muitos anos. Com a introdução do relógio digital barato, tornou-se viável do ponto de vista financeiro trocar de relógio com maior freqüência ou, até mesmo, possuir um grande número de relógios, se bem que a falta relativa de diferenciação entre eles não estimulava esta opção. Com o Swatch, o consumidor foi levado, pela primeira vez, a encarar o objeto relógio como algo a ser consumido em quantidade e a ser possuído simultaneamente em várias versões, o que acabou por afetar essa indústria de modo decisivo.

O caso do Swatch pode ser visto por alguns como um modismo ou uma exceção, mas grandes empresas em diversos segmentos vêm assumindo cada vez mais a posição de que o estilo de vida do usuário e a política institucional de design devam evoluir juntas. A multinacional de aparelhos eletrônicos Sony é outra empresa citada freqüentemente para exemplificar a inversão do paradigma produtivo fordista. Ao invés de oferecer ao público consumidor aquilo que ele espera — ou seja, versões formalmente diferenciadas de produtos que já existem — a Sony vem apostando desde a década de 1960 em uma política de criação de novas funções, e novos produtos para estas funções, através de uma colaboração estreita entre pesquisa em engenharia, design e marketing. A televisão portátil, o rádio-relógio, o *Betamax* (o primeiro aparelho de videocassete a ser comercializado) e o *Walkman* são exemplos de produtos criados não para atender a uma demanda existente, já que ninguém concebia as suas funções antes que fossem criados, mas que passaram a gerar a sua própria demanda pela introdução de novas funções ou pelo seu redimensionamento. No caso do *Walkman*, o produto não representava nenhuma grande novidade tecnológica (a não ser a redução de tamanho e peso que foi necessária para tornar o gravador mais portátil), mas antes uma opção de uso diferente para um produto conhecido. Através de inovações essencialmente de design e marketing, o *Walkman* inseriu o toca-fitas em um estilo de vida bastante diverso do seu domínio habitual até então e se transformou em sucesso absoluto de vendas, inaugurando assim todo um novo segmento de tocador portátil de músicas que evoluiu, desde então, a patamares impensáveis para a tecnologia daquela época. A idéia de pautar o design do produto no comportamento do consumidor e em outras tendências sociais tem gerado conseqüências importantes em várias empresas. Nesse sentido, é válido contrapor a política de design tipicamente fordista-modernista da Braun, sob Dieter Rams, à da sua concorrente Philips sob a gestão do designer americano Robert Blaich, o qual trabalhou como diretor de design da empresa na década de 1980. Defendendo o conceito de um 'design global', Blaich promoveu ativamente uma descentralização do projeto de produto na Philips. Sua meta era de oferecer ao consumidor uma maior variedade de modelos de acordo com o segmento de mercado visado e a região de venda do produto. Para tanto, Blaich reuniu uma grande equipe internacional de designers e deu ênfase a questões de variação na chamada 'semântica' do produto (a percepção clara do seu uso pelo público-alvo) e não a uma padronização formal que desse unidade a toda a produção, como foi durante tantos anos a política da Braun (DORMER, 1993: 22, 44-45, 82-83; WHITELEY, 1993: 21-23).

No Brasil, a recente reinvenção das sandálias havaianas fornece outro exemplo interessante de como a percepção do produto pode mudar seu uso e impactar o design. Em 1962, a empresa Alpargatas S.A., antiga fabricante de calçados, começou a produzir uma sandália de dedo, feita de borracha, inspirada nos tradicionais modelos japoneses de palha (conhecidas como sandálias tatame ou *zori*). Batizadas 'havaianas', essas sandálias eram baratas e muito duráveis, e logo conquistaram lugar cativo no mercado brasileiro. Tornaram-se item de consumo, mesmo dos mais pobres, e era possível adquiri-las em qualquer recanto do país, até no interior mais remoto. De tão consumidas, rapidamente geraram imitadores e cópias; e, a partir da década de 1970, a empresa se viu obrigada a promover campanha duradoura exortando seus consumidores a preferirem as 'legítimas'. Durante três décadas, o termo sandália havaiana foi quase sinônimo de calçado popular, gerando alto grau de identificação com aquilo que, às vezes, é chamado de 'Brasil profundo'. Tanto isto é verdade que, trinta ou quarenta anos atrás, era relativamente comum, em locais considerados de elite – como certos restaurantes ou clubes metidos – ser barrada a entrada de pessoas usando havaianas.

Na década de 1990, o fabricante das tradicionais havaianas introduziu uma reestilização das sandálias, tornando-as monocromáticas. Com essa mudança do design, combinada com uma forte campanha de marketing, as linhas havaianas 'top' e 'fashion' conquistaram novos segmentos e aumentaram significativamente o mercado para o produto.

Ao mesmo tempo, elas foram rapidamente assimiladas por todas as classes sociais como calçado de praia, e para uso doméstico. Na década de 1980, já existia um culto às havaianas entre uma geração que foi criada com elas, principalmente em meio à subcultura do surfe. Mesmo assim, a sandália havaiana continuou a ser tachada, de modo preconceituoso, como 'calçado de pobre' e, gradativamente, foi perdendo espaço para concorrentes.

No ano de 1994, a Alpargatas S.A. introduziu uma série de mudanças que, conjuntamente, talvez constitua a mais bem sucedida iniciativa de reposicionamento de marca da história comercial brasileira. Foi lançada uma linha de sandálias monocromáticas, as havaianas *Top*, com alterações no design que incluíram pequenas mudanças no formato da sandália e nos materiais empregados, as quais tornaram o calçado um pouco mais confortável, porém um pouco menos durável. Essa nova linha foi comercializada a um custo mais alto, no varejo, do que as havaianas tradicionais. Uma campanha de marketing muito bem estruturada buscava convencer o consumidor a adquirir a sandália como acessório de moda, variando sua cor de acordo com o humor e com o figurino, estratégia muito parecida com a do Swatch. O resultado dessa campanha superou as expectativas da própria empresa, capitalizando em cima do carinho de toda uma geração de brasileiros pela marca e projetando a nova linha de sandálias a um patamar de vendas altíssimo. Antes acostumados a ter um único par de havaianas durante anos, os consumidores de maior poder aquisitivo rapidamente perceberam que podiam comprar vários pares, de cores diferentes, bastando para tanto que existisse tal oferta. Dando continuidade às mudanças, a empresa vem lançando, desde então, outras linhas de sandálias, com modelos variados, e sustentando a forte campanha de marketing em torno da marca. Nos últimos anos, as havaianas caíram nas graças do circuito de moda e, assim, vieram a se tornar sucesso de vendas internacional. Projetadas ao papel icônico de símbolo industrial da brasilidade, hoje são mais copiadas do que nunca.

O caso das havaianas é uma ilustração clara da importância do *branding* para o design no mundo contemporâneo. Em mercados cada vez mais competitivos, vence quem consegue gerar uma identificação profunda entre o produto e seu usuário; e uma marca torna-se especialmente forte quando se confunde com a própria identidade e história do sujeito consumidor. Ao identificar tendências e anseios latentes na sociedade, o designer pode responder a elas com soluções que pareçam naturais ou evidentes, que gerem uma sensação de 'por que ninguém fez isto antes?'. A idéia de atribuir ao usuário o poder de influenciar ou, até mesmo, de determinar o design do produto – às vezes chamada de *consumer-led design* (design conduzido pelo consumidor) – é evidentemente um tanto ilusória. Sondar o mercado ou mesmo antecipar-se a ele não equivale a se submeter a seu arbítrio e, em algum momento, todo produto tem que passar por um estágio de planejamento e projeto em que a vontade do consumidor está conjugada, senão subordinada, a outras considerações, tais quais tecnologia produtiva, redes de distribuição, concorrência, lucros, imagem da empresa e a própria visão de quem gera o design. Seria demagógico da parte do designer, portanto, sugerir que é o usuário quem conduz esse processo. Porém, também é claro que o consumidor detém em muitos casos o poder final de decidir qual produto comprar e como irá utilizar esse produto. A possibilidade de subverter a linearidade do processo produtivo, a partir do ponto-de-venda, começa a ganhar um novo sentido com a compra de mercadorias pela internet. O conceito do *on-demand* — ou seja, de que um produto industrializado seja fabricado sob encomenda direta do consumidor — tira proveito dos avanços tecnológicos da era digital para oferecer objetos configurados especificamente para cada usuário. A partir do momento em que se torna viável, em termos de custo, alterar determinadas configurações e acessórios na própria linha de produção (como no caso dos automóveis) e/ou produzir pequenas séries, ou até objetos únicos (como no caso de um cartaz impresso em *plotter*), pode-se transformar em vantagem competitiva a ação de franquear essa flexibilidade produtiva para o consumidor, na qualidade de um leque maior de opções (o jargão industrial *customização*, que se refere a isto, vem do inglês *custom-made*: feito sob encomenda). Com a crescente facilidade de encomenda e distribuição direta pela rede eletrônica, esse tipo de prática vem-se tornando comum em um número cada vez maior de setores industriais.

Uma das vertentes mais interessantes do design na era do marketing reside justamente nas tentativas de prever e facilitar um número maior de possibilidades de uso através da flexibilização do projeto. Em um sentido, essa proposta não deixa de remeter ao velho sonho modernista dos sistemas modulares: ou seja, a partir de um conjunto de módulos padronizados, é possível montar toda uma série de estruturas. Em outro sentido, as idéias atuais sobre produtos interativos diferem consideravelmente da proposta modular. Não se trata mais de uma questão de permitir ao usuário construir variações previsíveis a partir de elementos simplificados, mas, antes, de gerar um projeto com densidade conceitual tal que permita desdobrar, ou mesmo desconstruir, as funções do objeto. Aliás, é interessante notar que a maioria dos produtos que prevêem a intervenção do usuário, ou que permitem de algum modo uma maior flexibilidade em termos de uso, requer mais sofisticação em termos de design, e não menos. Um bom exemplo está em uma série de bancos de praça projetada pelo designer francês Philippe

Starck para o *Parc de la Villette* em Paris, cujo design permite que o usuário altere a posição do assento. Apesar de os bancos serem fixos, a sua base móvel em ângulo permite que duas pessoas sentadas lado a lado se afastem ou se aproximem, ou ainda que se mude de posição para acompanhar o sol ou a sombra, sem sair do lugar (JEUDY, 1999). Esse tipo de interação tem muito menos a ver com a rigidez construtiva de módulos padronizados do que com a fluidez contínua de usos que vão sempre se alterando e se desenvolvendo. O trabalho de Starck foi importante para popularizar a idéia do design como interação. Se, para alguns críticos, os objetos projetados por ele são pouco funcionais, podemos rebater que todo objeto exerce bem mais do que uma única função. Hoje, as frentes de trabalho mais promissoras do design mundial tendem a encarar o produto não mais como algo estanque, como um objeto projetado para uma instância única de uso, mas como algo sistêmico – como parte de um processo de constante transformação. Ao longo do tempo, o mesmo produto pode passar por diversos usuários e vários contextos de uso, cada um dos quais irá alterar o significado previsto – e, possivelmente, até sua forma e configuração (ver CARDOSO, 2004). Nesse contexto transformado, a experiência de uso e a resposta emocional do usuário tornam-se fatores tão determinantes do projeto quanto as tradicionais preocupações com materiais e processos de fabricação. A imagem e a inserção do produto devem ser levadas tão a sério, na hora de projetar, quanto o são questões mais concretas, como operacionalidade, usabilidade e impacto ambiental.

Design na periferia

Os críticos do marketing moderno costumam dizer que quanto mais aumentam as opções de consumo, menos o consumidor parece ter qualquer outra opção senão consumir cada vez mais. Existe um fundo de verdade inegável nessa afirmação. Quando se comparam os debates econômicos e industriais de hoje com os de vinte, trinta ou cinqüenta anos atrás, percebe-se uma inquietante homogeneização do discurso. Até recentemente, por exemplo, países, como Índia e Brasil, discutiam os méritos relativos de permitir ou não o ingresso do capital estrangeiro como instrumento de desenvolvimento. O Brasil vem apostando firmemente, desde a década de 1950, na implantação de multinacionais em território nacional como forma de promover o crescimento industrial. A Índia, por sua vez, proibiu durante décadas a entrada de multinacionais, como a Coca-Cola, no seu mercado doméstico, com a meta de tentar estimular o surgimento de fabricantes locais. Hoje em dia, com a erosão gradativa de valores nacionalistas, tanto o brasileiro quanto o indiano gozam o direito sacrossanto de optar entre Coca e Pepsi. Com cada vez mais legislação e organismos prontos para voltar todo o peso da comunidade internacional contra quem ousar contestar o credo liberal, o protecionismo se tornou não mais uma questão política mas jurídica. Certamente há um ganho nisso, pois praticamente todo leitor deste livro tem acesso a uma variedade maior de opções de consumo do que tiveram os seus pais, mas existe evidentemente uma perda também, em termos de conseguir enxergar opções para além do consumo. Existe também um outro nível de perda bem mais específico ao contexto nacional, que diz respeito aos períodos freqüentes de estagnação ou diminuição do poder aquisitivo de cada um. Não resta dúvida de que existem mais opções de consumo no Brasil de hoje do que trinta anos atrás, mas isto não necessariamente se traduz em um aumento proporcional do número de consumidores. No Brasil e em muitos outros países, o crescimento do consumo não tem correspondido historicamente a uma ampliação do poder de compra médio; ao contrário, quanto mais rico fica o País, mais parece aumentar o número de pobres. Não se pode dizer o mesmo sobre uma série de países — os do chamado grupo dos sete países mais industrializados do mundo, ou G7 — em que o poder aquisitivo médio aumentou consideravelmente durante o mesmo período. Para o designer brasileiro, essa simples constatação coloca um grave problema profissional: como fazer design na periferia do sistema?

Muitos leitores já devem ter percebido o uso ao longo deste livro dos termos centro e periferia. Será que é justo empregar essa terminologia para descrever as relações entre ricos e pobres no mundo? Existem, é claro, outras formas de definir esses conceitos. A imprensa brasileira ainda emprega com certa promiscuidade as expressões Primeiro Mundo e Terceiro Mundo, fórmula inaugurada durante a Guerra Fria, que dividia o mundo em três setores: o primeiro, que eram os aliados da OTAN; o segundo, que eram os países do Pacto de Varsóvia (aliados da ex-União Soviética); e o terceiro, que era todo o resto. Esse modelo já é tão datado que quase ninguém mais se lembra qual era o Segundo Mundo e, além do mais, tem a desvantagem de nivelar países relativamente prósperos, como Chile ou Austrália, e países miseráveis, como Moçambique ou Bangladesh, os quais enfrentam problemas de dimensões inteiramente diversas. A ONU, o BIRD e outros organismos internacionais ainda usam o binômio países desenvolvidos e países em desenvolvimento; mas a idéia de desenvolvimento parece bastante desgastada diante das enormes crises ambientais da nossa época. Desenvolvimento em direção a quê? Ao estilo de vida insustentável dos Estados Unidos, onde cada cidadão gera em média mais que o dobro de lixo de um cidadão do México? Outra opção em voga nos meios de ação pró-desenvolvimento é Mundo Majoritário e Mundo Minoritário; mas, novamente, retorna-se ao problema de nivelar tanto um grupo quanto o outro, gerando um maniqueísmo que reduz uma relação extremamente complexa à bidimensionalidade. A vantagem dos termos centro e periferia reside justamente na possibilidade de pensar essa relação em três dimensões, como se discutíssemos não um mapa plano, mas um modelo planetário em que diferentes núcleos agregam, cada um, os seus satélites e giram, por sua vez, em torno de núcleos mais poderosos, ocupando ao mesmo tempo a posição de centro do seu pequeno sistema e periferia do sistema maior. Por exemplo, a economia brasileira é claramente periférica em relação aos Estados Unidos ou à União Européia, dependendo delas para a sua prosperidade, mas é central dentro do Mercosul e da região como um todo. Mesmo dentro do Brasil, existem regiões centrais e periféricas, como existem grupos de empresas e de pessoas que centralizam o poder e a riqueza e outras que permanecem periféricas. Toda cidade tem também o seu centro (ou centros) e a sua periferia. Juntando esses vários níveis, é possível identificar pessoas que moram em países centrais, mas ocupam uma posição periférica, como um morador de rua em Londres, ou vice-versa, como um alto executivo nigeriano. A partir dessa conceituação mais flexível, é possível elaborar uma análise da posição histórica do design diante das peculiaridades do contexto brasileiro.

Conforme já se insinuou neste livro, um dos problemas mais discutidos com relação ao design no Brasil é o fato de se tratar de uma palavra importada. Continuam a se arrastar para adiante, em surtos periódicos de dispepsia conceitual, intermináveis debates sobre design versus desenho industrial, design gráfico versus programação visual e outras questiúnculas de nomenclatura. Com menor freqüência, infelizmente, discute-se o problema mais profundo por trás dessas querelas: ou seja, qual seria o papel do design na sociedade brasileira? O que se projeta aqui? O que se deve projetar aqui? Como? Para quem? Será que podemos falar de um design brasileiro, propriamente dito, e como seria este? Mais instigante de todas, permanece a pergunta: o que o design pode fazer pelo Brasil? (parafraseando o título de uma palestra proferida em 1977 por Aloísio Magalhães; ver MAGALHÃES, 1998: 9-12). Apesar das dificuldades crescentes enfrentadas por novos profissionais que chegam ao campo com perspectivas extremamente incertas, parece existir cada vez menos pessoas com disposição e fôlego para tratar dessas questões de fundamental importância. Não cabe ao presente livro aprofundá-las, mas apenas oferecer alguns subsídios históricos a fim de contextualizar a discussão.

Na época em que o ensino formal do design foi implantado no Brasil, no início da década de 1960, já datava de quase um século e meio o conflito sobre o papel da arte aplicada à indústria como agente de desenvolvimento econômico, pois o decreto assinado por D. João VI em 1816 fundando a Escola Real de Ciências, Artes e Ofícios previa que a nova instituição fomentasse o "progresso da agricultura, mineralogia, indústria e comércio através do estudo das Belas Artes com aplicação e referência aos ofícios mecânicos" (DENIS, 1997: 184). A tarefa desenvolvimentista tem continuado a ser um desafio constante para o campo do design ao longo da história recente brasileira, com surtos cíclicos de renovação de interesse pelo tema a cada geração. A criação em 1996 do Programa Brasileiro de Design (PBD) – filiado ao Ministério da Indústria, Comércio e Turismo – e de programas estaduais congêneres de promoção do design se insere como a mais recente etapa dessa longa trajetória, afirmando a continuada crença no poder do design como elemento estratégico capaz de agregar valor à produção industrial nacional. Entretanto, ao longo dessa evolução histórica, tem permanecido pouco claro de que maneira o design iria servir de alavanca para as transformações almejadas. Tem-se falado, de modo um tanto genérico, em design como um instrumento para aumentar a competitividade da produção nacional, principalmente em termos de exportação. Segundo os defensores dessa tese, o produto brasileiro terá melhores condições de competir dentro e fora do País se possuir uma identidade mais marcante em matéria de design. Trata-se de uma proposição bastante antiga – o mesmo argumento foi empregado na década de 1830 pelos fabricantes de seda da cidade britânica de Coventry para exigir o ensino público do design naquele país e reiterado posteriormente pela *Werkbund* alemã e pela quase totalidade dos outros órgãos nacionais de promoção do design – mas cuja validade permanece difícil de averiguar.

O outro extremo desse argumento reside na hipótese de que não adianta o Brasil investir em design, por ser um país periférico no sistema econômico mundial e cuja função dentro de uma divisão de trabalho internacional seria, portanto, de servir como exportador de matérias-primas e, no limite, de produtos industriais de baixa tecnologia. Trata-se também de uma tese antiga, datando pelo menos do século 19, quando muitos argumentavam que o Brasil nem deveria tentar se industrializar por ser um país de vocação eminentemente agrícola. Com a industrialização maciça dos últimos cinqüenta anos, a tese da 'vocação agrícola' teve que ser alterada significativamente para dar conta da nova realidade. De tanta alteração, aliás, ela acabou sofrendo uma inversão e, em vez de ser utilizada para combater a industrialização, suas premissas fundamentais foram aproveitadas por outros segmentos ideológicos para promover uma intensificação da evolução industrial. A partir da voga por teorias de sistemas mundiais nos estudos sociológicos das décadas de 1960 e 1970, surgiu uma série de críticos propondo que países como o Brasil não conseguiriam passar para o chamado estágio desenvolvido, porque eram mantidos propositalmente em uma situação de atraso industrial e dependência tecnológica. Para esses críticos, a grande questão política mundial seria a transferência de tecnologia dos países mais avançados para os países mais atrasados, o que resultaria em uma explosão de crescimento destes últimos e uma maior igualdade entre todos. A idéia da transferência de tecnologia exerceu uma influência bastante importante sobre o campo do design. No Brasil, onde boa parte da produção industrial fica a cargo de empresas multinacionais, tem existido desde muito uma nítida insatisfação da parte da comunidade dos designers com a política da maioria dessas empresas de importar projetos diretamente da matriz estrangeira, o que seria uma demonstração clara da relação de dependência em ação. Sem dúvida, essa crítica tem uma validade considerável. Porém, conforme argumenta Gui Bonsiepe – um dos nomes fundadores da idéia da transferência tecnológica no Brasil – a teoria da dependência não explica o fato de as empresas locais não aproveitarem mais intensamente as possibilidades de um design nacional ou regional. Segundo ele, o problema mais profundo reside na falta cultural de um discurso projetual adequado que fundamente a ação do design nos países latino-americanos (BONSIEPE, 1997: 98-103; ver tb. BONSIEPE, 1983).

De que modo os designers têm lidado, historicamente, com essa contradição entre a posição do Brasil como país periférico e o perfil cultural do design como uma atividade 'de ponta' em termos tecnológicos ou 'de vanguarda' em termos estilísticos? A resposta de cada designer tem sido diferente e seria inconseqüente querer reduzir a multiplicidade de soluções criativas encontradas a uma generalização qualquer. Existem casos individuais de designers no Brasil que têm conseguido realizar os seus projetos dentro de padrões tecnológicos correspondentes ao exterior e totalmente inseridos em uma linguagem internacional de design como, por exemplo, Karl Heinz Bergmiller (nas décadas de 1960 e 1970) ou José Carlos Bornancini (a partir da década de 1970), ambos na área de produto. O escritório Bornancini e Petzold (o outro sócio é o arquiteto Nelson Ivan Petzold) é responsável por mais de duzentos projetos, em variados segmentos – desde garrafas térmicas e talheres até tratores e elevadores –, e constitui-se em caso de indiscutível sucesso, colecionando prêmios e patentes ao longo de quatro décadas (LEON, 2005: 123-124). Transitando com rara desenvoltura pelo sistema corporativo, ao qual pertencem seus clientes, alguns multinacionais, a dupla gaúcha tem demonstrado que é possível fazer design no Brasil em pé de igualdade com países de tecnologia e economia mais avançadas. Porém, de modo amplo, pode-se dizer que o design brasileiro tem encontrado dificuldades para conciliar esse dilema e muitos designers acabaram privilegiando apenas um dos dois lados da equação. Enquanto predominou o movimento modernista, a maioria dos designers de destaque se entregou prioritariamente à afirmação do teor vanguardista do campo. Partindo da convicção de que a própria modernidade era o valor mais

elevado, grande parte dos modernistas se preocupou antes em acompanhar e
reproduzir as últimas tendências internacionais do que em contemplar a relevância
dessas novidades para o contexto local. Apesar de repetidas afirmações de
compromissos ideológicos com movimentos e partidos de esquerda, nem os
arquitetos-designers ligados ao Modernismo de 1922 e nem os artistas-designers
ligados ao movimento neoconcreto conseguiram realizar a proposta de traduzir
as suas pesquisas formais para um plano de ação social mais abrangente, em alguns
casos por pura falta de interesse no assunto e em outros por se chocarem com a
cruel intransponibilidade das barreiras culturais, sociais e econômicas características
da realidade brasileira. Nesse sentido, os designers simplesmente acompanharam
a trajetória maior do Modernismo internacional, o qual acabou vendo boa parcela dos
seus projetos revolucionários transformados em objeto de consumo das próprias elites
que alegava combater. Mesmo no momento em que uma parte do meio de design
optou por romper unilateralmente com o legado artístico das décadas anteriores,
seguindo o modelo ulmiano no início da década de 1960, esse grupo manteve a sua
autoconceituação de vanguarda, traduzindo as aspirações do plano artístico para
o tecnológico, mas persistindo no sonho de modernidade a qualquer preço.

Uma das soluções mais interessantes para o dilema da inserção do design
na sociedade brasileira surgiu na área de mobiliário, na seqüência das propostas
nacionalistas avançadas por um Tenreiro ou um Zanine Caldas nas décadas de 1940 e
1950. Todo um grupo de designers brasileiros passou a apostar nas décadas seguintes
no uso crescente de formas e materiais ligados à identidade brasileira para produzir
móveis mais representativos dos valores da nossa cultura. Talvez o exemplo mais

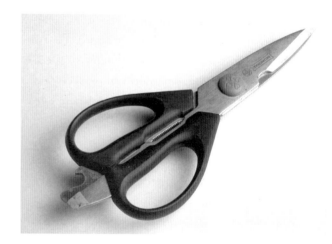

A linha de tesouras Ponto Vermelho, criada para a Mundial/Hércules em 1984 por José Carlos Bornancini, se tornou sucesso internacional.

marcante dessa visão do móvel nacional seja a prolífica obra de Sérgio Rodrigues, arquiteto (aliás, pioneiro da produção de casas pré-fabricadas no Brasil), designer de móveis, sócio fundador da indústria moveleira Oca (o próprio nome revela o teor nacionalista da iniciativa) e criador da célebre poltrona mole, projetada em 1957. Fabricada em jacarandá maciço e couro, essa poltrona remete a uma certa noção de brasilidade não somente nos materiais e na alusão formal à rede de dormir, mas também através de todo um discurso semântico e gestual sobre o jeito despojado, informal e bonachão de se sentar e de se comportar, que se tornou um dos valores mais fortes da cultura brasileira no pós-guerra. Todavia, se a poltrona mole se anuncia brasileiríssima nesse bom sentido de ser gostosa e acolhedora, ela também não desmente a sua identidade cultural ao se configurar como um objeto de luxo, acessível apenas a uma elite econômica restrita. Preocupado com esse problema do custo, o próprio Sérgio Rodrigues se encarregou de projetar outros móveis mais acessíveis, como a poltrona leve Kilin, de 1973, a qual oferece muitos dos atrativos da poltrona mole, mas empregando materiais mais baratos, como lona e madeiras menos nobres. Outros designers de móveis, como Geraldo de Barros e Michel Arnoult, também exploraram a partir da década de 1960 as possibilidades de se fabricar peças comprometidas com uma identidade brasileira, em termos formais e semânticos, mas passíveis de reprodução industrial em grande escala, a custos menores, e essa tradição encontra a sua continuidade hoje no trabalho de uma série de designers brasileiros notáveis de uma nova geração (SANTOS, 1995: 125-145; BORGES, 1999; CALS, 2000: 19-52). Porém, mesmo nos objetos mais bem sucedidos desse gênero, tanto do ponto de vista projetual quanto comercial, permanece no Brasil uma enorme discrepância entre o custo aparente do design e o poder de compra da grande maioria da população. Evidentemente, nenhum designer individual – e nem mesmo o campo como um todo – detém o poder de reverter ou mesmo alterar de modo fundamental um processo cultural tão amplo quanto a desigualdade social, a qual exerce uma influência negativa sobre a atuação profissional, por restringir a abertura de mercado.

No final da década de 1960 e início da década de 1970, as preocupações prementes com a contracultura, o meio ambiente e a autonomia política de países do chamado Terceiro Mundo – muitos recém-saídos de séculos de colonialismo – contribuíram para a formação de uma nova consciência em nível mundial do papel do design e da tecnologia. Idéias até então pouco discutidas, como ecologia humana, estratégias tecnológicas alternativas e responsabilidade social do designer, ganharam ampla divulgação através de best-sellers, como *Design For the Real World* (1971), de Victor Papanek, e *Small Is Beautiful* (1973), de E.F. Schumacher (este último traduzido em português como *O Negócio É Ser Pequeno*). O livro de Papanek marcou época no campo, lançando uma crítica feroz ao que o autor considerava a irrelevância crescente da visão tradicional do design face aos grandes desafios humanos e ambientais do mundo moderno. Com uma combinação de exemplos interessantes de projetos de design 'para o mundo real' e argumentos persuasivos contra o consumismo desenfreado, a espoliação ecológica e o elitismo profissional, Papanek arrebanhou seguidores em todo o mundo e se tornou uma espécie de guru do design alternativo. Entre outras coisas, ele propunha que os designers voltassem a sua atenção prioritariamente para a solução de problemas sociais e que abrissem mão do seu narcisismo autoral em prol do bem comum, abrindo mão também de seus direitos intelectuais sobre projetos. O livro de Schumacher exerceu um fascínio semelhante, só que em escala ainda mais ampla, pois se voltava não especificamente para o design, mas para toda a questão da organização econômica e tecnológica no mundo moderno. Uma das suas teses mais importantes propunha o abandono da busca frenética pelo avanço tecnológico – característica, segundo ele, da visão de mundo ocidental – e a adoção de políticas que visassem aplicar melhor e distribuir de forma igualitária os benefícios da tecnologia já existente. Segundo Schumacher, a maioria das pessoas do mundo precisava não de tecnologia de ponta, mas de uma 'tecnologia intermediária', termo que ele cunhou para se referir a esse processo de democratização do conhecimento aplicado. Tais idéias foram ganhando aos poucos projeção também no Brasil, apesar do clima político extremamente repressivo da época. A proposta de uma política tecnológica voltada para o uso de materiais e mão-de-obra locais, respeitando condições existentes de aplicação e dependendo de baixos custos de investimento, logo ganhou adeptos no meio intelectual brasileiro, ainda mais que contrastava com a política tecnocrática agressiva dos governos militares, que apostavam crescentemente em aviões, satélites e reatores nucleares como símbolos do progresso nacional. A história da empresa automobilística Gurgel Motores, de Rio Claro, São Paulo, pode ser vista como um contraponto a essa atitude e uma ilustração interessante das possibilidades de adequar produção industrial ao contexto. Fundada em plena ditadura, a Gurgel lançou em 1973 o Xavante X10, um jipe robusto, muito adequado às péssimas condições de estradas de rodagem no interior do Brasil. Esse carro fez sucesso imediato por ser durável e econômico, gerando uma série de modelos posteriores na mesma linha. No ano seguinte, a empresa lançava um

O design em um mundo multinacional, 1945-1989

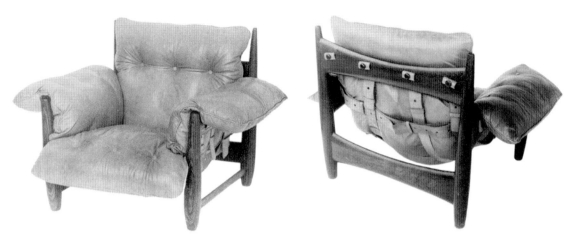

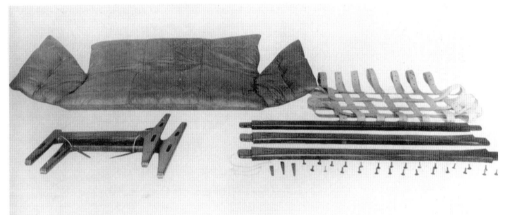

Dois móveis de Sérgio Rodrigues, o mais célebre designer brasileiro em atividade. Ao lado, a poltroninha Kilin e, acima, a poltrona mole. Sua vasta produção de móveis para casa e para escritório ainda é relativamente pouco conhecida do grande público.

pioneiro carro elétrico, o modelo Itaipu, mas problemas com a tecnologia das baterias limitaram sua aceitação comercial. Com vendas inclusive para as forças armadas, a empresa chegou a fabricar mais de uma dezena de modelos e a exportar boa parte de sua produção, no período auge entre o final dos anos 1970 e meados dos 1980. No total, a Gurgel manteve-se ativa durante mais de vinte anos, até sucumbir à concorrência em 1993, virando um mito da indústria brasileira. Sua experiência suscita perguntas importantes sobre a relação entre tecnologia, indústria e Estado. Na década de 1980, com o ocaso da ditadura militar e o reconhecimento gradativo do fracasso da proposta modernista para a transformação da sociedade brasileira, começou a ganhar destaque uma preocupação mais explícita com a idéia de um 'design social' (ver COUTO, 1992; SENA, 1995).

Capa da edição de 1971 de *Design for the Real World*, talvez o livro de design mais debatido dos últimos trinta anos. Ame-o ou odeie-o, Papanek continua a atrair adeptos de uma nova geração.

Uma das áreas mais problemáticas para a afirmação do papel social do design no Brasil tem sido a relação dos designers com o Estado, como foco de atuação e como parceiro. Desde o Segundo Reinado, pelo menos, e crescentemente a partir do Estado Novo, o Estado brasileiro tem exercido uma forte influência como agente de fomento e de transformação da nossa realidade social e cultural. Aliás, quase todas as grandes mudanças nessas áreas têm passado pela intervenção estatal e só muito recentemente começa-se a perceber uma disposição da sociedade civil de intervir mais diretamente na organização de iniciativas que envolvam pouca ou nenhuma colaboração do poder público. Portanto, é natural que alguns designers tenham seguido os passos de tantos artistas, arquitetos e engenheiros que os precederam e buscado no âmbito estatal oportunidades poucas vezes disponíveis no setor privado. Uma das áreas mais importantes de colaboração entre design e poder público tem sido no campo do ensino, a começar pela criação da própria ESDI, conforme mencionado, e estendendo-se ao estabelecimento de faculdades de design em um grande número de universidades públicas. Nessa área, porém, o que costuma entrar em questão é mais a relação do Estado com a universidade como um todo, em cujos rumos o design tem exercido um papel pequeno e geralmente tímido. A outra grande instância de colaboração do designer com o poder público tende a ser como contratado ou prestador de serviços. Para alguns designers — como para alguns publicitários — o Estado se apresenta como um importante cliente, com o poder de distribuir contratos de visibilidade e prestígio. Em compensação, é claro que o trabalho exercido para esse tipo de cliente recai sempre sobre os desafios tratados no capítulo 5 com relação à propaganda política e ideológica. Já foi referida nesse sentido a atuação de Aloísio Magalhães, o qual realizou nas décadas de 1960 e 1970 importantes projetos de identidade visual em nível nacional; e, dentre todos os designers brasileiros, foi justamente ele quem explorou mais a fundo as possibilidades da relação do designer com o poder público. A partir da sua notável atuação como designer — projetando inclusive a identidade visual de diversas estatais — Aloísio deslanchou no final da década de 1970 para uma carreira como dirigente cultural, tornando-se fundador e coordenador do Centro Nacional de Referência Cultural em 1976, diretor-geral do Instituto do Patrimônio Histórico e Artístico Nacional (IPHAN) em 1979 e fundador e presidente da Fundação Nacional Pró-Memória em 1980 (MAGALHÃES, 1985: 29-36; SOUZA LEITE, 2003). Ao ampliar o enfoque do seu trabalho para a política cultural, Aloísio traduziu para um plano maior as possibilidades de atuação do designer no Brasil, demonstrando através da sua prática que é possível projetar não somente os objetos materiais que definem um contexto cultural, mas também a própria identidade que se constrói a partir deles.

Apesar do caso isolado de Aloísio Magalhães, cabe ressaltar que a colaboração entre o Estado brasileiro e o campo do design tem sido bastante modesta, se comparada, por exemplo, com a relação de extrema promiscuidade entre arquitetura e poder nos últimos sessenta anos ou, então, com a enorme ascendência dos engenheiros como agremiação profissional na Primeira República. O acanhamento dos designers perante o Estado tem a ver com toda uma série de considerações, dentre as quais certamente figura uma desconfiança inteiramente justificável com relação à avidez dessas outras profissões em colocar os seus préstimos a serviço das glórias interinas de governantes de todos os naipes. No entanto, a relativa falta de influência do design como campo profissional no Brasil constitui-se em um problema concreto e seria menos do que honesto descartar essa questão sem a devida análise histórica. A organização dos designers brasileiros em qualquer agremiação representativa da classe tem-se demonstrado uma tarefa difícil. A Associação Brasileira de Desenho Industrial (ABDI) foi a primeira organização do gênero no País, fundada em 1963 em São Paulo, apenas seis anos após a criação do ICSID (*International Council of Societies of Industrial Design*), em nível internacional. Contando com a participação de nomes fundamentais do design brasileiro na época, a ABDI continuou a ser praticamente o único órgão representativo até 1978, quando se formou a Associação Profissional de Desenhistas Industriais de Nível Superior (APDINS), praticamente como dissidência da primeira associação. Desde lá, surgiu uma série de organizações nacionais e regionais, dentre as quais cabe destacar a Associação de Designers Gráficos (ADG), criada em 1989 e cada vez mais ativa. Em contraposição às dificuldades de agregação dos designers profissionais, os estudantes vêm realizando anualmente desde 1991 o seu próprio Encontro Nacional de Estudantes de Design (N Design), cujo dinamismo sugere uma maior capacidade da nova geração de encontrar um terreno para a ação conjunta (NIEMEYER, 1999: 67-77). Pode ser que o espírito de desagregação que tem prevalecido entre os designers brasileiros se deva apenas ao fato de ser um campo profissional relativamente jovem e sem maturidade institucional; porém, é certo que, enquanto persistir o mesmo, será muito difícil atingir um nível de interlocução adequado para aproveitar plenamente as possiblidades de parceria existentes.

A incapacidade de articular relações dentro e fora do campo tem contribuído para gerar uma situação que, esta sim, é grave no seu depoimento sobre a relevância do design em um país como o Brasil. Mais de quatro décadas após a abertura dos primeiros cursos universitários de design e da fundação da primeira associação de profissionais da área, o design continua a ser uma atividade relativamente desconhecida para a grande massa da população e, mesmo para as elites, o seu potencial de realização permanece pouco explorado. É, no mínimo, preocupante constatar quão pouco a consciência do design como profissão tem alterado a evolução cultural brasileira ao longo desse período. Ao examinarmos a paisagem material que nos cerca, nos deparamos com problemas de design crônicos em áreas, como transportes, saúde, equipamentos urbanos e uma infinidade de outras instâncias do cotidiano. Mesmo fora do âmbito dos serviços públicos, em um setor privado voltado por definição para questões de competitividade e dinamismo, percebe-se um desconcerto freqüente entre as preocupações da profissão e aquelas da própria sociedade. Para citar um exemplo corriqueiro, no setor de embalagens de alimentos existe uma falta de diálogo nítida entre a linguagem gráfica popular e aquela empregada por designers formados nos moldes modernistas e/ou ulmianos de racionalidade e funcionalismo. Nesse caso, será que é a sociedade que teima em não se adequar aos padrões corretos ou será que é o designer que está trabalhando dentro de parâmetros estreitos e ultrapassados? A persistência e mesmo o ressurgimento do chamado elemento vernacular no design brasileiro é um tema de enorme importância, pois revela as tensões entre uma visão de design fundamentada em ideais importados e uma outra assentada no reconhecimento das raízes profundas da realidade brasileira. Enquanto alguns designers e algumas instituições insistirem em posicionar o campo como um agente de imposição de padrões fixos de gosto ou de distinção social, o design corre o risco de permanecer até certo ponto uma flor de estufa no Brasil, incapaz de sobreviver fora do ambiente climatizado do mercado de artigos de luxo.

Desde a década de 1980, vem tomando corpo uma produção renovada de design de móveis e bens duráveis no Brasil, a qual tenta aliar exigências projetuais de elegância às demandas de um mercado que se transforma pela inclusão de novos segmentos e consumidores. Nomes, como Ângela Carvalho, Fernando Jaeger, Maurício Azeredo e Oswaldo Mellone, abriram caminho para os muitos profissionais de renome que hoje conquistam prêmios mundo afora. A nova geração de designers brasileiros que surge agora, relativamente livre das prescrições passadas, parece reconhecer intuitivamente a importância de redescobrir e reinventar os elementos formais, informais e até mesmo informes da tradição nacional de design. O termo 'design vernacular', pego por empréstimo da arquitetura, tem sua origem na lingüística. Vernáculo é a língua própria de um país ou região, especialmente no sentido de estabelecer uma oposição entre a fala comum das pessoas e uma linguagem erudita ou literária. Na arquitetura, por analogia, o termo foi aplicado para distinguir e valorizar estilos de construção locais e tradicionais, em contraposição a padrões internacionais, especialmente os importados. Ao voltar-se, na década de 1980, para o artesanato e a arte popular como raízes do design brasileiro, Lina Bo Bardi ajudou a promover uma reflexão importante sobre o tema (BO BARDI, 1994). Tem surgido nos últimos anos – dentro de uma lógica pós-moderna de apropriação e recombinação – uma série de trabalhos de design que citam aspectos desse legado histórico, seja de forma bem-humorada ou totalmente séria. Após anos de homogeneização visual em nome da modernização, alguns setores comerciais também parecem ter reconhecido finalmente que o público nem sempre dá prioridade ao novo como o elemento mais importante de caracterização da mercadoria. Tratando-se de produtos ligados não à projeção de uma imagem, mas à intimidade e ao bem-estar de cada um (p.ex., higiene, alimentos, remédios), parece existir uma preferência nítida do consumidor por aquilo que é familiar, conhecido, confiável. Partindo de tais iniciativas de recuperação da tradição para uma proposição mais abrangente e sistemática, pode-se dizer que o trabalho de pesquisa em história do design também está inserido no projeto maior de redimensionamento do papel do design na sociedade brasileira. Talvez um dos sintomas mais característicos da dificuldade de forjar um design nacional seja a falta de reconhecimento da parte dos próprios designers da existência e do florescimento das atividades projetuais por eles exercidas anteriormente à organização profissional da área na década de 1960.

A embalagem dos cigarrinhos Pan vem se mantendo há gerações como um favorito das crianças, com pouca variação do seu projeto.

BOM MESMO É
BISCOITOS

Validade: 30-11-98

O design em um mundo multinacional, 1945-1989

Abraçando o lado menos glamouroso do seu legado histórico, se voltando para as instâncias comuns e básicas de atuação, atentando para a narrativa repetida em voz baixa, pode ser que a nova geração de designers redescubra o fio da meada da inserção da sua profissão na conturbada realidade brasileira. Mas será que faz algum sentido olhar para trás e buscar verdades interiores em um momento em que o mundo inteiro se volta para fora e para o futuro? Segundo algumas das opiniões mais abalizadas sobre o assunto, essa opção não apenas faz sentido em um contexto global, como é a única possível. Conforme argumentou o arquiteto e historiador Kenneth Frampton, a única possibilidade remanescente de realizar

Conhecida de qualquer um que já foi à praia no Rio de Janeiro, a embalagem dos biscoitos Globo (páginas anteriores) se transformou em um clássico do design vernacular.

O tradicional tubo de polvilho antisséptico Granado foi substituído recentemente por um novo modelo, em plástico, mas mantendo as principais características do projeto original.

propostas de valor universal no mundo fragmentado de hoje, reside justamente na busca de um 'regionalismo crítico' que consiga conjugar o desejo persistente de modernização com a cultivação consciente de culturas locais. Para Frampton e outros analistas da pós-modernidade, o colapso definitivo de um único centro dos acontecimentos e a dispersão subseqüente da narrativa histórica em múltiplos focos significam que os verdadeiros pontos dinâmicos de transformação do sistema mundial estão dispersados pela sua periferia (THACKARA, 1988: 51-66; ver tb. DIANI, 1992). Com toda a verdade profunda dos grandes paradoxos filosóficos, pode-se dizer portanto que a solução para o design na periferia reside não em buscar se aproximar do que é percebido como centro, mas, antes, em se entregar de vez para o que ele tem de mais periférico. Colocado de maneira mais concreta, isso não está tão distante da posição preconizada pelos defensores do design social e da tecnologia intermediária, pois é nas periferias da periferia que residem os maiores desafios para o design.

Existem bons exemplos desse tipo de prática na história do design brasileiro. Na década de 1970, dois projetos – um público, outro privado – demonstram o grau de ubiqüidade que pode ser atingido por um produto quando ele se volta para as necessidades reais do contexto de uso. Criado pela arquiteta Chu Ming Silveira, em 1970, a serviço da antiga Companhia Telefônica Brasileira (CTB), o modelo de cabine para telefone público conhecido popularmente como 'orelhão' ganhou as ruas do Rio de Janeiro e São Paulo no início de 1972. Eficientes, duráveis e de fabricação barata, os orelhões tornaram-se, desde então, parte integrante da paisagem de quase todas as localidades do país. Superando a invisibilidade normalmente reservada aos bons equipamentos de mobiliário urbano, eles chegam a ser hoje um aspecto fundamental da paisagem construída brasileira, marcante em termos de projetar uma identidade característica, para dentro e fora do país. Outro exemplo de um projeto de estrondoso sucesso, em termos de sua identificação com o público e a paisagem nacionais, é o automóvel modelo Brasília, da Volkswagen. Trata-se do primeiro veículo de uma grande montadora a ser projetado e construído no Brasil, e seu sucesso depõe eloqüentemente sobre as questões de relacionamento entre matriz e periferia, levantadas nesta seção. A Brasília foi lançada em 1973 e permaneceu em produção até 1982, chegando à cifra impressionante de mais de um milhão de exemplares fabricados. Tornou-se querida do público, ganhando um valor simbólico e afetivo fora do comum. O orelhão e a Brasília exemplificam como um design voltado para condições locais

Talvez o objeto de mobiliário urbano mais difundido do Brasil, o orelhão foi introduzido nas ruas de São Paulo e Rio de Janeiro em 1972.

pode superar o contexto imediato e contribuir para a construção de algo maior. Esses projetos tão brasileiros, até em suas contradições, chegaram ambos a serem exportados (BARDI, 1982: 98-103; KATINSKY, 1983: 940).

Para quem acha que esse conceito de relação centro-periferia está superado no mundo globalizado de hoje, talvez seja instrutivo considerar a atuação de Newton Gama Júnior à frente do setor de design do grupo Multibrás, fabricante de eletrodomésticos das marcas Brastemp e Cônsul. Entre 1990 e 2005, o designer tornou-se responsável por toda uma equipe dedicada a projetar os produtos dessas marcas, acompanhando a consolidação da empresa e sua posterior absorção pela multinacional Whirlpool International. Seguindo-se à compra da empresa brasileira, a matriz norte-americana chegou a cogitar a possibilidade de centralizar as atividades de design fora do país. Porém, a equipe de Gama Júnior conseguiu demonstrar, através de estudos bem fundamentados, que a cultura regional era um fator determinante para as vendas dos produtos da empresa. Segundo relato do próprio designer, um dos exemplos mais intrigantes dessa hipótese foi verificado em pesquisas de campo sobre o tampo de vidro blindex comumente utilizado em fogões no Brasil. Esta peça — que está entre os itens mais caros para a fabricação de um fogão — não possui nenhuma função operacional ostensiva. No entanto, através da observação sistemática de uso, a equipe constatou a importância psicológica da mesma para o usuário brasileiro, o qual geralmente não considera completa a limpeza da cozinha enquanto o tampo não estiver fechado e, de preferência, ornado com um paninho e vaso. Esse exemplo quase anedótico é apenas o lado bem-humorado de uma questão muito profunda de valores simbólicos e culturais. Através de uma atuação sensível a tais sutilezas, Gama Júnior foi capaz não somente de manter o setor brasileiro de design ativo dentro de uma empresa global, como também obteve a proeza de inverter o fluxo, chegando a exportar projetos brasileiros para fabricação em outras subsidiárias da Whirlpool, para mercados na Europa e na Ásia (GAMA JÚNIOR, 2003; LEON, 2005: 159).

CAPÍTULO 7

Os desafios do design no mundo pós-moderno

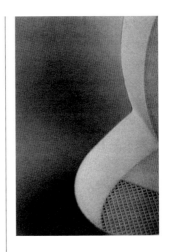

Pós-modernidade e
a perda das certezas

O design na era da informação

Design e meio ambiente

O designer no mercado global

Pós-modernidade e a perda das certezas

O mundo mudou muito nos últimos cinqüenta anos, tanto que fica cada vez mais difícil encontrar pontos de tangência que justifiquem agrupar em um mesmo capítulo a realidade de dez ou quinze anos atrás com o mundo distante das décadas de 1950 e 1960. O processo de quebra do paradigma modernista-fordista e de ingresso no período pós-moderno, ainda bastante nebuloso enquanto se configurava ao longo das décadas de 1970 e 1980, já estava claramente definido em 1989 quando a queda do muro de Berlim veio apenas confirmar que a modernidade havia desmoronado de vez, tal qual uma pesada viga de madeira que o cupim consome silenciosamente por dentro: vista de fora, parece intacta, mas a menor pressão do dedo fura a casca fina e atravessa a peça toda. Sem as certezas do paradigma anterior, o design atravessa um período de enorme insegurança, mas, livre da rigidez do mesmo, ingressa também em um período de grandes esperanças e fervilhamento. Desde a década de 1980, com a notoriedade atingida por designers, como o francês Philippe Starck ou o grupo italiano Memphis (fundado por Ettore Sottsass, entre outros), o design vem se libertando da rigidez normativa que dominou o campo durante mais de meio século. Com o ingresso na era digital, então, fica cada vez mais nítido que os velhos paradigmas já não servem mais. Os avanços da informática vêm impondo crescente fluidez aos processos de produção, consumo e uso; e, por conseguinte, alguns dos pressupostos mais caros do campo do design estão caindo por terra.

A marca registrada da pós-modernidade é o pluralismo, ou seja, a abertura para posturas novas e a tolerância para posições divergentes. Na época pós-moderna, já não existe mais a pretensão de encontrar uma única forma correta de fazer as coisas, uma única solução que resolva todos os problemas, uma única narrativa que amarre todas as pontas. Talvez pela primeira vez desde o início do processo de industrialização, a sociedade ocidental esteja se dispondo a conviver com a complexidade em vez de combatê-la, o que não deixa de ser (quase que por ironia) um progresso. O progresso – esse valor supremo que uniu o Iluminismo, o Positivismo e o Modernismo, que atravessou ideologias de direita e de esquerda, e que se apresenta ainda como principal justificativa da evolução tecnológica e industrial – hoje se encontra em uma posição filosófica bastante ambígua. O mesmo progresso material que permite que usufruamos de benefícios inegáveis, como a anestesia ou a telefonia, também nos empurra cada vez mais em direção à insuficiência do meio ambiente para sustentar o nosso estilo de vida. O mesmo progresso social que permite finalmente que pessoas de outras cores, classes e gêneros usufruam dos benefícios restritos há séculos a homens brancos ricos, é percebido por muitos como um processo de confusão e desagregação, suscitando toda espécie de reações de medo, intolerância, fundamentalismo e ódio. Já não é mais tão fácil acreditar no progresso e, mesmo para quem acredita ainda, fica claro que é preciso reavaliar qualitativamente o teor e o ritmo das mudanças, para que não progridamos para o aniquilamento daquilo que construímos.

Para o design mais especificamente, a condição pós-moderna exacerba uma série de questionamentos e contradições que sempre estiveram latentes, mas cuja resolução antes era menos premente. Diante das profundas transformações ocasionadas pela adoção das tecnologias computacionais, por exemplo, a distinção tradicional entre design gráfico e design de produto tende a se tornar cada vez menos relevante. Quando um designer é contratado para criar um *site* na internet, ele gera um objeto que não é nem gráfico, no sentido de ser fruto de um processo de impressão, e nem produto, no sentido de ser um artefato tangível. Porém, é evidente que esse objeto é tanto produto, no sentido de ser uma mercadoria, quanto gráfico, no sentido de ser eminentemente voltado para a transmissão de informação visual; e é igualmente evidente que não deixa de ser um objeto de design, na acepção mais pura da palavra. Aliás, curiosamente, o objeto virtual acaba sendo gerado por um processo muito mais artesanal que propriamente industrial. Mesmo sendo distribuído em escala quase ilimitada e consumido por um público de massa, ele pode ser produzido por uma única pessoa de começo a fim, o que subverte a divisão histórica entre projeto e fabricação. Apesar disso, seria no mínimo impreciso, ou até mesmo um pouco perverso, descrever a criação de objetos virtuais como uma espécie de artesanato. Está claro que esse tipo de produção se encaixa nitidamente em uma evolução de ordem industrial mas — e aí reside uma enorme diferença — na evolução de uma ordem industrial tardia. A aplicação da informática a diversos processos produtivos introduziu uma flexibilização a tal ponto que hoje é perfeitamente viável fabricar industrialmente pequenas séries ou, por intermédio da prototipagem rápida, até peças únicas. Como ficou longe a lógica fordiana de produção e consumo em massa! Nesse contexto, as questões de interação do usuário com o produto tornam-se determinantes para o design. À medida que a produção industrial vai se tornando mais precisa e diferenciada, é no âmbito eminentemente subjetivo da experiência e da emoção que as verdadeiras decisões de projeto deverão se dar.

A consciência de que o industrialismo tenha atingido uma certa maturidade — ou de que tenhamos ingressado em uma fase, como querem alguns, de capitalismo tardio — aponta em pelo menos duas direções opostas. Por um lado, a difusão mundial do modelo consumista americano significa que a perpetuação do sistema produtivo atual depende da expansão contínua da produção e do consumo. O equilíbrio tênue do mercado reside apenas no seu próprio movimento e, conforme experimentou-se de maneira dolorosa na década de 1990, qualquer ameaça à estabilidade econômica em qualquer ponto do planeta corre o risco de desencadear um colapso parcial (ou total?) do sistema financeiro mundial. Por outro lado, o mesmo ímpeto consumista que mantém o sistema em funcionamento é responsável pelo agravamento constante dos problemas ambientais, o que dá uma certa sensação de estarmos vivendo em cima de um vulcão ativo, conscientes de que a qualquer momento poderá sobrevir a grande explosão que nos destruirá. Talvez o maior dilema para o designer na pós-modernidade resida no fato de se encontrar justamente na falha entre essas duas placas tectônicas do mercado e do meio ambiente. Várias profissões têm o luxo de poder olhar obsessivamente em uma ou outra direção; e é tão fácil para um economista aconselhar medidas para estimular o consumo quanto para um ambientalista pregar a sua minimização. Porém, no momento em que se percebe que nem uma coisa nem a outra são tão simples assim, as pessoas acabam recorrendo ao designer para projetar soluções capazes de conciliar esses dois pólos aparentemente irreconciliáveis. Costuma-se dizer que das crises nascem oportunidades e não resta dúvida de que a total falta de certezas do momento histórico presente oferece uma grande oportunidade para que os designers apresentem projetos de futuro e lancem novas bases para o exercício da profissão no século 21. Mais uma vez, não cabe ao presente livro delimitar caminhos — até porque a futurologia costuma ser um exercício de charlatães — mas apenas apontar para alguns exemplos empíricos na esperança de que possam estimular a imaginação de cada um.

O design
na era da informação

A miniaturização dos componentes eletrônicos ao longo das últimas décadas é um capítulo de fundamental importância na história da tecnologia no século 20. Com a introdução de transistores, semicondutores, circuitos integrados e chips, a relação entre forma e função, técnica e materiais, se alterou de modo definitivo e se tornou muito mais casual do que causal. Na era eletrônica, o objeto já não pode mais ser considerado uma unidade integral, nem do ponto de vista técnico e muito menos do estético, mas, antes, deve ser entendido como uma compilação de códigos especializados superpostos de maneira mais ou menos livre. A partir de um microprocessador, cuja forma aparente é tão negligível que é praticamente uma não-forma e cujo funcionamento permanece misterioso para a quase totalidade de seus usuários, faz-se possível gerar virtualmente qualquer forma ou função (THACKARA, 1988: 183-186). E a partir de uma linguagem binária que, de tão elementar, quase desmerece a noção de linguagem, faz-se possível abranger todas as linguagens, todas as formas de expressão, veiculá-las e traduzi-las de um meio de registro para outro, com uma facilidade nunca antes imaginada. O tempo da incompatibilidade de qualquer coisa com qualquer outra coisa talvez esteja prestes a passar, conforme atesta um universo sempre em expansão de filmes e videogames, em que todos os temas e tratamentos se misturam sem nenhum compromisso com a chamada realidade, mas apenas uma preocupação crescente com o realismo da experiência representada. Talvez reste apenas ao velho mundo material deixar de lado a sua incompatibilidade atávica e acompanhar essas transformações no mundo da imaginação, o que não deve demorar, pois, dada a opção, um número impressionante de pessoas parece preferir os prazeres virtuais da interatividade à imprevisibilidade das interações humanas. Seja isso como for, as perspectivas profissionais para o designer são promissoras, porque tanto a interatividade quanto a interação precisam ser projetadas e configuradas, pelo menos em parte (ver DIANI, 1992).

O mundo da era da informação se compõe de visões fragmentadas e fragmentos de visões, cuja totalidade só é recomposta na mente de cada um, e sempre de forma passageira. O grande símbolo da época é, mais uma vez, a internet; mas a expressão mais corriqueira dessa fragmentação está no uso cotidiano que se faz de uma televisão com controle remoto. Com a audiência sendo medida de minuto em minuto, cada quinze segundos tem o seu valor contabilizado. A fragmentação da era atual se manifesta claramente na velocidade com que a superabundância de informações disponíveis vai sendo continuamente acrescida de ainda mais informações, e todas vão sendo condenadas à insignificância simplesmente pelo espaço proporcional ínfimo que conseguem ocupar. Hoje, existem organizações, cuja missão é monitorar e registrar os fatos jornalísticos importantes que não conseguem espaço na mídia; só que, por ironia definidora, o próprio ato de resgate de uma notícia acaba ficando sujeito aos mesmos percalços da sua primeira não-veiculação. Mesmo as notícias mais divulgadas em escala mundial – aquelas que conseguem atingir o mínimo múltiplo comum do interesse universal – têm uma sobrevida bastante curta, sendo logo suplantadas por outras. O final do século 20 definiu-se, por excelência, pela saturação de imagens, pela poluição visual, pelo bombardeio da publicidade, pelo olhar como uma forma de consumir.

Muitos consideram a fragmentação visual como um fenômeno exclusivo da era eletrônica, mas, como se viu no capítulo 3, trata-se de algo cujas raízes alcançam pelo menos até o século 19, senão antes. Seja olhando para um outdoor a partir de um trem em movimento ou passando os canais da televisão em revista, a velocidade do olhar moderno pressupõe um processo de fragmentação e sobreposição de imagens. Um outdoor é tanto um fragmento inserido em uma paisagem quanto o é um comercial de TV; a grande diferença entre os dois está mais na atitude do observador do que na disposição da coisa observada. De fato, a evolução desse processo de fragmentação da informação pode ser percebida no campo gráfico muito antes da introdução das tecnologias eletrônicas. Toda uma seqüência de técnicas e processos para a manipulação de texto e imagem – que inclui a litografia, a rotogravura, o fotolito, o offset e outros recursos gráficos tradicionais – já envolvia a possibilidade de fragmentar e recompor núcleos de informação preexistentes em novas combinações. Pode-se dizer, na verdade, que a sobreposição e a recombinação de elementos são princípios básicos da imaginação gráfica, pelo menos desde a primeira colagem ou da primeira história em quadrinhos. O fato do projeto gráfico já possuir, por definição, essa predisposição para lidar com o fragmento e a seqüência tem contribuído para alterar de modo sutil o equilíbrio interno do campo do design nos últimos anos. Após muitas décadas em que os processos abstrativos e construtivos foram privilegiados como foco analítico quase exclusivo, hoje a representação, a reprodução e a reapropriação passam a ocupar também o seu devido lugar. É possível argumentar que, em função dos avanços da tecnologia eletrônica, o eixo conceitual do design vem se deslocando da autonomia relativa tradicionalmente atribuída ao produto, como entidade fixa no tempo e no espaço, para uma noção mais fluida de processo e de interação, bem mais próxima da maneira em que sempre se conceituou o objeto gráfico.

O primeiro impacto dessas transformações conceituais se deu no campo do design gráfico, no qual vem se sucedendo ao longo dos últimos vinte a trinta anos uma série de iniciativas dedicadas explicitamente à

Ao adotar um projeto assinado por David Carson, a revista *Trip* se tornou referência no Brasil do design gráfico pós-moderno.

As obras criadas por Victor Burton (página ao lado) ajudaram a redefinir o padrão do mercado editorial brasileiro na década de 1980.

substituição dos preceitos funcionalistas do passado por uma visão eclética e híbrida, sem medo de empregar em seus projetos a desordem, o ruído e a poluição visuais. Sob diversos nomes, geralmente derivados de estilos musicais (p.ex., *new wave, punk, grunge, techno*), e a cargo de um grande contingente de jovens designers no mundo inteiro, esses movimentos pós-modernos retomam as experiências iniciadas durante a década de 1970 por alguns espíritos irrequietos, como os designers Wolfgang Weingart, Willi Kunz e Katherine McCoy. A partir do enorme sucesso de nomes, como Neville Brody, April Greiman e David Carson nas décadas de 1980 e 1990 e da eminência precoce de outros designers ainda mais recentes, começa a se definir um novo paradigma estilístico no design gráfico. Mais que um mero modismo, essa visão de design tem suas bases conceituais profundamente ancoradas na evolução das tecnologias digitais e nas possibilidades que estas trouxeram de superar limites tradicionais com relação à diagramação e à tipografia. Com o aparecimento de plataformas operacionais, como os sistemas Macintosh (introduzido pela Apple em 1984) e Windows (introduzido pela Microsoft para concorrer com o primeiro), tornou-se não somente possível como simples e barato manipular fontes, espaçamento, entrelinhamento e uma série de outros elementos gráficos que antes eram domínio quase exclusivo do tipógrafo profissional. Como conseqüência, o exercício do design gráfico – ou pelo menos do seu aspecto instrumental – foi democratizado de modo radical e decisivo, processo que aparenta estar apenas no início (BIERUT et al., 1994 & 1997; FRIEDMAN & FRESHMAN, 1989: 62–65; MEGGS, 1992: 446–472; CAUDURO, 1998: 79–80; FARIAS, 1998).

A busca por soluções diferenciadas – segmentadas por identidade local e individual – foi um dos aspectos marcantes do design gráfico nos anos 1980, fugindo dos rígidos padrões internacionalistas que predominaram em décadas anteriores. No Brasil, passaram a figurar de alguns projetos a citação de elementos visuais do passado e/ou regionais e sua conjugação em estruturas semânticas renovadas. Aos poucos, essa prática tornou-se cada vez mais comum, sendo marcante na obra de Victor Burton, cujas capas de livro impactaram fortemente o mercado editorial no exato momento em que o país saía da camisa-de-força da ditadura militar. Diversos profissionais que despontaram nesse período foram buscar nas questões ligadas à cultura e à identidade o mote para explorar uma linguagem gráfica mais autoral e arrojada, cada um a sua. Ao examinar o conjunto

MAIGRET SIMENON
Morte na alta sociedade

EDITORA NOVA FRONTEIRA

Gilberto Freyre

Alhos & bugalhos

Ensaios sobre temas contraditórios: De Joyce à Cachaça, de José Lins do Rego ao Cartão-Postal.

EDITORA NOVA FRONTEIRA

MANUEL PUIG

A TRAIÇÃO DE RITA HAYWORTH

EDITORA NOVA FRONTEIRA

de uma época que revelou um rol de nomes, como A3 Programação Visual (Ana Luísa Escorel, Heloísa Faria e Evelyn Grumach), Chico Homem de Melo, Eliane Stephan, Felipe Taborda, Guto Lacaz, Jair de Souza, João Baptista de Aguiar, Moema Cavalcanti, Oswaldo Miranda (Miran), Oz Design (André Poppovic, Giovanni Vannucchi e Ronaldo Kapaz), Rafic Farah, Ricardo Leite, Rico Lins, Sérgio Liuzzi, entre outros, percebe-se que o design gráfico brasileiro assumia suas peculiaridades, deixando de lado as prescrições do período modernista.

Ao mesmo tempo em que a popularização das tecnologias digitais injetou, sem sombra de dúvida, uma grande dose de liberdade no exercício do design, pode-se argumentar que elas também trouxeram no seu bojo novos limites para a imaginação humana. Por mais opções que se tenha em um determinado programa de CAD (computer *aided* design), por exemplo, o fato de que a maioria desses programas opera a partir de menus de comandos, significa que fica cada vez mais difícil pensar em possibilidades que não constam do cardápio oferecido. Por definição, a possibilidade de prever o novo não pode existir em uma seqüência programada; portanto, o risco de bitolar a excentricidade criativa é constante em qualquer sistema operacional que retira o controle instrumental do usuário, mesmo que seja para potencializar de forma exponencial a eficiência da execução. Algumas pesquisas (bastante incipientes, deve-se dizer) sugerem até que o uso do computador no processo projetivo, apesar de aumentar o número de decisões a serem tomadas pelo projetista, pode acabar reduzindo em última análise a sua capacidade de gerar novas soluções e podem resultar, portanto, em uma maior homogeneidade em alguns aspectos fundamentais (THACKARA, 1988: 197-207). Não seria justo, evidentemente, culpar a ferramenta pela falta de criatividade do projetista; porém, a difusão quase universal e às vezes exclusiva de alguns poucos programas, plataformas e provedores gera uma situação em que todo cuidado é pouco para evitar um novo dogmatismo nas formas de proceder. O velho senso de mistério e de magia diante da folha em branco, experiência fundadora nos relatos de tantos mestres do passado, definitivamente não parece se traduzir com a mesma intensidade para o espaço da tela apinhada de ícones e barras de ferramentas.

Uma crítica similar pode ser feita com relação à internet, outra grande área de crescimento para o design nos últimos anos. Ao mesmo tempo que os desafios do hipertexto, da navegação, da interatividade e da conjugação de linguagens gráficas com o som e a imagem em movimento representam uma frente de trabalho de dimensões fantásticas para o designer, boa parte da produção na área de *web design* já começa a empregar estratégias projetivas repetitivas ou previsíveis,

introduzindo a mesmice precoce em uma prática que está longe de atingir a
sua maturidade em qualquer sentido. A própria metáfora de 'navegar' na rede
(em inglês, emprega-se o verbo 'surfar') remete a uma noção de deslizar pela
superfície sem nunca se aprofundar, o que trai a horizontalidade que tende a
caracterizar a experiência internáutica. Talvez o maior desafio para o designer
envolvido com a rede seja de encontrar soluções que resistam, por sua qualidade
e densidade, a essa proliferação tumorosa de informações parciais, ou seja, de
conciliar um senso de disciplina projetual com a falta de projeto intrínseca à
própria internet. Em meio à fragmentação tão característica e potencialmente
tão enriquecedora da experiência pós-moderna, é importante não perder de vista
a busca por narrativas mais amplas e unificadas. Mesmo que a universalidade
seja um sonho quixotesco, os limites orgânicos da vida humana sempre exigem
um retorno à essência experiencial da nossa humanidade e, no dilema entre
saber e conhecer, a própria fragilidade da natureza serve como a única e
última pedra de toque.

Design e meio ambiente

A crise de petróleo de 1973 – em que os países exportadores desse recurso impuseram um boicote aos importadores – é apontada freqüentemente como um marco na transição do modelo fordista-modernista para a flexibilidade do mundo pós-moderno (ver HARVEY, 1989). Trata-se, sem dúvida, de um conflito antológico entre uma civilização moderna até então triunfante, que se pretendia universalizadora no ritmo inexorável de seu avanço tecnológico, e outras culturas mais ou menos esquecidas, agrupadas em locais à margem do poderio estabelecido e arraigadas em tradições supostamente ultrapassadas. Quem observa com um mínimo de isenção histórica o confronto que então se processou entre países árabes exportadores de petróleo e as grandes potências ocidentais, não pode deixar de reconhecer um certo gostinho de Davi e Golias na vitória dos primeiros, ainda mais coincidindo esta com a capitulação dos Estados Unidos no Vietnã. Todavia, a longo prazo, o sentido político da crise de petróleo teve menos a ver com uma transferência de poder do centro para a periferia do sistema global do que com o reconhecimento dos limites econômicos da expansão industrial. Pela primeira vez, por volta de 1973, o meio empresarial foi obrigado a reconhecer que as matérias-primas naturais não eram inesgotáveis e que o seu custo estava fadado a se tornar cada vez mais uma consideração proibitiva. O pânico engendrado por essa consciência abriu uma brecha sem precedentes para que a mensagem do movimento ambientalista se difundisse por toda a sociedade.

Apesar de datarem pelo menos do século 19 as preocupações com o impacto ecológico negativo do industrialismo, foi no final da década de 1960 que o movimento ambientalista começou a tomar as feições que hoje conhecemos. Apareceram nessa época vários livros e escritos denunciando a iminência da crise provocada pela poluição decorrente da aceleração industrial descontrolada e, como conseqüência, foram criadas algumas das mais importantes entidades voltadas para a preservação do meio ambiente, como a *Friends of the Earth* em 1969 e a *Greenpeace* em 1971. No ano de 1972, a consciência política do problema já era suficiente para motivar a primeira conferência mundial sobre o meio ambiente, realizada em Estocolmo sob o patrocínio da ONU. Curiosamente, no momento em que o movimento ambientalista parecia estar conquistando espaço como força política, o interesse da mídia pelo tema começou a decrescer. As graves dificuldades econômicas do final da década de 1970, em vez de sustentarem o interesse público pela questão ambientalista, acabaram empurrando a ecologia para o segundo plano das notícias, tendência que só foi revertida em meados da década de 1980 quando retornou com força total. A partir da segunda conferência da ONU em 1992, no Rio de Janeiro, o movimento ambientalista tem se consolidado definitivamente do ponto de vista institucional, tornando-se parte permanente do cenário político mundial. O design vem exercendo um papel discreto mas ativo ao longo desse processo de surgimento e ressurgimento do ambientalismo. O assunto entrou cedo para a pauta de discussões das organizações profissionais de designers: já em 1969, o ICSID aconselhou os designers a darem prioridade à qualidade de vida sobre a quantidade de produção. Pelo seu envolvimento estreito com o processo produtivo industrial, os designers têm demonstrado um nível elevado de consciência com relação a questões ecológicas, e as soluções adotadas pela categoria refletem uma boa disposição para acompanhar as rápidas mudanças de pensamento em uma área que exige uma constante abertura para o novo e muita flexibilidade em termos de metodologia de projeto.

O ambientalismo tem passado por diversas fases na sua evolução histórica e cada uma destas correspondeu a uma visão diferente de como seria um design ambiental, ou eco-design como querem alguns. A primeira fase do movimento esteve ligada de forma estreita à contracultura da década de 1960 e advogava, portanto, uma rejeição ampla do consumismo moderno. O ambientalismo da época se estruturava em torno de propostas de estilos de vida alternativos e da opção por não participar do sistema econômico e político vigente. O design correspondeu a essa ideologia com projetos que visavam subverter o poderio das grandes indústrias, incluindo toda uma série de propostas do gênero 'faça-você-mesmo'. Victor Papanek, o grande guru do design alternativo da década de 1970, tomou a dianteira nesse sentido, ao criar projetos de baixo custo para a fabricação caseira de uma série de produtos, desde mesas e cadeiras até rádios. Ao publicar os seus projetos com instruções detalhadas, ele buscava impedir que qualquer empresa pudesse patentear e explorar as suas idéias, o que nem sempre dava certo, pois alguns foram comercializados mesmo assim. Papanek e seus colaboradores conseguiram gerar várias propostas interessantes, incluindo projetos de televisores custando menos de US$10 por unidade na época, cujo propósito era a distribuição gratuita com fins educacionais em países do leste da África (PAPANEK, 1984: XI–XII, 80-83, 224–225). Na sua visão, a solução de problemas ecológicos passava necessariamente pelo redimensionamento das relações de consumo, especialmente no sentido de uma opção individual por consumir menos e de modo mais consciente.

Essa posição de antagonismo com relação às grandes indústrias não suscitou resultados na escala desejada. Embora houvesse casos isolados ou esporádicos em que um projeto de design alternativo alterasse padrões de consumo, essas experiências tiveram pouco ou nenhum impacto sobre a grande maioria do público consumidor. Passado o choque inicial da crise de petróleo, os consumidores voltaram a se entregar ao consumismo habitual, apenas com a diferença de uma preocupação maior com o custo de certas matérias-primas, em especial o petróleo. A indústria automobilística, por exemplo, sentiu fortemente o aumento dos preços de combustíveis após meados da década de 1970, o qual marcou o fim dos carros americanos tradicionais e o início de uma nova era de carros mais compactos e econômicos. Essa situação chegou a gerar no Brasil uma das poucas iniciativas em larga escala de redimensionar o consumo para atender às condições vigentes de crise: o Programa Pró-Álcool se constitui em interessantíssima tentativa de resolver através da tecnologia o grande problema da dependência sobre fontes de energia não renováveis. Hoje, suas pesquisas pioneiras começam a render frutos, sob a forma do recém-despertado interesse mundial pelo etanol como alternativa aos combustíveis fósseis. Porém, essa ação só foi possível através de um apoio estatal maciço. Nos países em que o Estado não pôde ou não quis exercer tal papel, foi ficando claro que os apelos para não consumir por razões de consciência teriam sempre um alcance muito limitado. A segunda onda de preocupações com o meio ambiente, durante a década de 1980, trouxe uma nova estratégia na forma do consumo de produtos ecológicos ou verdes. Principalmente na Europa e na América do Norte, surgiu nessa época um novo tipo de consumidor disposto a pagar mais caro para comprar produtos menos poluentes ou fabricados de acordo com padrões ambientais avançados. Esse segmento de mercado se demonstrou suficientemente importante para gerar um verdadeiro boom de produtos, embalagens, propagandas e estratégias de marketing voltados para o consumidor ecologicamente correto, o que gerou um leque amplo de oportunidades para os designers. Esse mercado evoluiu tão rapidamente entre o final da década de 1980 e o início da década de 1990 que ocasionou a situação paradoxal de engendrar um consumismo verde, por assim dizer (ver WHITELEY, 1993: 50-62). A necessidade de fiscalizar produtos e empresas que alegam estar em conformidade com os mais altos padrões ambientais levou à criação de novos mecanismos de inspeção e certificação, dentre os quais cabe destacar os certificados da série ISO14000 (da *International Standards Organization*) que premiam a qualidade ambiental.

O conflito entre consumo e meio ambiente não é um problema ultrapassado e nem uma questão de alarmismo ou 'ecochatice', como dizem alguns. Não resta dúvida de que o modelo consumista da prosperidade pela expansão contínua da produção e das vendas é insustentável a longo prazo. Em alguns aspectos, já atingimos há muito tempo os limites do equilíbrio e ingressamos na contagem regressiva para o esgotamento desse ou daquele recurso natural. No entanto, os governos e os mercados continuam a pautar o bem-estar coletivo no crescimento industrial e econômico, pois tanto na direita quanto na esquerda do espectro político, praticamente ninguém tem estômago para propor o 'crescimento zero' como solução. Alguns poucos ainda acreditam que novas tecnologias trarão as soluções necessárias, porém a maioria já percebe que não existe tecnologia capaz de resolver problemas gerados em essência pelo próprio avanço tecnológico. Nesse contexto, o design de sistemas e a gestão da qualidade vêm sendo percebidos crescentemente como um meio fundamental para projetar o uso mais eficiente de recursos através do planejamento do consumo e da eliminação do desperdício. Se é verdade que as ameaças ambientais mais graves advêm do consumo indiscriminado de matérias-primas e do acúmulo de materiais não degradáveis descartados como lixo, então o aperfeiçoamento de sistemas de reciclagem e de reaproveitamento deve se tornar uma prioridade para o design em nível industrial. Existem diversos bons exemplos de reaproveitamento de produtos duráveis e de embalagens para cumprir funções posteriores ao seu uso inicial, além das já tradicionais tecnologias de reciclagem de matérias-primas, como plásticos, metais, vidro e papel. Outra vertente importante na indústria atualmente é a idéia do desmonte (*design for*

O uso do casco de cerveja 'retornável' representa um excelente sistema de reaproveitamento de materiais, amplamente implantado no Brasil. Infelizmente, de alguns anos para cá, a indústria vem substituindo o casco padronizado de 600 ml por garrafinhas *one-way* e latas de alumínio, ambas as quais acarretam um aumento considerável no desperdício de matérias-primas e energia.

disassembly), ou seja, projetar um artigo já prevendo o seu descarte e facilitando a reutilização das peças, tendência que vem surtindo bons resultados na indústria automobilística, entre outras. Cabe ao designer pensar cada vez mais em termos do ciclo de vida do objeto projetado, gerando soluções que otimizem três fatores: 1) uso de materiais não poluentes e de baixo consumo de energia; 2) eficiência de operação e facilidade de manutenção do produto; 3) potencial de reutilização e reciclagem após o descarte. A visão de planejamento de ciclo de vida é especialmente importante do ponto de vista do designer, por se tratar de uma atividade que só pode ser realizada como parte do processo de produção e que se encaixa portanto na busca de qualidade total intrínseca às filosofias mais recentes de gestão empresarial (ver MALAGUTI, 2000; OLIVEIRA, 2000).

A outra grande frente de atuação para atingir algum equilíbrio ambiental diz respeito às atitudes de consumo, área esta em que o designer exerce uma influência bem mais reduzida. Apesar de toda a consciência adquirida ao longo dos últimos quarenta anos, ainda vivemos infelizmente em uma sociedade que cultua o excesso como uma vantagem inerente. O consumidor quer sempre o mais novo, o mais rápido e o mais avançado por definição, sem perguntar se existe necessidade real de se manter na crista do progresso tecnológico. Em nenhuma área isso é mais evidente que na informática: embora a maioria dos proprietários de microcomputador faça um uso mínimo dos recursos disponíveis em seus aparelhos, dada a oportunidade, poucos hesitam em fazer um *upgrade* para um processador ainda mais avançado. O crescimento aparentemente sem limites da indústria de telefones celulares, ao longo da última década, atesta igualmente quão frágil ainda é a consciência ambiental do consumidor na hora de optar entre o bem coletivo e o conforto individual ou até o status pessoal. Independentemente da influência nefasta de campanhas de marketing, não resta dúvida de que subutilizamos de modo sistemático quase todos os aparelhos e ferramentas dos quais dispomos, o que revela um pouco da psicologia de desperdício que domina a cultura industrial contemporânea. É evidente que o designer não detém o poder de reverter tendências tão profundas e tão complexas nas suas ramificações; contudo, vale a pena questionar as próprias atitudes com relação à forma de proceder no trabalho e ao tipo de trabalho que se faz. Uma das lições mais importantes que ficaram da fase heróica do movimento ambientalista é que as grandes soluções começam em casa, ou seja, na relação cotidiana que cada um tem com a sociedade e com o ambiente que o cerca diretamente.

O design brasileiro vem reagindo aos desafios ambientais de diversas maneiras nos últimos anos, desde o reaproveitamento de materiais descartados para a fabricação de móveis até a gestão racionalizada de processos industriais e construtivos (ver PAES LEME, 2003; LEAL, 2004: 142-145; LEON, 2005: 103-107). Diante da magnitude da crise iminente, faz-se urgente direcionar cada vez mais recursos e projetos nessa direção. Quando se pensa que a chamada 'vida útil' de um produto geralmente não ultrapassa alguns anos, no caso de bens 'duráveis' como geladeiras e automóveis, e, muitas vezes, é bem inferior, como no caso de um jornal, que é descartado menos de 24 horas após ser diagramado, a importância do pós-uso salta aos olhos. O que será do artefato, uma vez que chega ao fim seu valor de troca como mercadoria? A geladeira que não funciona mais e o jornal de ontem são

As inventivas soluções nascidas da adversidade sugerem lições de projeto que merecem ser estudadas com seriedade na presente era de degradação ambiental ilimitada.

geralmente consignados à lixeira, mas o fato de não terem mais valor econômico não quer dizer que deixem de apresentar problemas de design. Afinal, o lixo também faz parte de nossa cultura material... cada vez mais, aliás! O design hoje está diante da necessidade de pensar o ciclo de vida do produto de modo expandido, levando em consideração um pós-uso que pode se estender para um futuro indeterminado (ver CARDOSO, 2004). As graves pressões ambientais da atualidade nos obrigam até a repensar o que é design. No Brasil, com sua terrível desigualdade e má distribuição de recursos, a sobrevivência humana depende com freqüência de soluções inusitadas. A notória inventividade que nasce das situações adversas pode encerrar lições valiosas sobre como projetar um mundo, senão melhor, pelo menos viável (ver PEREIRA, 2004).

O designer
no mercado global

A frase *"think globally, act locally"* ('pense em escala global, atue em escala local') virou um dos lemas do movimento ambientalista na década de 1990. Algo bem próximo poderia ser dito com relação às perspectivas profissionais do designer no admirável mundo novo do século 21. No clima econômico neoliberal de privatizações, fusões em nome da competitividade, demissões em massa e terceirização de funções especializadas, poucos designers podem sonhar com um emprego estável em uma grande empresa ou com a segurança de um contracheque ao final do mês e benefícios trabalhistas, como férias e décimo-terceiro. O jovem designer já ingressa hoje no mercado de trabalho cercado por todos os lados de ameaças sobre o futuro sombrio que o aguarda. Em muitas faculdades, o fantasma do desemprego é utilizado como uma espécie de bicho-papão, para aterrorizar o aluno que não quer se conformar às exigências dúbias de um currículo antiquado. Por isso, é importante enfatizar que essas visões pessimistas se baseiam em dados parciais e em suposições geralmente subjetivas, sem maiores fundamentos, pelo menos do ponto de vista histórico. O design é uma profissão ainda incipiente e o seu destino, bastante imprevisível.

No Brasil, pelo menos, não há base empírica para se falar em recuo ou encolhimento do campo. Ao contrário, os últimos vinte anos têm testemunhado uma nítida diversificação das possibilidades de trabalho para o designer e uma multiplicação correspondente de instâncias de atuação profissional. O design brasileiro passou, na década de 1990, de uma atividade restrita tradicionalmente à meia dúzia de praticantes bem-sucedidos, para um patamar inédito de produção sobre um leque amplo de frentes de trabalho. Diferentemente de toda a longa trajetória histórica tratada neste volume, seria muito difícil resumir o design brasileiro da última década a dois ou três nomes de destaque. O forte crescimento do campo desde o final da década de 1980 trouxe a tão esperada pulverização: muitos profissionais atuando de forma discreta, e até mesmo anônima, em áreas tão diversas quanto o design de produtos de cama, mesa e banho ou o design de fontes digitais.

Isso não quer dizer que estejamos vivendo no melhor dos mundos possíveis para o designer e muito menos que o design brasileiro não tenha mais para onde crescer. O mercado de trabalho flexível e fragmentado que se apresenta ao profissional iniciante é, sem dúvida, um lugar assustador, com muitas dificuldades e praticamente nenhuma garantia, mesmo para os mais talentosos. Deve-se dizer, todavia, que também se trata de um mercado cheio de possibilidades, aberto por definição para o novo e o diferente. Ao contrário da situação relativamente estável de trinta anos atrás, quando os únicos clientes em potencial para o designer eram grandes empresas estatais ou multinacionais, existe hoje um mosaico de pequenas e microempresas, associações e sociedades comunitárias, organizações não governamentais, fundações e outras entidades que nunca estiveram tão ativas no cenário econômico nacional. Alguns designers também começam a optar por se envolver diretamente com o comércio ou outras atividades empresariais e, sem dúvida, há muito espaço para a ampliação de nichos mercadológicos existentes e/ou para a abertura de novos. A lição que se depreende das trajetórias dos designers brasileiros que mais se destacaram nos últimos anos é que não existe uma única fórmula válida para todos: cada designer tem que encontrar o seu caminho e construir a sua própria identidade profissional. O design brasileiro caminha célere em direção a maiores e melhores realizações; e os livros de história, como o presente, não dão conta de consagrar os muitos profissionais de indiscutível mérito que atuam hoje na produção de design no país, muito menos de acompanhar os novos talentos que surgem a cada dia. Para isto, felizmente, multiplicam-se outras instâncias de informação, como revistas, premiações, catálogos e até livros (ver BORGES, 2002; HOMEM DE MELO, 2003; LEAL, 2004; LEON, 2005). Não resta dúvida de que há espaço para todos, principalmente se alargarmos os horizontes para pensar o design em seu sentido maior: como uma área múltipla, capaz de abarcar desde a criação de interfaces de navegação visual até o reaproveitamento de garrafas PET, e como um meio profissional plural, que possa acomodar, sem facciosismo, produções tão diversas quanto os móveis dos irmãos Campana e os quadrinhos de Angeli. O design pode fazer muito para melhorar o mundo, se os designers se permitirem pensar grande.

Campo é o que não falta. Se existe um país carente de sistemas de organização coletiva, de clareza na difusão de informações, de planejamento estratégico da produção, de soluções criativas para problemas aparentemente insuperáveis — enfim, de projeto — este país é o Brasil. Como atividade posicionada historicamente nas fronteiras entre a idéia e o objeto, o geral e o específico, a intuição e a razão, a arte e a ciência, a cultura e a tecnologia, o ambiente e o usuário, o design tem tudo para realizar uma contribuição importante para a construção de um país e um mundo melhores.

Bibliografia

ACAYABA, Marlene Milan (1994). *Preto e branco: Uma história do design brasileiro nos anos 50*. São Paulo: Instituto Lina Bo e P.M. Bardi.

AICHER, Otl (1988). "Bauhaus et Ulm". *L'Ecole d'Ulm: Textes et Manifestes*. Paris: Centre Georges Pompidou.

ALTICK, Richard (1978). *The Shows of London*. Cambridge: Harvard University Press.

AMARAL, Aracy A., org. (1977). *Projeto construtivo brasileiro na arte (1950-1962)*. Rio de Janeiro: Museu de Arte Moderna & São Paulo: Pinacoteca do Estado.

ANTHONY, P.D. (1983). *John Ruskin's Labour: a Study of Ruskin's Social Theory*. Cambridge: Cambridge University Press.

ARWAS, Victor (1993). "Alphonse Mucha", In: HOOLE, John & SATO, Tomoko. *Alphonse Mucha*. Londres: Lund Humphries/Barbican Art Gallery.

ASLIN, Elizabeth & ATTERBURY, Paul (1976). *Minton 1798-1910*. Londres: Victoria and Albert Museum.

ATTERBURY, Paul & WAINWRIGHT, Clive, orgs. (1994). *Pugin: a Gothic Passion*. New Haven e Londres: Yale University Press/Victoria and Albert Museum.

AYNSLEY, Jeremy (1993). *Nationalism and Internationalism: Design in the Twentieth Century*. Londres: Victoria and Albert Museum.

AZEVEDO, Carmen Lúcia; CAMARGOS, Marcia; & SACCHETTA, Vladimir (1997). *Monteiro Lobato: Furacão na Botocúndia*. São Paulo: Ed. Senac.

BAKER, Malcolm & RICHARDSON, Brenda, orgs. (1997). *A Grand Design: the Art of the Victoria and Albert Museum*. Nova York: Harry N. Abrams.

BANN, Stephen, org. (1974). *The Tradition of Constructivism*. Nova York: Viking.

BARDI, P.M. (1982). *O design no Brasil: História e realidade*. São Paulo: Masp/Sesc Pompéia.

BARSANTE, Cássio Emmanuel (1993). *A Vida Ilustrada de Tomás Santa Rosa*. Rio de Janeiro: Fundação Banco do Brasil/Bookmakers.

BATCHELOR, Ray (1994). *Henry Ford: Mass Production, Modernism and Design*. Manchester: Manchester University Press.

BENCHIMOL, Jaime Larry (1990). *Pereira Passos: um Haussmann Tropical*. Rio de Janeiro: Biblioteca Carioca.

BENTON, Charlotte; BENTON, Tim; & WOOD, Ghislaine, orgs. (2003). *Art Deco 1910-1939*. Londres: V&A Publications.

BERG, Maxine (1986). *The Age of Manufactures 1700-1820*. Oxford: Oxford University Press.

BESOUCHET, Lídia (1978). *Mauá e seu Tempo*. Rio de Janeiro: Nova Fronteira.

BIERUT, Michael; DRENTTEL, William; HELLER, Steven; HOLLAND, D.K., orgs. (1994). *Looking Closer: Critical Writings on Graphic Design*. Nova York: Allsworth.

BIERUT, Michael; DRENTTEL, William; HELLER, Steven; HOLLAND, D.K., orgs. (1997). *Looking Closer 2: More Critical Writings on Graphic Design*. Nova York: Allsworth.

BO BARDI, Lina; *et alii* (1994). *Tempos de grossura: O design no impasse*. São Paulo: Instituto Lina Bo e P.M. Bardi.

BONSIEPE, Gui (1983). *A Tecnologia da Tecnologia*. São Paulo: Edgard Blücher.

BONSIEPE, Gui (1997). *Design: do Material ao Digital*. Florianópolis: FIESC/IEL.
BOOTH, Michael R. (1981). *Victorian Spectacular Theatre, 1850-1910*. Londres: Routledge & Kegan Paul.
BORGES, Adélia (1999). *Maurício Azeredo: a Construção da Identidade Nacional no Mobiliário*. São Paulo: Instituto Lina Bo Bardi.
BORGES, Adélia (2002). *Designer não é personal trainer, e outros escritos*. São Paulo: Rosari.
BOWMAN, Margaret F. (1997). *Painting and Politics in the Ancien Régime*. Canberra: Australian National University (tese de doutorado inédita).
BREWARD, Christopher (1995). *The Culture of Fashion: a New History of Fashionable Dress*. Manchester: Manchester University Press.
BREWER, John & PORTER, Roy, orgs. (1994). *Consumption and the World of Goods*. Londres: Basil Blackwell.
BUCHANAN, R.A. (1992). *The Power of the Machine: the Impact of Technology from 1700 to the Present Day*. Londres: Viking.
BUCHANAN, Richard & MARGOLIN, Victor, orgs. (1995). *Discovering Design: Explorations in Design Studies*. Chicago: University of Chicago Press.
BURCKHARDT, Lucius, org. (1977). *The Werkbund: Studies in the History and Ideology of the Deutscher Werkbund 1907-1933*. Londres: Design Council.
CAGNIN, Antônio Luis (1996). "Bordalo x Agostini". *Rafael Bordalo Pinheiro: o Português Tal e Qual. O Caricaturista*. São Paulo: Pinacoteca do Estado.
CALS, Soraia, org. (1999). *Tenreiro*. Rio de Janeiro: Bolsa de Arte.
CALS, Soraia, org. (2000). *Sérgio Rodrigues*. Rio de Janeiro: Icatu.
CAMARGO, Mário de (2003). *Gráfica: Arte e Indústria no Brasil, 180 Anos de História*. São Paulo: Bandeirantes/Edusc.
CANTI, Tilde (1980). *O Móvel no Brasil: Origens, Evolução e Características*. Rio de Janeiro: CGPM.
CANTI, Tilde (1988). *O Móvel do Século XIX no Brasil*. Rio de Janeiro: CGPM.
CARDOSO [DENIS], Rafael (1995). *The Educated Eye and the Industrial Hand: Art and Design Instruction for the Working Classes in Mid-Victorian Britain*. (tese de doutorado inédita, Courtauld Institute of Art/University of London) [disponível para consulta na biblioteca da Escola Superior de Desenho Industrial/UERJ].
CARDOSO [DENIS], Rafael (1996). "As Origens Históricas do Designer: Algumas Considerações Iniciais". *Estudos em Design*, v.4, n.2., pp.59-72.
CARDOSO [DENIS], Rafael (1997). "A Academia Imperial de Belas Artes e o Ensino Técnico". *180 Anos de Escola de Belas Artes: Anais do Seminário EBA180*. pp.181-196.
CARDOSO [DENIS], Rafael (1998). "História do Design: uma Ergonomia do Tempo". *Anais do P&D Design 98*, v.1, pp.317-326.
CARDOSO, Rafael; Chianca, Bruna; Meliande, Clara; Wolter, Henrique; Hilal, Ori (2002) "Em busca de uma história do produto brasileiro", *Anais do 5º Congresso Brasileiro de Pesquisa e Desenvolvimento em Design (P&D Design 2002)*. Rio de Janeiro: AEnD-BR.
CARDOSO, Rafael (2004). "Putting the magic back into design: From object fetishism to product semantics and beyond". *Art on the Line*. n.2 (março de 2004). [www.waspress.co.uk/journals/artontheline]
CARDOSO, Rafael, org. (2005). *O design brasileiro antes do design: Aspectos da história gráfica, 1870-1960*. São Paulo: Cosac Naify.

CARDOSO, Rafael (2006). "Le *cartaz* brésilien dans l'histoire de l'affiche". In: *Brasil em cartaz*. Chaumont: Direction du Graphisme de la Ville de Chaumont. [disponível no site: www.esdi.uerj.br/arquivos/Catalogo_BrEmCartaz.pdf]

CARONE, Edgard (1977). *O Pensamento Industrial no Brasil (1880-1945)*. Rio de Janeiro: DIFEL.

CARONE, Edgard (1978). *O Centro Industrial do Rio de Janeiro e a sua Importante Participação na Economia Nacional (1827-1977)*. Rio de Janeiro: Cátedra.

CAVALCANTI, Lauro (2001). *Quando o Brasil era moderno: Guia de arquitetura 1928-1960*. Rio de Janeiro: Aeroplano.

CAVALCANTI, Lauro, org. (2003). *Tudo É Brasil*. Rio de Janeiro: Paço Imperial & São Paulo: Itaú Cultural.

CAVALCANTI, Lauro (2006). *Moderno e brasileiro: A história de uma nova linguagem na arquitetura (1930-60)*. Rio de Janeiro: Jorge Zahar.

CAUDURO, Flávio V. (1998). "Desconstrução e Tipografia Digital". *Arcos: Design, Cultura Material e Visualidade*, v.1, n.único, pp.76-101.

CENTRO CULTURAL BANCO DO BRASIL (1998). *Design: Método e Industrialismo*. Rio de Janeiro: Centro Cultural Banco do Brasil.

CHALHOUB, Sidney (1986). *Cidade febril: Cortiços e epidemia na corte imperial*. São Paulo: Companhia das Letras.

CIRNE, Moacy (1990). *História e Crítica dos Quadrinhos Brasileiros*. Rio de Janeiro: FUNARTE.

CIRNE, Moacy; MOYA, Álvaro de; D'ASSUNÇÃO, Otacílio; & AIZEN, Naumim (2002). *Literatura em quadrinhos no Brasil: Acervo da Biblioteca Nacional*. Rio de Janeiro: Nova Fronteira/Fundação Biblioteca Nacional.

CLAIR, Colin (1976). *A History of European Printing*. Londres: Academic Press.

CLARK, Toby (1997). *Art and Propaganda in the Twentieth Century: the Political Image in the Age of Mass Culture*. Londres: Calmann & King.

CLARO, Mauro (2004). *Unilabor: Desenho industrial, arte moderna e autogestão operária*. São Paulo: Ed. Senac.

CONDURU, Roberto (2005). *Willys de Castro*. São Paulo: Cosac Naify.

CONFRARIA DOS AMIGOS DO LIVRO (1977). *Recordações da Exposição Nacional de 1861*. Rio de Janeiro: Confraria dos Amigos do Livro.

COSTA, Jurandir Freire (1979). *Ordem Médica e Norma Familiar*. Rio de Janeiro: Graal.

COTRIM, Álvaro (1983). *Pedro Américo e a Caricatura*. Rio de Janeiro: Pinakotheke.

COTRIM, Álvaro (1985). *J. Carlos: Época, Vida, Obra*. Rio de Janeiro: Nova Fronteira.

COUPERIE, Pierre; DESTEFANIS, Proto; FRANÇOIS, Edouard; HORN, Maurice; MOLITERNI, Claude; GASSIOT-TALABOT, Gerald (1967). *Bande Dessinée et Figuration Narrative: Histoire/Esthetique/Production et Sociologie de la Bande Dessinée Mondiale*. Paris: Musée des Arts Décoratifs.

COUTO, Rita Maria de Souza (1992). *Reflexões sobre Design Social*. Rio de Janeiro: PUC-RJ/ Cadernos de Desenho Industrial.

CRARY, Jonathan (1990). *Techniques of the Observer: On Vision and Modernity in the Nineteenth Century*. Cambridge: MIT Press.

CRASKE, Matthew (1999). "Design and the Competitive Spirit in Early and Mid-Eighteenth-Century England", *Journal of Design History*, v.12, n.3, pp.187-216.

CROZIER, Ray (1994). *Manufactured Pleasures: Psychological Responses to Design*. Manchester: Manchester University Press.

CUNHA LIMA, Edna Lúcia & FERREIRA, Márcia Christina (1998). "Santa Rosa e o Design do Livro Modernista". *Anais do P&D Design 98*, v.1, pp.327-336.

CUNHA LIMA, Guilherme (1997). *O Gráfico Amador: As Origens da Moderna Tipografia Brasileira*. Rio de Janeiro: Ed. UFRJ.

DE GRAZIA, Victoria & FURLOUGH, Ellen, orgs. (1996). *The Sex of Things: Gender and Consumption in Historical Perspective*. Berkeley: University of California Press.

DEL BRENNA, Giovanna Rosso, org. (1985). *O Rio de Janeiro de Pereira Passos: uma Cidade em Questão II*. Rio de Janeiro: Index.

DESIGN COUNCIL (1980). *Design and Industry: the Effects of Industrialisation and Technical Change on Design*. Londres: Design Council.

DIANI, Marco, org. (1992). *The Immaterial Society: Design, Culture and Technology in the Postmodern World*. Englewood Cliffs: Prentice-Hall.

DINOTO, Andrea (1984). *Art Plastic Designed for Living*. Nova York: Abbeville Press.

DORMER, Peter (1993). *Design Since 1945*. Londres: Thames and Hudson.

DROSTE, Magdalena (1990). *Bauhaus 1919-1933*. Colônia: Benedikt Taschen.

EDWARDS, Clive D. (1993). *Victorian Furniture: Technology and Design*. Manchester: Manchester University Press.

FABRIS, Annateresa, org. (1991). *Fotografia: Usos e Funções no Século XIX*. São Paulo: EDUSP.

FABRIS, Annateresa, org. (1994). *Modernidade e Modernismo no Brasil*. Campinas: Mercado de Letras.

FARIA, Alberto de (1958). *Mauá: Irineu Evangelista de Souza, Barão e Visconde de Mauá 1813-1889*. São Paulo: Companhia Editora Nacional.

FARIAS, Priscila (1998). *Tipografia Digital*. Rio de Janeiro: 2AB.

FERREIRA, Orlando da Costa (1976). *Imagem e Letra: Introdução à Bibliologia Brasileira*. São Paulo: Melhoramentos/EDUSP.

FLINCHOM, Russell (1997). *Henry Dreyfuss, Industrial Designer: the Man in the Brown Suit*. Nova York: Rizzoli.

FLUSSER, Vilém (2002). *Filosofia da caixa preta: Ensaios para uma futura filosofia da fotografia*. Rio de Janeiro: Relume-Dumará.

FLUSSER, Vilém (2007). *O mundo codificado: Por uma filosofia do design e da comunicação*. São Paulo: Cosac Naify.

FONSECA, Celso Suckow da (1961-1962). *História do Ensino Industrial no Brasil*. Rio de Janeiro: Escola Técnica Nacional.

FORD, Colin, org. (1989). *The Kodak Museum: the Story of Popular Photography*. Londres: Century/National Museum of Photography, Film and Television.

FORTY, Adrian (1986). *Objects of Desire: Design and Society since 1750*. Londres: Thames and Hudson.

FRASER, W. Hamish (1981). *The Coming of the Mass Market, 1850-1914*. Londres: Macmillan.

FRAYLING, Christopher (1987). *The Royal College of Art: One Hundred and Fifty Years of Art and Design*. Londres: Barrie & Jenkins.

FRAYLING, Christopher & CATTERALL, Claire, orgs. (1996). *Design of the Times: One Hundred Years of the Royal College of Art*. Somerset: Richard Dennis.

FRIEDMAN, Mildred & FRESHMAN, Phil, orgs. (1989). *Graphic Design in America: a Visual Language History*. Minneapolis: Walker Art Center.

GAMA JÚNIOR, Newton (2003). "A globalização dos produtos e a cultura regional" (palestra realizada no I Encontro de Semiótica Aplicada ao Design, PUC-Rio, 30/10/2003).

GARTMAN, David (1994). *Auto Opium: a Social History of American Automobile Design*. Londres: Routledge.
GIEDION, Siegfried (1948). *Mechanization Takes Command: a Contribution to Anonymous History*. Nova York: Oxford University Press.
GLOAG, John (1961). *Victorian Comfort: a Social History of Design 1830-1900*. Londres: Adam and Charles Black.
GOLDMAN, Paul (1994). *Victorian Illustrated Books 1850-1870: the Heyday of Wood-engraving*. Londres: British Museum Press.
GONDIM, Eunice Ribeiro (1965). *Vida e Obra de Paula Brito*. Rio de Janeiro: Livraria Brasiliana Editora.
GREENHALGH, Paul (1988). *Ephemeral Vistas: the Expositions Universelles, Great Exhibitions and World's Fairs, 1851-1939*. Manchester: Manchester University Press.
GREENHALGH, Paul, org. (1990). *Modernism in Design*. Londres: Reaktion.
GUIDOT, Raymond (1994). *Histoire du Design 1940-1990*. Paris: Hazan.
HALÉN, Widar (1993). *Christopher Dresser: a Pioneer of Modern Design*. Londres: Phaidon.
HALLEWELL, Laurence (1985). *O Livro no Brasil (sua história)*. São Paulo: T.A. Queiroz/EDUSP.
HALUCH, Aline (2002). *A Maçã: Manifestações de Design no Início do Século XX*. (Dissertação de Mestrado inédita, Departamento de Artes & Design, PUC-Rio).
HANKS, David A. (1979). *The Decorative Designs of Frank Lloyd Wright*. Nova York: E.P. Dutton.
[HARDMAN], Francisco Foot & LEONARDI, Victor (1982). *História da Indústria e do Trabalho no Brasil*. São Paulo: Global Editora.
HARDMAN, Francisco Foot (1988). *Trem Fantasma: a Modernidade na Selva*. São Paulo: Cia. das Letras.
HARVEY, Charles & PRESS, Jon (1991). *William Morris: Design and Enterprise in Victorian Britain*. Manchester: Manchester University Press.
HARVEY, David (1989). *The Condition of Postmodernity: an Enquiry into the Origins of Cultural Change*. Oxford: Basil Blackwell.
HARVEY, John (2003). *Homens de preto*. São Paulo: Ed. Unesp.
HAYWARD, Stephen (1998). "'Good Design Is Largely a Matter of Common Sense': Questioning the Meaning and Ownership of a Twentieth-century Orthodoxy", *Journal of Design History*, v.11, n.3.
HESKETT, John (1980). *Industrial Design*. Londres: Thames and Hudson.
HESKETT, John (1986). *Design in Germany 1870-1918*. Londres: Trefoil.
HOBSBAWM, E.J. (1964). *The Age of Revolution 1789-1848*. Nova York: Mentor.
HOBSBAWM, E.J. (1994). *The Age of Extremes: the Short Twentieth Century 1914-1991*. Londres: Michael Joseph.
HOLLIS, Richard (1994). *Graphic Design: a Concise History*. Londres: Thames and Hudson.
HOMEM DE MELO, Francisco (1999), "Marcas do Brasil: do Big-Bang em 1950 à Revolução do Computador", *Boletim ADG*, n.17.
HOMEM DE MELO, Chico (2003). *Os desafios do designer & outros textos sobre design gráfico*. São Paulo: Rosari.
HOMEM DE MELO, Chico, org. (2006). *O design gráfico brasileiro: Anos 60*. São Paulo: Cosac Naify.
HOUNSHELL, David A. (1984). *From the American System to Mass Production, 1800-1932*. Baltimore: Johns Hopkins University Press.

HOWARD, Jeremy (1996). *Art Nouveau: International and National Styles in Europe*. Manchester: Manchester University Press.

JEUDY, Henri-Pierre (1999). "Philippe Starck: Ficção Semântica", *Arcos: Design, Cultura Material e Visualidade*, v.2, n.único.

JOBLING, Paul & CROWLEY, David (1996). *Graphic Design: Reproduction and Representation since 1800*. Manchester: Manchester University Press.

KALLIR, Jane (1986). *Viennese Design and the Wiener Werkstätte*. Nova York: George Braziller.

KATINSKY, Júlio Roberto (1983). "Desenho Industrial". In: ZANINE, Walter, org., *História Geral da Arte no Brasil*. São Paulo: Instituto Walter Moreira Salles.

KENWOOD, A.G. & LOUGHEED, A.L. (1983). *The Growth of the International Economy: an Introductory Text*. Londres: Unwin Hyman. [1971].

KIRKHAM, Pat (1998). *Charles and Ray Eames: Designers of the Twentieth Century*. Cambridge: MIT Press.

KOSSOY, Boris (1980). *Hercules Florence - 1833: a Descoberta Isolada da Fotografia no Brasil*. São Paulo: Livraria Duas Cidades.

LANDES, David S. (1969). *The Unbound Prometheus: Technological Change and Industrial Development in Western Europe from 1750 to the Present*. Cambridge: Cambridge University Press.

LANDES, David S. (1983). *Revolution in Time: Clocks and the Making of the Modern World*. Cambridge: Harvard University Press.

LAUS, Egeu (1998). "A Capa de Disco no Brasil: os Primeiros Anos". *Arcos: Design, Cultura Material e Visualidade*, v.1, n.único.

LEFFINGWELL, Edward (2003). [Informações oriundas de pesquisa inédita, reproduzidas em: Adélia Borges, "Charles Sampson Bosworth implantou o primeiro escritório de design industrial da América Latina", *Gazeta Mercantil*, 17 de agosto de 2001].

LEAL, Joice Joppert (2004). *Um olhar sobre o design brasileiro*. São Paulo: Imprensa Oficial.

LEON, Ethel (2005). *Design brasileiro: Quem fez, quem faz*. Rio de Janeiro: Viana & Mosley/Ed. Senac.

LESSA, Washington Dias (1995). *Dois Estudos de Comunicação Visual*. Rio de Janeiro: Ed. UFRJ.

LIMA, Herman (1963). *História da Caricatura no Brasil*. Rio de Janeiro: José Olympio.

LIMA, Yone Soares de (1985). *A Ilustração na Produção Literária: São Paulo – década de vinte*. São Paulo: Instituto de Estudos Brasileiros/USP.

LINDINGER, Herbert (1988). "Introduction". *L'Ecole d'Ulm: Textes et Manifestes*. Paris: Centre Georges Pompidou.

LINDINGER, Herbert, org. (1991). *The Morality of Objects: Ulm Design*. Cambridge: MIT Press.

LOEWY, Raymond (1979). *Industrial Design*. Nova York: Overlook Press.

LOREDANO, Cássio, org. (1998). *O Rio de J. Carlos*. Rio de Janeiro: Lacerda Editores.

LOREDANO, Cássio (2002). *O Bonde e a Linha: Um Perfil de J. Carlos*. São Paulo: Capivara.

LUCIE-SMITH, Edward (1984). *The Story of Craft: the Craftsman's Role in Society*. Nova York: Van Nostrand Reinhold.

LUPTON, Ellen (1993). *Mechanical Brides: Women and Machines from Home to Office*. Nova York: Princeton Architectural Press.

LUPTON, Ellen & MILLER, J. Abbott (1996). *Design Writing Research: Writing on Graphic Design*. Nova York: Princeton Architectural Press.

LUSTOSA, Isabel (1995). "The Art of J. Carlos". *The Journal of Decorative and Propaganda Arts*, n.21, pp.108-125.

MACCARTHY, Fiona (1982). *British Design since 1800: a Visual History*. Londres: Lund Humphries.

Bibliografia

MACHADO, Arlindo (1993). *Máquina e Imaginário: o Desafio das Poéticas Tecnológicas*. São Paulo: EDUSP.
MADSEN, Stephan Tschudi (1975). *Sources of Art Nouveau*. Nova York: Da Capo. [1956].
MAGALHÃES, Aloísio (1985). *E Triunfo? A Questão dos Bens Culturais no Brasil*. Rio de Janeiro: Nova Fronteira.
MAGALHÃES, Aloísio (1998). "O Que o Desenho Industrial Pode Fazer pelo País?", *Arcos: Design, Cultura Material e Visualidade*, v.I, n.único, pp. 8-12.
MALAGUTI, Cynthia Santos (2000). *Impacto Ambiental: Parâmetro para Projeto de Embalagens – O Caso do Plástico*. (Tese de Doutorado inédita, Faculdade de Arquitetura e Urbanismo, USP).
MARGOLIN, Victor; BRICHTA, Ira & BRICHTA, Vivian (1979). *The Promise and the Product: 200 Years of American Advertising Posters*. Nova York: Macmillan.
MARGOLIN, Victor, org. (1989). *Design Discourse: History, Theory, Criticism*. Chicago: University of Chicago Press.
MARGOLIN, Victor & BUCHANAN, Richard, orgs. (1995). *The Idea of Design: a Design Issues Reader*. Chicago: University of Chicago Press.
MARGOLIN, Victor (1998). *The Struggle for Utopia: Rodchenko, Lissitzky, Moholy-Nagy, 1917-1946*. Chicago: University of Chicago Press.
MARTINS, Ana Luiza (2001). *Revistas em Revista: Imprensa e Práticas Culturais em Tempos de República, São Paulo (1890-1922)*. São Paulo: Edusp/Fapesp/Imprensa Oficial.
MARZIO, Peter C. (1979). *The Democratic Art: Pictures for a Nineteenth-Century America, Chromolithography 1840-1900*. Boston: David R. Godine.
MASINI, Lara-Vinca (1984). *Art Nouveau*. Londres: Thames and Hudson.
MAUAD, Ana Maria (1997). "Imagem e auto-imagem no Segundo Reinado", In: ALENCASTRO, Luiz Felipe de, org. *História da Vida Privada no Brasil. Império: a Corte e a Modernidade Nacional*. São Paulo: Cia. das Letras.
McKENDRICK, Neil; BREWER, John & PLUMB, J.H. (1982). *The Commercialisation of Eighteenth-Century England*. Birmingham: Midland Books.
MEGGS, Philip B. (1992). *A History of Graphic Design*. Nova York: Van Nostrand Reinhold. [1983].
MELLER, James, org. (1972). *The Buckminster Fuller Reader*. Harmondsworth: Pelican. [1970].
MELO FRANCO, Afonso Arinos de (1971). *Desenvolvimento da Civilização Material no Brasil*. Brasília: Conselho Federal de Cultura.
MILLER, Michael B. (1981). *The Bon Marché: Bourgeois Culture and the Department Store, 1869-1920*. Princeton: Princeton University Press.
MINDLIN, José E. (1995). "Illustrated Books and Periodicals in Brazil, 1875-1945". *The Journal of Decorative and Propaganda Arts*, n.21, pp.60-85.
MMM, Ascânio & MACEDO, Ronaldo do Rego, orgs. [1985]. *Joaquim Tenreiro: Madeira/Arte e Design*. Rio de Janeiro: Centro Empresarial Rio.
MOLITERNI, Claude, org. (1989). *Histoire Mondiale de la Bande Dessinée*. Paris: Pierre Horay.
MOREYRA, Álvaro (1991). *A cidade mulher*. Rio de Janeiro: Biblioteca Carioca / Secretaria Municipal de Cultura, Turismo e Esportes.
MUMFORD, Lewis (1952). *Art and Technics*. Londres: Oxford University Press.
MUMFORD, Lewis (1966). *The Myth of the Machine: Technics and Human Development*. Londres: Secker & Warburg.
Museu de Arte de São Paulo (1979). *História da Tipografia no Brasil*. São Paulo: Masp/Secretaria de Cultura, Ciência e Tecnologia.

NAYLOR, Gillian (1985). *The Bauhaus Reassessed: Sources and Design Theory*. Londres: Herbert Press.

NAYLOR, Gillian (1990). *The Arts and Crafts Movement: a Study of its Sources, Ideals and Influence on Design Theory*. Londres: Trefoil. [1971].

NEEDELL, Jeffrey D. (1987). *A Tropical Belle Epoque: Elite Culture and Society in Turn-of-the-Century Rio de Janeiro*. Cambridge: Cambridge University Press.

NELSON, Walter Henry (1965). *Small Wonder: the Amazing Story of the Volkswagen*. Boston: Little, Brown and Company.

NIEMEYER, Lucy (1997). *Design no Brasil: Origens e Instalação*. Rio de Janeiro: 2AB.

NIEMEYER, Lucy (1999). "A Organização Profissional de Designers no Brasil". *Estudos em Design*, v.7, n.1, pp.67-77.

NOBLET, Jocelyn de (1974). *Design: Introduction à l'Histoire de l'Evolution des Formes Industrielles*. Paris: Stock-Chene.

NOGUEIRA, J.C. Ataliba (1934). *Um Inventor Brasileiro*. São Paulo: Empresa Gráfica da Revista dos Tribunais.

OLIVEIRA, Alfredo Jefferson de (2000). *Eco-Design e Remanufatura: Algumas Contribuições para o Projeto de Produto Eco-Eficiente*. (Tese de Doutorado inédita, Engenharia de Produção, Coppe/UFRJ).

OLIVEIRA BELLO (1908). *Imprensa Nacional (officina official) 1808-1908: Apontamentos históricos*. Rio de Janeiro: Imprensa Nacional.

PAES DE BARROS, Álvaro (1956). *O Liceu de Artes e Ofícios e seu Fundador*. Rio de Janeiro: Serviço Gráfico IBGE.

PAES LEME, Fernando Betim (2003). *Construção com "fibroso": Um estudo de caso sobre o resgate da técnica de taipa e seus efeitos no ambiente de clima tropical úmido com estação seca e chuvas de verão*. (dissertação de mestrado inédita, Departamento de Artes & Design, PUC-Rio).

PAPANEK, Victor (1984). *Design for the Real World: Human Ecology and Social Change*. Londres: Thames and Hudson. [1971].

PAPANEK, Victor (1995). *The Green Imperative: Ecology and Ethics in Design and Architecture*. Londres: Thames and Hudson.

PARRY, J.H. (1974). *Trade and Dominion: European Overseas Empires in the Eighteenth Century*. Londres: Cardinal.

PARRY, Linda, org. (1996). *William Morris*. Londres: Philip Wilson/V&A Museum.

PAULA, Ademar Antônio de; & NETO, Mario Carramillo (1989). *Artes gráficas no Brasil: Registros 1746-1941*. São Paulo: Laserprint.

PEREGRINO, Nadja (1991). *O Cruzeiro: A Revolução da Fotorreportagem*. Rio de Janeiro: Dazibao.

PEREIRA, Gabriela de Gusmão (2004). *Rua dos inventos: A arte da sobrevivência*. Rio de Janeiro: Ouro sobre Azul.

PEVSNER, Nikolaus (1960). *Pioneers of Modern Design: from William Morris to Walter Gropius*. Harmondsworth: Penguin. [1936].

PIRES DE ALMEIDA, [João Ricardo] (1889). *L'Agriculture et les Industries au Brésil*. Rio de Janeiro: Imprensa Nacional.

PLUM, Werner (1977). *World Exhibitions in the Nineteenth Century: Pageants of Social and Cultural Change*. Bonn-Bad Godesburg: Friedrich-Ebert Stiftung.

PULOS, Arthur J. (1988). *The American Design Adventure, 1940-1975*. Cambridge: MIT Press.

PURBRICK, Louise, org. (2001). *The Great Exhibition of 1851: New Interdisciplinary Essays*. Manchester: Manchester UP.

PURSELL, Carroll (1995). *The Machine in America: a Social History of Technology*. Baltimore: Johns Hopkins University Press.

REID, William (1984). *The Lore of Arms: a Concise History of Weaponry*. Londres: Arrow.

— (2000). *A Revista no Brasil*. São Paulo: Abril.

REZENDE, Lívia Lazzaro (2003). *Do Projeto Gráfico ao Ideológico: A Impressão da Nacionalidade em Rótulos Oitocentistas Brasileiros*. (Dissertação de Mestrado inédita, Departamento de Artes & Design, PUC-Rio).

RICHARDS, Thomas (1990). *The Commodity Culture of Victorian England: Advertising and Spectacle, 1850-1914*. Stanford: Stanford University Press.

RODRIGUES, Clóvis da Costa (1973). *A Inventiva Brasileira*. Rio de Janeiro: INL.

RODRIGUES, Jorge Luís Pinto (2002). *Anos Fatais: A Estética Tropicalista e seu Reflexo no Design Gráfico nos Anos 70*. (Dissertação de Mestrado inédita, Departamento de Artes & Design, PUC-Rio).

ROSENBERG, Nathan, org. (1969). *The American System of Manufactures. The Report of the Committee on the Machinery of the United States 1855 and the Special Reports of George Wallis and Joseph Whitworth in 1854*. Edimburgo: Edinburgh University Press.

ROSENBLUM, Naomi (1997). *A World History of Photography*. Nova York: Abbeville.

RUBINSTEIN, Lícia (2007). *"O censo vai contar para você": Design gráfico e propaganda política no Estado Novo*. (dissertação de mestrado inédita, Departamento de Artes & Design, PUC-Rio).

RUDOE, Judy (1990). *Decorative Arts 1850-1950: a Catalogue of the British Museum Collection*. Londres: British Museum Press.

RUSKIN, John (2004). *A economia política da arte*. Rio de Janeiro: Record.

SANTOS, Maria Cecília Loschiavo dos (1995). *Móvel Moderno no Brasil*. São Paulo: Studio Nobel/EDUSP.

SCHAEFER, Herwin (1970). *The Roots of Modern Design: Functional Tradition in the Nineteenth Century*. Londres: Studio Vista.

SCHWARTZ, Frederic J. (1996). *The Werkbund: Design Theory and Mass Culture before the First World War*. New Haven: Yale University Press.

SCRANTON, Philip (1999). "Multiple Industrializations: Urban Manufacturing Development in the American Midwest, 1880-1925". *Journal of Design History*, v.12, n.1, pp.45-63.

SEIXAS, Cristina Araújo de (2000). *A questão da cópia e da interpretação no contexto da produção de moda Canadá no Rio de Janeiro da década de 1950*. (dissertação de mestrado inédita, Departamento de Artes & Design, PUC-Rio).

SENA, Paulo Sérgio (1995). "O Design Social e o Corpo Teórico da Ecologia Humana", *Estudos em Design*, v.3, n.1, pp.89-96.

SENNETT, Richard (1974). *The Fall of Public Man: On the Social Psychology of Capitalism*. Nova York: Vintage.

SERRA, João B. (1996). "Rafael Bordalo Pinheiro e a Fábrica das Faianças das Caldas da Rainha", In: *Rafael Bordalo Pinheiro: o Português Tal e Qual. O Ceramista*. São Paulo: Pinacoteca do Estado.

SILVERMAN, Debora L. (1989). *Art Nouveau in Fin-de-Siècle France: Politics, Psychology and Style*. Berkeley: University of California Press.

SMITH, Terry (1993). *Making the Modern: Industry, Art and Design in America*. Chicago: University of Chicago Press.

SOBRAL, Julieta (2004). *Para Todos: J. Carlos designer*. (dissertação de mestrado inédita, Departamento de Artes & Design, PUC-Rio).

SODRÉ, Nelson Werneck (1966). *A História da Imprensa no Brasil*. Rio de Janeiro: Civilização Brasileira.

SOAVI, Giorgio, org. (1958). *Olivetti 1908-1958*. Ivrea: Ing. C. Olivetti & C.

SOUZA ANDRADE, Olímpio de (1978). *O Livro Brasileiro: Desde 1920*. Rio de Janeiro: Cátedra/INL.
SOUZA LEITE, João de, org. (2003). *A herança do olhar: O design de Aloísio Magalhães*. Rio de Janeiro: Artviva.
SPARKE, Penny (1986). *An Introduction to Design and Culture in the Twentieth Century*. Londres: Routledge.
SOUZA, Pedro Luiz Pereira de (1996). *ESDI: Biografia de uma Idéia*. Rio de Janeiro: Ed.UERJ.
SPARKE, Penny (1995). *As Long as It's Pink: the Sexual Politics of Taste*. Londres: Pandora.
SPUFFORD, Francis & UGLOW, Jenny, orgs. (1996). *Cultural Babbage: Technology, Time and Invention*. Londres: Faber and Faber.
STEPAN, Nancy (1976). *Beginnings of Brazilian Science: Oswaldo Cruz, Medical Research and Policy, 1890-1920*. Nova York: Science History Publications.
STOLARSKI, André (2005). *Alexandre Wollner e a formação do design moderno no Brasil: Depoimentos sobre o design visual brasileiro*. São Paulo: Cosac Naify.
STOLARSKI, André (2006). "Projeto concreto. O design brasileiro na órbita da I Exposição Nacional de Arte Concreta: 1948-1966". In: *Concreta '56 a raiz da forma*. São Paulo: Museu de Arte Moderna.SUZIGAN, Wilson (1986). *Indústria Brasileira: Origem e Desenvolvimento*. São Paulo: Brasiliense.
TELES, Roosewelt S. (1996). "Desconexões entre a Produção do Conhecimento Tecnológico Formal e as Demandas Sociais para Desenvolvimento em Contexto Local", *Anais do P&D Design 96*, seção 12, pp.73-82.
THACKARA, John, org. (1988). *Design After Modernism*. Londres: Thames and Hudson.
THAYER, George (1970). *The War Business: the International Trade in Armaments*. Londres: Paladin.
TISE, Suzanne (1991). *Between Art and Industry: Design Reform in France, 1851-1939*. Pittsburgh: University of Pittsburgh (tese de doutorado inédita).
TURAZZI, Maria Inez (1995). *Poses e Trejeitos: a Fotografia e as Exposições na Era do Espetáculo (1839-1889)*. Rio de Janeiro: Funarte/Rocco.
USHER, Abbott Payson (1966). *A History of Mechanical Inventions*. Cambridge: Harvard University Press.
VELLOSO, Monica Pimenta (1996). *Modernismo no Rio de Janeiro: Turunas e Quixotes*. Rio de Janeiro: Fundação Getúlio Vargas.
VIANNA, Hélio (1945). *Contribuição à História da Imprensa Brasileira*. Rio de Janeiro: Imprensa Nacional.
WALTON, Whitney (1992). *France at the Crystal Palace: Bourgeois Taste and Artisan Manufacture in the Nineteenth Century*. Berkeley: U. of California Press.
WHITELEY, Nigel (1993). *Design For Society*. Londres: Reaktion.
WILLIAMS, Rosalind H. (1982). *Dream Worlds: Mass Consumption in Late Nineteenth-Century France*. Berkeley: University of California Press.
WILLS, Geoffrey (1988). *Wedgwood*. Londres: Spring Books.
WINGLER, Hans M. (1969). *The Bauhaus*. Cambridge: MIT Press. [1962].
WOLLNER, Alexandre (2003). *Alexandre Wollner: Design visual 50 anos*. São Paulo: Cosac Naify.
WOODHAM, Jonathan M. (1997). *Twentieth-Century Design*. Oxford: Oxford University Press.
WRIGHT, Lawrence (1960). *Clean and Decent: the Fascinating History of the Bathroom and the Water Closet*. Londres: Routledge & Kegan Paul.
YOUNG, Hilary, org. (1997). *The Genius of Wedgwood*. Londres: V&A Museum.
ZIMMERMANN, Silvana Brunelli (2005). "A inserção de Fulvio Pennacchi na propaganda brasileira dos anos 30". In: *Os "reclames" de Fulvio Pennacchi: Primórdios da propaganda brasileira*. São Paulo: Instituto Moreira Salles.

Índice

Aalto, Alvar 128
Academia Imperial de Belas Artes 84
acumulação flexível (regime de) 198-199
AEG (Allgemeines Elektrizitäts Gesellschaft) 124
Aguiar, João Baptista de 242
Agostini, Ângelo 50-53
Aicher, Otl 187-190
Albers, Josef 132, 134, 187
alfabetização (ver leitura)
Alpargatas S.A. 208-210
Alves de Souza, Wladimir 192
ambientalismo / problemas ambientais (ver meio-ambiente)
americanização 115
Andrade, Oswald de 183
Angel, Zuzu 206
Angeli 253
Antarctica (cerveja) 171
Antigüidade 21, 31, 77
Applegarth & Cowper 48
Arbeitsrat für Kunst 130
Archer, Bruce 194
Archipenko, Alexander 187
Archizoom 199
armamentos, fabricação de (ver indústria)
Arno 163
Arnoult, Michel 175-219
Arnoux, Léon 86
arsenais 113
Art Déco 96-102, 149
Arte Concreta 176
Art Nouveau 95-101, 126
Arts and Crafts (Artes e Ofícios) 82-84, 96, 133, 180

Ashbee, Charles Robert 82, 84
associações profissionais de designers, 224-225
Austen, Jane 63
automação 34, 207
automóveis 114, 145, 148-149
  design de 82, 101-102
avião 128, 136, 145
Azeredo, Maurício 225
Azevedo, Francisco João de 37-38

Babbage, Charles 17, 34
Baermann, Walter 193
Balenciaga 163
Balzac, Honoré de 66
Banco Boavista 182-185
Banco Mundial (BIRD) 167
Barros, Geraldo de 175, 176-177, 219
Barsotti, Hércules 182
Bass, Saul 197
Baudelaire, Charles 47
Bauhaus 12-126, 128, 130-135, 169, 182
Bayer, Herbert 129, 132, 134
Beardsley, Aubrey 96
Behrens, Peter 124-125
Bel Geddes, Norman 146
Belle Epoque 98, 120, 126
Bellini, Mario 172
Belmonte 139
Benício, J.L. 202
Bergmiller, Karl Heinz 190, 217
Bernardes, Sérgio 176
Bern, Marius Lauritzen 200

Berthon, Paul 96
Bertoia, Harry 174
Bethencourt da Silva, Francisco Joaquim 84
Bienal de São Paulo 183-185, 190
Bill, Max 183, 187
Black, Misha 194
Blaich, Robert 208
Blake, William 76
Bo Bardi, Lina 175
Boal, Aida 176
Boeing 160
Bonsiepe, Gui 187, 217
Bosworth, Charles Sampson 175
Bordalo Pinheiro, Rafael 50, 52, 86-87
Bornancini, José Carlos 217
Bradley, William 96
Branco e Preto, Móveis 176
Brancusi, Constantin 128
branding 210
Brandt, Marianne 132
Bratke, Oswaldo Arthur 176
Braun 172-174, 189, 208
Bretton Woods 167
Breuer, Marcel 128, 132, 170
Brody, Neville 240
Buarque de Holanda, Sérgio 195
Buckminster Fuller, Richard 154, 187
Bufford, J.H. 57
Bulcão, Athos 182
Burton, Michel 178
Burton, Victor 240

CAD 242
Caldas da Rainha (fábrica de) 86-87
Calvi, Gian 200
Campana, Fernando e Humberto 253
Campos, Humberto de 102, 106
capas
   de discos 137, 177, 197, 199
   de livros 107, 178, 200, 202
Cardin, Pierre 205
Careta 102
Carlu, Jean 142
Carlyle, Thomas 76
Carnegie-Mellon University 196
Carson, David 239-240
cartazes 57, 92, 101, 129, 197
Carvalho, Ângela 225
Carvalho, Flávio de 128
Casa da Moeda 185
Cassandre, A.M. 142
Castro, Amílcar de 182
Castro, Willys de 182
Castilho (livraria e editora) 107
Cauduro Martino Arquitetos Associados 184
Cavalcanti, Moema 242
Chanel, Coco 143
Chaplin, Charles 110
Charivari, Le 52
Chéret, Jules 57
Chermayeff & Geismar 170
Chwast, Seymour 199
Cinearte 106
cinema 98, 136-138, 148, 162
Civilização Brasileira (editora) 178

Coca-cola 148, 213
Colbert, Jean-Baptiste 29
Coldspot 146
Cole, Henry 77-78
Coleridge, Samuel Taylor 76
Colt, Samuel 36
Companhia Editora Nacional 107, 139
Companhia Siderúrgica Nacional 162
Companhia Telefônica Brasileira 152, 230
Companhia do Vale do Rio Doce 162
Conran Design Group 170
construção naval 28, 40
Construtivismo 127-128, 182
consumo / consumismo 27, 37, 47, 77, 85, 88, 111, 162, 198, 208, 213
contracultura 199-200, 202, 204, 219
copyright (ver patentes)
Coqueiro/Quaker 184
corporações de ofícios (ver guildas)
corporativismo / valores corporativos 22, 115
Correia Dias, Fernando 106-107
corrida espacial / armamentista 108, 204
Cortez, Jayme 200
Costa, Lúcio 183
Costallat, Benjamim 108
Covilhã (fábrica de) 29
Cranbrook Academy of Art 174, 193
Crane, Walter 82
Cruikshank, George 49
Crumb, Robert 202
Cruz, Oswaldo 70

Cruzeiro, O 142
Cubismo 127
cultura material 19
customização 211

Daguerre, Louis / daguerreótipo 57-58
Dalziel (irmãos) 49
Darel (Valença Lins) 196
Darwin, Robin 194
Daumier, Honoré 49
Day, Lewis F. 62
De Stijl 128, 182
decalque 30
definições de design 20
Departamento de Imprensa e Propaganda – DIP 154
descarte / descartáveis 165, 248
desenvolvimentismo / desenvolvimento econômico 86, 215
Design and Industries Association (Grã-Bretanha) 124
Design for the Real World 220
design social 177, 222, 230
designer
   como categoria profissional 11, 19, 21, 22, 63, 81, 214, 223
   como profissional liberal 22, 63
   mercado de trabalho para o 251
   organizações de classe 203, 205
   origens operárias do 22, 63
   regulamentação da profissão 195-196

desigualdade social como fator limitador do design 219, 250
desmonte (ver reciclagem)
Deutscher Werkbund (ver Werkbund)
Di Cavalcanti, Emiliano 99, 131
digital 207, 211
Dior 163
distinção social, design como fator de 100, 225
divisão de tarefas / de trabalho 31-33, 43, 73
DKW-Vemag 182
Dohner, Donald R. 193
Dresser, Christopher 62
Dreyfuss, Henry 146
Duarte, Rogério 199
Duchamp, Marcel 128
Dyce, William 78

Eames, Charles 170, 174, 193
Eames, Ray 174
Earl, Harley 148
Ecletismo 78, 94-96
ecologia / eco-design (ver meio-ambiente)
Editora do Autor 178
efêmeros (ver impressos)
Eichbauer, Helio 200
Ekuan, Kenji 162
El Lissitzky 129
eletrodomésticos (ver utilidades domésticas)
ensino do design 78, 130, 133, 135, 188, 193
entretenimento 89, 197, 206
ergonomia 43, 157
Escola de Ulm 184-186, 190

Escola (Nacional) de Belas Artes 194
Escola Real de Ciências, Artes e Ofícios 215
escola suíça (de tipografia) 169
Escola Superior de Desenho Industrial – ESDI 186
Escola Técnica de Criação (MAM) 190
Escola Técnica IDOPP 196
Escola Técnica Nacional 196
Escorel, Ana Luísa 242
escritórios
    de design 72, 148
    design de 71
espetáculos (ver entretenimento)
estado / estatais 132, 180, 223, 252
Esteticismo 96
estilo / estilos (ver tb. styling) 94, 98, 148, 149
estilo de vida 205-206
Estilo Internacional 168-170, 180
Etrúria 30-31
exposições
    exposições universais 90-91
    Grande Exposição de 1851 37, 90-91
    nacionais brasileiras 55, 68, 89
    nacionais francesas 89
Expressionismo 126

Faculdade de Arquitetura e Urbanismo (USP) 176, 190
Fagundes, Ary 142
Fahrion, João 139
Farah, Rafic 242

Faria, Heloísa 242
fatores humanos 157
Feininger, Lyonel 132
Feitler, Bea 178
Ferreira, Octalles Marcondes 107
Fiala, Mena 164
Fiaminghi, Hermelindo 182
Figueiredo, Aurélio de 50
Figueiredo, Bernardo 176
Flaxman, John 31
Fleiuss, Henrique 50, 93
Florence, Hercules 57
Flusser, Vilém 61
Fon-Fon 145
Fontes, Lourival 154
fontes tipográficas 129, 135
Ford, Henry / Ford Motor Company 110-111, 115
fordismo 110-112, 116
forminform 183
Fortuna 200
Foster, Harold 137
fotografia 58-60, 133
Fox Talbot, William Henry 58
fragmentação 238, 243
Frampton, Kenneth 229
Francisco Alves (livraria e editora) 107
Friends of the Earth 245
Fritz 106
Frütiger, Adrian 169
Funcionalismo 135, 146, 175, 199, 225
Fundo Monetário Internacional – FMI 167
Futurismo 127

Gallé, Emile 96
Gama Júnior, Newton 231
Gaudí, Antoní 96
Garoa, A 107

267

GATT (General Agreement on Tariffs and Trade) 167
Gavarni 49
General Dynamics 160
General Electric – GE 160
General Motors – GM 148
geometrias / formas geométricas 96
gerenciamento científico 43, 71
germanização 123
Gesamtkunstwerk 133
Gestaltismo 130
GK Design 162
Glaser, Milton 12, 199
globalização econômica 43, 122
Globo, Livraria do (editora) 108
Gobelins 29
Good Design 169
Gothic Revival 77
Goulart, João 190
Gould, Chester 137
Graciano, Clóvis 200
Grado, Vicente di 200
Gráfico Amador, O 185
Grammar of Ornament, The 77-78
Grande Depressão 149, 164-165
Grasset, Eugène 96
Graz, John 128
Greenpeace 245
Greiman, April 240
grid 129, 169
Gropius, Walter 130, 170, 187
Grumach, Evelyn 242
guerras
indústria bélica 36, 39
Guerra Fria 125, 156, 166, 214
Primeira Guerra Mundial 98, 124, 131, 136, 143, 148, 154
Segunda Guerra Mundial 18, 116, 130, 153, 156-157, 160-161, 193
Guevara, Andrés 106
Guevara, Che 204
Gugelot, Hans 174, 187
guildas 32, 76
Gurgel 220

Harvey, David 198
Haussmann, (Barão) 68
havaianas (sandálias) 208
Hearst, William Randolph 53
Heaton & Rensburg 54
Henfil 201
Herman Miller 174, 180
Heskett, John 11
higiene (ver saúde pública)
Hirsch, Eugênio 178
história do design 9-11, 12-13, 124, 177, 226
historicismo 18, 96
Hitler, Adolf 115
Hobjeto, Móveis 176
Hobsbawm, Eric 27, 156
Hochschule für Gestaltung, Ulm (ver Escola de Ulm)
Hofmann, Armin 169
Hoffmann, Josef 84
Hollywood 98, 137, 197, 206
Homem de Melo, Chico 242
Horta, Victor 96

IBM 160, 170
ICSID 224, 245
identidade corporativa 151-152, 170, 183
Illich, Ivan 203
Illinois Institute of Technology 187
Illustrated London News 52
Illustration, L' 52
Iluminismo 235
Ilustração Brasileira 102
imagens 58, 166
circulação de 51, 61-62
imperialismo 122, 156
imprensa / impressos 21, 50, 54, 60, 93, 102
Imprensa Nacional 108
Impressão Régia 50
indústria
armamentos 36
automobilística 115, 181, 246
cerâmica / louças 29, 30-31
gráfica 21, 48-50
mobiliária 42, 77, 95, 128
siderúrgica 68, 162
têxtil 22, 27, 29, 35, 40
industrialização 21, 22, 216
brasileira 33, 36, 46
informática 198, 234, 236
Instituto de Arte Contemporânea (MASP) 183
Instituto do Patrimônio Histórico e Artístico Nacional – IPHAN 223
interação / interatividade 194, 212
interiores, design de 133, 177
internacionalismo / internacionalização 167-168
International Standards Organization – ISO 247
internet 198, 211, 235, 242

Índice

inventos / inventividade 37
IT&T 160
Itten, Johannes 132-133, 187
Ivan 106

J. Carlos 99-100, 102
J. Prado 107
Jaeger, Fernando 225
Jaguar 200
Jardim, Reynaldo 178
João VI, D. 46, 215
Jones, Owen 77, 85
jornais (ver imprensa)
Jornal do Comércio 93
José Olympio (editora) 139
Joselito 177
Journal of Design and Manufactures 77

K. Lixto 106
Kamekura, Yusaku 162
Kandinsky, Wassily 132, 134
Kapaz, Ronaldo 242
Katinsky, Júlio Roberto 175
Kauffer, E. McKnight 142
Kaufmann Jr., Edgar 169
Keller, Ernst 169
Kelmscott Press 82-83
Kepes, Gyorgy 187
Kingsley, Charles 66
Klaxon 129, 145
Klabin (Companhia Fabricadora de Papel) 108
Klee, Paul 132, 134
Klimt, Gustav 96
Knoll Associates 170, 174, 180
Kodak 60
Koetz, Edgar 139
König, Friedrich 48

Kosmos 102
Kostellow, Alexander 193
Kubitschek, Juscelino 177, 183
Kunz, Willi 240

Lacaz, Guto 242
Lacerda, Carlos 192
Lalique, René 96
Lang, Fritz 110
Langenbach & Tenreiro 176
Lanterna Mágica, A 50
Lau, Percy 196
Laubisch & Hirth 178
lazer 47
Le Brun, Charles 29
Le Corbusier 128, 168
Leandro Martins & Cia. 178
Léger, Fernand 128
Leite Ribeiro (livraria) 107
Leite, Ricardo 242
leitura / público leitor 55
Lethaby, William Richard 82
Leuzinger, Casa 54
Levi, Rino 176
Levitt, Theodore 206
Liceu de Artes e Ofícios 84, 196
Light (revista) / Light S.A. 152
linguagens visuais 52, 53
linha de montagem 110, 112
linotipo 48
Lins, Rico 242
Lippincott, J. Gordon 166
Lister, Joseph 69
litografia / oficinas litográficas 50-51, 54
Liuzzi, Sérgio 242
Lockheed 160
Loewy, Raymond 146-147, 172, 175

lojas de departamentos 47, 87
Lombaerts & Cia. 54
Loos, Adolf 85
Lorenzetti S.A. (Lorenzo Lorenzetti) 175
Lubalin, Herb 199
Ludwig & Briggs 54
Luís XIV, rei de França 29
luxo / artigos de luxo 63, 86, 88, 97, 128, 219, 225

Maçã, A 97
Macedo, Walter 183
Macintosh (Apple) 240
Mackenzie, Escola de Engenharia 176
Mackintosh, Charles Rennie 96
Mackmurdo, Arthur Heygate 82
Mafra 177
Magalhães, Aloísio 12, 181-182, 185, 196, 215
Majorelle, Louis 96
Maldonado, Tomás 187-188, 190
Malho, O 99, 102
Maluf, Antônio 182
manufaturas reais (da coroa) 28-29
mão-de-obra (ver trabalho)
máquinas
  a vapor 34
  agrícolas 37
  de costura 38, 40
  de escrever 72, 113
  máquinas-ferramentas 34
marketing / mercadologia 23, 147, 159, 197, 205, 206-207
Martin, P.E. 113

269

Martinez Corrêa, Zé Celso 200
Martino, Ludovico 184
Martins, Ruben 183
Marx, Karl / marxismo 34, 110, 127, 153
Mauá, Visconde de (Irineu Evangelista de Souza) 38, 68
Maurício (de Sousa) 202
McCormick (máquinas agrícolas) 113
McCoy, Katherine 193, 240
McDonnell-Douglas 160
McManus, George 137
mecanização 22, 27, 32, 34, 88, 107
meio-ambiente 219, 235, 244-247
Meireles, Cecília 106
Meissen 29
Melhoramentos (Cia. Melhoramentos de São Paulo) 108
Mellone, Oswaldo 225
Memphis 234
Mendes da Rocha, Paulo 176
Mendes de Carvalho, Rafael 50
mercantilismo 28
Mercedes Benz 180
Mercosul 215
Mergenthaler 48
Merton Abbey (ver Morris and Company)
Metal Leve 184
Meyer, Hannes 132-133
Mies van der Rohe, Ludwig 128, 132-133, 168, 187
Mindlin, Henrique 175
miniaturização eletrônica 188, 237
Ministério da Educação e Saúde (edifício do) 155

Minton 86
Miranda, Oswaldo (Miran) 242
Mirgalowsky, Henrique (Mirga) 142
mobiliário
de escritório 71-72
doméstico 63-64, 80, 81
urbano 225, 230-231
moda / modismos 98, 100, 137, 142, 146, 149
Modelo T (ver Ford)
modernidade / modernização 42, 102, 177, 226, 230
Modernismo 128, 129, 131, 135, 155, 168-169, 172, 175, 180, 183, 186
Moholy-Nagy, Laszlo 129, 132-133
Moles, Abraham 187
Monteiro Lobato 107-108, 114
moradias (ver interiores)
Moreira, Carvalho e Cia. 42
Moreyra, Álvaro 106
Morris, William 62, 79-80
Morris and Company 80-81
Moser, Koloman 84
Mucha, Alphonse Maria 96, 101
Müller-Brockmann, Josef 169, 187
Müller-Monk, Peter 193
Multibrás 231
multinacionais 157, 167, 170, 180-182, 213
Museu de Arte de São Paulo – MASP 190
Museu de Arte Moderna – MoMA (Nova York) 168

Museu de Arte Moderna – MAM (Rio de Janeiro) 190
Muthesius, Hermann 123, 124

N Design 224
nacionalismo / nação 28, 119-121, 156, 168, 178
Nader, Ralph 204
NASA 148
National Institute of Design (Índia) 189
Naumann, Friedrich 123
Nazismo 187, 270
Nelson, George 170
Neoconcretismo 183, 218
Neo-Plasticismo (ver De Stijl)
Nero, Cyro del 200
Neue Typographie, Die 130
Niemeyer, Oscar 183
Nizzoli, Marcello 172
Nova Bauhaus 187
Noyes, Eliot 170
obsolescência
estilística 149
programada 165
Oca S.A. 176
off-set 106
Ohl, Herbert 187
Olbrich, Josef Maria 96
Olivetti 171-172
on-demand 211
ONU 214, 245
orelhão 230
ornamento / padrões ornamentais 77, 85, 101
Organização Mundial de Comércio 167
Orthof, Geraldo 142
OTAN 214
Outcault, Richard 53
outdoor 57

Packard, Vance 203
padronização 38-39, 42, 91, 113, 123, 124, 208
Paim 107
Palácio de Cristal (ver exposições universais)
Papanek, Victor 203, 220, 222, 245-246
Pape, Lygia 183
Para Todos 102
Partido Nacional-Socialista (ver Nazismo)
Partido Trabalhista (Grã-Bretanha) 120
Pasquim, O 201
Pasteur, Louis 69
patentes / propriedade intelectual 91
Paula Brito, Francisco de 50
pé de palito 169
peças trocáveis 37
Pedro Américo [de Figueiredo e Melo] 50
Pedro II, D. 122
Pennacchi, Fulvio 142
Pepsi-cola 213
periferia / países periféricos 214-215, 230, 244
Petersen, Carlos 69
Petrobrás 162, 180, 185
Petzold, Nelson Ivan 217
Pevsner, Nikolaus 11
Philips 137, 208
Pimenta de Mello & Cia. 102
pirataria 91
Pirelli 180-181
Plano Marshall 164
plásticos 136, 146
Poiret, Paul 143
Ponta de Areia, Fundição e Estaleiro 68-69
Pontifícia Universidade Católica (RJ) 195

Pontual, Roberto 178
Pop Art 199
Poppovic, André 242
Porsche, Ferdinand 157
Portinho, Carmen 192
Porto-Alegre, Manuel de Araújo 50, 84
pós-modernidade / pós-moderno 61, 202, 230, 233, 234, 236
Positivismo 235
Poty (Lazzarotto) 196
Prang, Louis 57
Pratt Institute 193
Pré-Rafaelismo 61
prensa cilíndrica (ver imprensa)
prêt-à-porter 143
privatização 198
produção
    em série 21, 33
    em massa 109-110
Pró-Álcool, Programa 246
Programa Brasileiro de Design – PBD 216
progresso 34, 37, 39, 67, 117, 127, 160
projeto 20, 21
    flexibilização do 211, 236
    valor monetário do 35
propaganda (ver também publicidade) 71, 93, 117, 125
protecionismo 213
publicidade 23, 39, 81, 91, 184, 202
Pugin, Augustus Welby Northmore 77, 79, 85
Pulitzer, Joseph 53
Push Pin Studios 199

quadrinhos 53, 137, 145, 202, 239
Quadros, Jânio 190
qualidade total 79
Quant, Mary 205

racionalização
    da produção industrial 43, 127, 177
    de métodos de trabalho 43
rádio 136-138, 145, 149
Rams, Dieter 172-173
Rand, Paul 170
Rato (fábrica do) 29
Raul 106
Raymond, Alex 137
Realidade 201
Realismo 61
reciclagem / reaproveitamento 247-248
Redgrave, Richard 77-78
reformismo social 75-76
regionalismo 230
Reidy, Afonso Eduardo 192
Renascimento 77, 94
Revista Ilustrada 50-51, 93
revistas (ver imprensa)
revoluções
    cubana 204
    francesa 26
    industrial 21-22, 26
    russa 152
Rietveld, Gerrit 128
Rittel, Horst 187
Roberto, Maurício 192
Rodchenko, Alexander 129
Rodrigues, Glauco 178
Rodrigues, Sérgio 219, 221
Rogers, Bruce 84
Rohde, Gilbert 174

Romantismo 76
Romi-Isetta (Emilio Romi) 182
Roosevelt, Franklin Delano 153
Roszak, Theodore 203
Royal College of Art — RCA 194
Royal Society of Arts (Grã-Bretanha) 121
Ruder, Emil 169
Ruptura (grupo) 176
Ruskin, John 79, 82, 84-85

Saarinen, Eero 170, 174, 180, 193
Saarinen, Eliel 193
Saint Laurent, Yves 205
Santa Rosa, Tomás 139, 196, 200
saturação de mercados 164
saúde pública / sanitarismo 69-70
Schools of Design (Grã-Bretanha, s.19) 78, 121
Schlemmer, Oskar 132
Schmidt, Joost 132
Schnaidt, Claude 187
Schreyer, Lothar 132
Schumacher, E.F. 203, 220
Sears 147
Segall, Lasar 128
Segar, Elzie 137
Semana Ilustrada 50
Semana de Arte Moderna de 1922 107, 128
Senhor 178
Sennett, Richard 62, 64
separação entre projeto e execução 22
Serviço Nacional de Aprendizagem Industrial — SENAI 196

Sèvres 29
Siemens 173
Silveira, Chu Ming 230
Simbolismo 96
Singer Manufacturing Company 39-40
Sino Azul 152
Sisson, S.A. 54
sistema americano 37, 39
Small Is Beautiful 220
Smith, Adam 33-34
Sociedade Auxiliadora da Indústria Nacional 38, 121
Sony 207
Sorensen, Charles 113
Sottsass, Ettore 172, 234
South Kensington 78, 84, 122
Souza Cruz 185
Souza, Jair de 242
Sputnik 204
Stam, Mart 168
Starck, Philippe 212, 234
Stephan, Eliane 242
Stölzl, Gunta 132
streamlining 145-146
styling / estilização 146, 149, 150
Sullivan, Pat 137
Superstudio 199
Surrealismo 127
Svenska Slöjdforeningen 122
Swatch 206-207
Sykes, Godfrey 62

Taborda, Felipe 242
tarifas alfandegárias (ver protecionsimo)
Taylor, Frederick W. / taylorismo 43
Teague, Walter Dorwin 146

tecnologia
    evolução da 31-32, 86, 109, 112, 127, 136, 146, 191, 194, 203
    intermediária 132, 220
    transferência de 216-217
tecnicismo 133
Telephone, O 152
televisão 162, 197, 205-206, 208
Tenreiro, Joaquim 12, 176, 178, 180, 196, 218
Teosofia 127
terceirização 198, 251
Terceiro Reich 117
Thonet, Michael 41
Tico-Tico, O 102
Tiffany, Louis Comfort 96
Time (revista) 148
Times, The (de Londres) 48
Tio Sam 154
tipos / tipografia 50, 168, 178, 199
Tipografia Nacional 50
Töppfer, Rodolphe 52
Torre Eiffel (ver exposições universais)
Torres, Paéz 177
Toscano, Odilea 200
Total Design 170
trabalho / trabalhador, desqualificação e exploração do 32-34, 37, 41, 43, 46, 62, 64, 71-72, 115-116
transportes 43, 46-47, 225
Trip 239
Tschichold, Jan 129-130, 169

UDN 191-192
Ulm / ulmiano (ver Escola de Ulm)

Última Hora 107
underground 202
Unibanco 185
Unilabor 176-177
Union Centrale des Arts Décoratifs 85, 122
universidades 195, 223
urbanismo / espaço urbano 176
Ure, Andrew 34
utilidades domésticas 71

van de Velde, Henry 96, 124
van Doesburg, Theo 129
Van Doren, Harold 146
vanguardas / vanguardismo 127-128, 147
Vannucchi, Giovanni 242
Vargas, Getúlio 153, 177, 196
Vaz, Júlio 107
Versace, Gianni 85
vernacular 199, 225, 229

Victoria and Albert Museum 78
Vida Fluminense 50, 53
Vieira, Mary 182
Vilanova Artigas, João Batista 175, 190
Villela, César G. 177, 179
Viollet-le-Duc, Eugène 95
Visconti, Eliseu 87
Vkhutemas 130
vocação agrícola (tese da) 216
Volkswagen 157
VW Brasília 230

Wagenfeld, Wilhelm 128
Wagner, Otto 96
Walita 163
Warchavchik, Gregori 128
Wasth Rodrigues, J. 107
Watergate 165
web design 242
Wedgwood, Josiah 30-31, 88

Weingart, Wolfgang 240
Weissenhof (exposição de) 168
Weiszflog 108
Werkbund 123-124, 216
Werkstätten 84
Wheeler and Wilson 38-39
Whirlpool International 231
Whitney, Eli 36
Willys (Rural Willys) 182
Windows 240
Wollner, Alexandre 183-184, 186
Wright, Frank Lloyd 84

xilogravura 51

Z, Fábrica de Móveis 176
Zanine Caldas, José 175, 218
Ziraldo 200
Zola, Emile 87

Reproduções
As imagens deste livro são reproduzidas com permissão de seus autores e/ou proprietários. É proibida a sua veiculação total ou parcial sem a devida autorização.
(os números se referem às páginas)

ACADEMIA BRASILEIRA DE LETRAS:
   33, 42, 43, 61, 78, 87, 92, 124

ARQUIVO NACIONAL/ACERVO JUNTA COMERCIAL DO RIO DE JANEIRO:
   31, 34, 44, 45, 47, 155

COLEÇÃO PARTICULAR:
   26, 28, 30, 41, 48, 51, 52, 60, 62, 63, 85, 89, 90, 93, 94, 95, 96, 102, 115, 125, 126, 127, 128, 129, 130, 145, 147, 155, 157, 161, 162, 163, 164, 167, 169, 171, 180, 184, 191, 193, 195, 198, 199, 200, 202, 213, 220

DIVULGAÇÃO/ARQUIVO:
   23, 27, 32, 68, 70, 73, 100, 118, 120, 133, 139, 140, 158

MUSEU DO TELEPHONE/TELEMAR:
   59, 64, 82, 123, 137

PINACOTECA DO ESTADO (SP):
   77

Composto em Mrs Eaves, *de* ZUZANA LICKO, © *1996 Emigre Inc.,*
FF Meta, *de* ERIK SPIEKERMANN, © *1991 FontShop International,*
e ITC Officina, *de* ERIK SPIEKERMANN *e* OLE SCHÄFER,
© *1990-1998 International Typeface Corporation.*